El Aleph
Otras inquisiciones
El hacedor

OBRAS COMPLETAS
de Jorge Luis Borges

JORGE LUIS BORGES

OBRAS COMPLETAS

EL ALEPH

EMECÉ EDITORES

PRIMERA EDICIÓN
Setiembre de 1957

SEGUNDA IMPRESIÓN
Octubre de 1961

TERCERA IMPRESIÓN
Junio de 1962

CUARTA IMPRESIÓN
Setiembre de 1963

QUINTA IMPRESIÓN
Agosto de 1965

SEXTA IMPRESIÓN
Abril de 1966

SÉPTIMA IMPRESIÓN
Julio de 1967

Agosto de 1968
OCTAVA IMPRESIÓN

Queda hecho el depósito que previene la ley número 11.723.

EL INMORTAL

> Salomon saith. *There is no new thing upon the earth.* So that as Plato had an imagination, *that all knowledge was but remembrance*; so Salomon giveth his sentence, *that all novelty is but oblivion.*
>
> FRANCIS BACON: *Essays* LVIII.

En Londres, a principios del mes de junio de 1929, el anticuario Joseph Cartaphilus, de Esmirna, ofreció a la princesa de Lucinge los seis volúmenes en cuarto menor (1715-1720) de la Ilíada de Pope. La princesa los adquirió; al recibirlos, cambió unas palabras con él. Era, nos dice, un hombre consumido y terroso, de ojos grises y barba gris, de rasgos singularmente vagos. Se manejaba con fluidez e ignorancia en diversas lenguas; en muy pocos minutos pasó del francés al inglés y del inglés a una conjunción enigmática de español de Salónica y de portugués de Macao. En octubre, la princesa oyó por un pasajero del Zeus que Cartaphilus había muerto en el mar, al regresar a Esmirna, y que lo habían enterrado en la isla de Ios. En el último tomo de la Ilíada halló este manuscrito.

El original está redactado en inglés y abunda en latinismos. La versión que ofrecemos es literal.

I

Que yo recuerde, mis trabajos empezaron en un jardín de Tebas Hekatómpylos, cuando Diocleciano era emperador. Yo había militado (sin gloria) en las recientes guerras egipcias, yo era tribuno de una legión que estuvo acuartelada en Berenice, frente al Mar Rojo: la fiebre y la magia consumieron a muchos hombres que codiciaban magnánimos el acero. Los mauritanos fueron vencidos; la tierra que antes ocuparon las ciudades rebeldes fué dedicada eternamente a los dioses plutónicos; Alejandría, debelada, imploró en vano la misericordia del César; antes de un año las legiones reportaron el triunfo, pero yo logré apenas divisar el rostro de Marte. Esa privación me dolió y fué tal vez la causa de que yo me arrojara a descubrir, por temerosos y difusos desiertos, la secreta Ciudad de los Inmortales.

Mis trabajos empezaron, he referido, en un jardín de Tebas. Toda esa noche no dormí, pues algo estaba combatiendo en mi corazón. Me levanté poco antes del alba; mis esclavos dormían, la luna tenía el mismo color de la infinita arena. Un jinete rendido y ensangrentado venía del oriente. A unos pasos de mí, rodó del caballo. Con una tenue voz insaciable me preguntó en latín el nombre del río que bañaba los muros de la ciudad. Le respondí que era el Egipto, que alimentan las lluvias. *Otro es el río que persigo*, replicó tristemente, *el río secreto que purifica de la muerte a los hombres*. Oscura sangre le manaba del pecho. Me dijo que su patria era una montaña que está del otro lado del Ganges y que en esa montaña era fama que si alguien caminara hasta el occidente, donde se acaba el mundo, llegaría al río cuyas aguas dan la inmortalidad. Agregó que en la margen ulterior se eleva la Ciudad de los

Inmortales, rica en baluartes y anfiteatros y templos. Antes de la aurora murió, pero yo determiné descubrir la ciudad y su río. Interrogados por el verdugo, algunos prisioneros mauritanos confirmaron la relación del viajero; alguien recordó la llanura elísea, en el término de la tierra, donde la vida de los hombres es perdurable; alguien, las cumbres donde nace el Pactolo, cuyos moradores viven un siglo. En Roma, conversé con filósofos que sintieron que dilatar la vida de los hombres era dilatar su agonía y multiplicar el número de sus muertes. Ignoro si creí alguna vez en la Ciudad de los Inmortales: pienso que entonces me bastó la tarea de buscarla. Flavio, procónsul de Getulia, me entregó doscientos soldados para la empresa. También recluté mercenarios, que se dijeron conocedores de los caminos y que fueron los primeros en desertar.

Los hechos ulteriores han deformado hasta lo inextricable el recuerdo de nuestras primeras jornadas. Partimos de Arsinoe y entramos en el abrasado desierto. Atravesamos el país de los trogloditas, que devoran serpientes y carecen del comercio de la palabra; el de los garamantas, que tienen las mujeres en común y se nutren de leones; el de los augilas, que sólo veneran el Tártaro. Fatigamos otros desiertos, donde es negra la arena, donde el viajero debe usurpar las horas de la noche, pues el fervor del día es intolerable. De lejos divisé la montaña que dió nombre al Océano: en sus laderas crece el euforbio, que anula los venenos; en la cumbre habitan los sátiros, nación de hombres ferales y rústicos, inclinados a la lujuria. Que esas regiones bárbaras, donde la tierra es madre de monstruos, pudieran albergar en su seno una ciudad famosa, a todos nos pareció inconcebible. Proseguimos la marcha, pues hubiera sido una afrenta retroceder. Algunos temerarios durmieron con la cara expuesta a la luna; la fiebre los ardió; en el agua depravada de las cisternas otros bebieron la locura y la muerte. Entonces comenzaron las deserciones; muy poco después, los motines. Para reprimirlos, no vacilé ante el ejercicio de la severidad. Procedí rectamente, pero un centurión me advirtió que los sediciosos (ávidos de vengar la crucifixión de uno de ellos) maquinaban mi muerte. Huí del campamento, con los pocos soldados que me eran fieles. En el desierto los perdí, entre los remolinos de arena y la vasta noche. Una flecha cretense me laceró. Varios días erré sin encontrar agua, o un solo enorme día multiplicado por el sol, por la sed y por el temor de la sed. Dejé el camino al arbitrio de mi caballo. En el alba, la lejanía se erizó de pirámides y de torres. Insoportablemente soñé con un exiguo y nítido laberinto: en el centro había un cántaro; mis manos casi lo tocaban, mis ojos lo veían, pero tan intrincadas y perplejas eran las curvas que yo sabía que iba a morir antes de alcanzarlo.

II

Al desenredarme por fin de esa pesadilla, me vi tirado y maniatado en un oblongo nicho de piedra, no mayor que una sepultura común, superficialmente excavado en el agrio declive de una montaña. Los lados eran húmedos, antes pulidos por el tiempo que por la industria. Sentí en el pecho un doloroso latido, sentí que me abrasaba la sed. Me asomé y grité débilmente. Al pie de la montaña se dilataba sin rumor un arroyo impuro, entorpecido por escombros y arena; en la opuesta margen resplandecía (bajo el último sol o bajo el primero) la evidente Ciudad de los Inmortales. Vi muros, arcos, frontispicios y foros: el fundamento era una meseta de piedra. Un centenar de nichos irregulares, análogos al mío, surcaban la montaña y el valle. En la arena había pozos de poca hondura; de esos mezquinos agujeros (y de los nichos) emergían hombres de piel gris, de barba negligente, desnudos. Creí reconocerlos: pertenecían a la estirpe bestial de los trogloditas, que infestan las riberas del Golfo Arábigo y las grutas etiópicas; no me maravillé de que no hablaran y de que devoraran serpientes.

La urgencia de la sed me hizo temerario. Consideré que estaba a unos treinta pies de la arena; me tiré, cerrados los ojos, atadas a la espalda las manos, montaña abajo. Hundí la cara ensangrentada en el agua oscura. Bebí como se abrevan los animales. Antes de perderme otra vez en el sueño y en los delirios, inexplicablemente repetí unas palabras griegas: *los ricos teucros de Zelea que beben el agua negra del Esepo...*

No sé cuántos días y noches rodaron sobre mí. Doloroso, incapaz de recuperar el abrigo de las cavernas, desnudo en la ignorada arena, dejé que la luna y el sol jugaran con mi aciago destino. Los trogloditas, infantiles en la barbarie, no me ayudaron a sobrevivir o a morir. En vano les rogué que me dieran muerte. Un día, con el filo de un pedernal rompí mis ligaduras. Otro, me levanté y pude mendigar o robar —yo, Marco Flaminio Rufo, tribuno militar de una de las legiones de Roma— mi primera detestada ración de carne de serpiente.

La codicia de ver a los Inmortales, de tocar la sobrehumana Ciudad, casi me vedaba dormir. Como si penetraran mi propósito, no dormían tampoco los trogloditas: al principio inferí que me vigilaban; luego, que se habían contagiado de mi inquietud, como podrían contagiarse los perros. Para alejarme de la bárbara aldea elegí la más pública de las horas, la declinación de la tarde, cuando casi todos los hombres emergen de las grietas y de los pozos y miran el poniente, sin verlo. Oré en voz alta, menos para suplicar el favor divino que para intimidar a la tribu con palabras articuladas. Atravesé el arroyo que los médanos entorpecen y me dirigí a la Ciudad. Confusamente me siguieron dos o tres hombres. Eran (como los otros de ese linaje) de menguada estatura; no inspiraban temor, sino repulsión. Debí rodear algunas hondonadas irregulares que me parecieron canteras; ofuscado por la grandeza de la Ciudad, yo la había creído cercana. Hacia la medianoche, pisé, erizada de formas idolátricas en la arena amarilla, la negra sombra de sus muros. Me detuvo una especie de horror sagrado. Tan abominadas del hombre son la novedad y el desierto que me alegré de que uno de los trogloditas me hubiera acompañado hasta el fin. Cerré los ojos y aguardé (sin dormir) que relumbrara el día.

He dicho que la Ciudad estaba fundada sobre una meseta de piedra. Esta meseta comparable a un acantilado no era menos ardua que los muros. En vano fatigué mis pasos: el negro basamento no descubría la menor irregularidad, los muros invariables no parecían consentir una sola puerta. La fuerza del día hizo que yo me refugiara en una caverna; en el fondo había un pozo, en el pozo una escalera que se abismaba hacia la tiniebla inferior. Bajé; por un caos de sórdidas galerías llegué a una vasta cámara circular, apenas visible. Había nueve puertas en aquel sótano; ocho daban a un laberinto que falazmente desembocaba en la misma cámara; la novena (a través de otro laberinto) daba a una segunda cámara circular, igual a la primera. Ignoro el número total de las cámaras; mi desventura y mi ansiedad las multiplicaron. El silencio era hostil y casi perfecto; otro rumor no había en esas profundas redes de piedra que un viento subterráneo, cuya causa no descubrí; sin ruido se perdían entre las grietas hilos de agua herrumbrada. Horriblemente me habitué a ese dudoso mundo; consideré increíble que pudiera existir otra cosa que sótanos provistos de nueve puertas y que sótanos largos que se bifurcan. Ignoro el tiempo que debí caminar bajo tierra; sé que alguna vez confundí, en la misma nostalgia, la atroz aldea de los bárbaros y mi ciudad natal, entre los racimos.

En el fondo de un corredor, un no previsto muro me cerró el paso, una remota luz cayó sobre sí. Alcé los ofuscados ojos: en lo vertiginoso, en lo altísimo, vi un círculo de cielo tan azul que pudo parecerme de púrpura. Unos peldaños de metal escalaban el muro. La fatiga me relajaba, pero subí, sólo deteniéndome a veces para torpemente sollozar de felicidad. Fuí divisando capiteles y astrágalos, frontones triangulares y bóvedas, confusas pompas del granito y del mármol. Así me fué deparado ascender de la ciega región de negros laberintos entretejidos a la resplandeciente Ciudad.

Emergí a una suerte de plazoleta; mejor dicho, de patio. Lo rodeaba un solo edificio de forma irregular y altura variable; a ese edificio heterogéneo pertenecían las diversas cúpulas y columnas. Antes que ningún otro rasgo de ese monumento increíble, me suspendió lo antiquísimo de su fábrica. Sentí que era anterior a los hombres, anterior a la tierra. Esa notoria antigüedad (aunque terrible de algún modo para los ojos) me pareció adecuada al trabajo de obreros inmortales. Cautelosamente al principio, con indiferencia después, con desesperación al fin, erré por escaleras y pavimentos del inextricable palacio. (Después averigüé que eran inconstantes la extensión y la altura de los peldaños, hecho que me hizo comprender la singular fatiga que me infundieron.) *Este palacio es fábrica de los dioses*, pensé primeramente. Exploré los inhabitados recintos y corregí: *Los dioses que lo edificaron han muerto.* Noté sus peculiaridades y dije: *Los dioses que lo edificaron estaban locos.* Lo dije, bien lo sé, con una incomprensible reprobación que era casi un remordimiento, con más horror intelectual que miedo sensible. A la impresión de enorme antigüedad se agregaron otras: la de lo interminable, la de lo atroz, la de lo complejamente insensato. Yo había cruzado un laberinto, pero la nítida Ciudad de los Inmortales me atemorizó y repugnó. Un laberinto es una casa labrada para confundir a los hombres; su arquitectura, pródiga en simetrías, está subordinada a ese fin. En el palacio que imperfectamente exploré, la arquitectura carecía de fin. Abundaban el corredor sin salida, la alta ventana inalcanzable, la aparatosa puerta que daba a una celda o a un pozo, las increíbles escaleras inversas, con los peldaños y la balaustrada hacia abajo. Otras, adheridas aéreamente al costado de un muro monumental, morían sin llegar a ninguna parte, al cabo de dos o tres giros, en la tiniebla superior de las cúpulas. Ignoro si todos los ejemplos que he enumerado son literales; sé que durante muchos años infestaron mis pesadillas; no puedo ya saber si tal o cual rasgo es una transcripción de la realidad o de las formas que desatinaron mis noches. *Esta Ciudad* (pensé) *es tan horrible que su mera existencia y perduración, aunque en el centro de un desierto secreto, contamina el pasado y el porvenir y de algún modo compromete a los astros. Mientras perdure, nadie en el mundo podrá ser valeroso o feliz.* No quiero describirla; un caos de palabras heterogéneas, un cuerpo de tigre o de toro, en el que pulularan monstruosamente, conjugados y odiándose, dientes, órganos y cabezas, pueden (tal vez) ser imágenes aproximativas.

No recuerdo las etapas de mi regreso, entre los polvorientos y húmedos hipogeos. Únicamente sé que no me abandonaba el temor de que, al salir del último laberinto, me rodeara otra vez la nefanda Ciudad de los Inmortales. Nada más puedo recordar.

Ese olvido, ahora insuperable, fué quizá voluntario; quizá las circunstancias de mi evasión fueron tan ingratas que, en algún día no menos olvidado también, he jurado olvidarlas.

III

Quienes hayan leído con atención el relato de mis trabajos recordarán que un hombre de la tribu me siguió como un perro podría seguirme, hasta la sombra irregular de los muros. Cuando salí del último sótano, lo encontré en la boca de la caverna. Estaba tirado en la arena, donde trazaba torpemente y borraba una hilera de signos, que eran como las letras de los sueños, que uno está a punto de entender y luego se juntan. Al principio, creí que se trataba de una escritura bárbara; después vi que es absurdo imaginar que hombres que no llegaron a la palabra lleguen a la escritura. Además, ninguna de las formas era igual a otra, lo cual excluía o alejaba la posibilidad de que fueran simbólicas. El hombre las trazaba, las miraba y las corregía. De golpe, como si le fastidiara ese juego, las borró con la palma y el antebrazo. Me miró, no pareció reconocerme. Sin embargo, tan grande era el alivio que me inundaba (o tan grande y medrosa mi soledad) que di en pensar que ese rudimental troglodita, que me miraba desde el suelo de la caverna, había estado esperándome. El sol caldeaba la llanura; cuando emprendimos el regreso a la aldea, bajo las primeras estrellas, la arena era ardorosa bajo los pies. El troglodita me precedió; esa noche concebí el propósito de enseñarle a reconocer, y acaso a repetir, algunas palabras. El perro y el caballo (reflexioné) son capaces de lo primero; muchas aves, como el ruiseñor de los Césares, de lo último. Por muy basto que fuera el entendimiento de un hombre, siempre sería superior al de irracionales.

La humildad y miseria del troglodita me trajeron a la memoria la imagen de Argos, el viejo perro moribundo de la Odisea, y así le puse el nombre de Argos y traté de enseñárselo. Fracasé y volví a fracasar. Los arbitrios, el rigor y la obstinación fueron del todo vanos. Inmóvil, con los ojos inertes, no parecía percibir los sonidos que yo procuraba inculcarle. A unos pasos de mí, era como si estuviera muy lejos. Echado en la arena, como una pequeña y ruinosa esfinge de lava, dejaba que sobre él giraran los cielos, desde el crepúsculo del día hasta el de la noche. Juzgué imposible que no se percatara de mi propósito. Recordé que es fama entre los etíopes que los monos deliberadamente no hablan para que no los obliguen a trabajar y atribuí a suspicacia o a temor el silencio de Argos. De esa imaginación pasé a otras, aun más extravagantes. Pensé que Argos y yo participábamos de universos distintos; pensé que nuestras percepciones eran iguales, pero que Argos las combinaba de otra manera y construía con ellas otros objetos; pensé que acaso no había objetos para él, sino un vertiginoso y continuo juego de impresiones brevísimas. Pensé en un mundo sin memoria, sin tiempo; consideré la posibilidad de un lenguaje que ignorara los sustantivos, un lenguaje de verbos impersonales o de indeclinables epítetos. Así fueron muriendo los días y con los días los años, pero algo parecido a la felicidad ocurrió una mañana. Llovió, con lentitud poderosa.

Las noches del desierto pueden ser frías, pero aquélla había sido un fuego. Soñé que un río de Tesalia (a cuyas aguas yo había restituído un pez de oro) venía a rescatarme; sobre la roja arena y la negra piedra yo lo oía acercarse; la frescura del aire y el rumor atareado de la lluvia me despertaron. Corrí desnudo a recibirla. Declinaba la noche; bajo las nubes amarillas la tribu, no menos dichosa que yo, se ofrecía a los vívidos aguaceros en una especie de éxtasis. Parecían coribantes a quienes posee la divinidad. Argos, puestos los ojos en la esfera, gemía; raudales le rodaban por la cara; no sólo de agua, sino (después lo supe) de lágrimas. Argos, le grité, Argos.

Entonces, con mansa admiración, como si descubriera una cosa perdida y olvidada hace mucho tiempo, Argos balbuceó estas palabras: *Argos, perro de Ulises.* Y después, también sin mirarme: *Este perro tirado en el estiércol.*

Fácilmente aceptamos la realidad, acaso porque intuimos que nada es real. Le pregunté qué sabía de la Odisea. La práctica del griego le era penosa; tuve que repetir la pregunta.

Muy poco, dijo. *Menos que el rapsoda más pobre. Ya habrán pasado mil cien años desde que la inventé.*

IV

Todo me fué dilucidado, aquel día. Los trogloditas eran los Inmortales; el riacho de aguas arenosas, el Río que buscaba el jinete. En cuanto a la ciudad cuyo renombre se había dilatado hasta el Ganges, nueve siglos haría que los Inmortales la habían asolado. Con las reliquias de su ruina erigieron, en el mismo lugar, la desatinada ciudad que yo recorrí: suerte de parodia o reverso y también templo de los dioses irracionales que manejan el mundo y de los que nada sabemos, salvo que no se parecen al hombre. Aquella fundación fué el último símbolo a que condescendieron los Inmortales; marca una etapa en que, juzgando que toda empresa es vana, determinaron vivir en el pensamiento, en la pura especulación. Erigieron la fábrica, la olvidaron y fueron a morar en las cuevas. Absortos, casi no percibían el mundo físico.

Esas cosas Homero las refirió, como quien habla con un niño. También me refirió su vejez y el postrer viaje que emprendió, movido, como Ulises, por el propósito de llegar a los hombres que no saben lo que es el mar ni comen carne sazonada con sal ni sospechan lo que es un remo. Habitó un siglo en la Ciudad de los Inmortales. Cuando la derribaron, aconsejó la fundación de la otra. Ello no debe sorprendernos; es fama que después de cantar la guerra de Ilión, cantó la guerra de las ranas y los ratones. Fué como un dios que creara el cosmos y luego el caos.

Ser inmortal es baladí; menos el hombre, todas las criaturas lo son, pues ignoran la muerte; lo divino, lo terrible, lo incomprensible, es saberse inmortal. He notado que, pese a las religiones, esa convicción es rarísima. Israelitas, cristianos y musulmanes profesan la inmortalidad, pero la veneración que tributan al primer siglo prueba que sólo creen en él, ya que destinan todos los demás, en número infinito, a premiarlo o a castigarlo. Más razonable me parece la rueda de ciertas religiones del Indostán; en esa rueda, que no tiene principio ni fin, cada vida es efecto de la anterior y engendra la siguiente, pero ninguna determina el conjunto... Adoctrinada por un ejercicio de siglos, la república de hombres inmortales había logrado la perfección de la tolerancia y casi del desdén. Sabía que en un plazo infinito le ocurren a todo hombre todas las cosas. Por sus pasadas o futuras virtudes, todo hombre es acreedor a toda bondad, pero también a toda traición, por sus infamias del pasado o del porvenir. Así como en los juegos de azar las cifras pares y las cifras impares tienden al equilibrio, así también se anulan y se corrigen el ingenio y la estolidez, y acaso el rústico poema del Cid es el contrapeso exigido por un solo epíteto de las Églogas o por una sentencia de Heráclito. El pensamiento más fugaz obedece a un dibujo invisible y puede coronar, o inaugurar, una forma secreta. Sé de quienes obraban el mal para que en los siglos futuros resultara el bien, o hubiera resultado en los ya pretéritos... Encarados así, todos nuestros actos son justos, pero también son indiferentes. No hay méritos morales o intelectuales. Homero compuso la Odisea; postulado un plazo infinito, con infinitas circunstancias y cambios, lo imposible es no componer, siquiera una vez, la Odisea. Nadie es alguien, un solo hombre inmortal es todos los hombres. Como Cornelio Agrippa, soy dios, soy héroe, soy filósofo, soy demonio y soy mundo, lo cual es una fatigosa manera de decir que no soy.

El concepto del mundo como sistema de precisas compensaciones influyó vastamente en los Inmortales. En primer término, los hizo invulnerables a la piedad. He mencionado las antiguas canteras que rompían los campos de la otra margen; un hombre se despeñó en la más honda; no podía lastimarse ni morir, pero lo abrasaba la sed; antes que le arrojaran una cuerda pasaron setenta años. Tampoco interesaba el propio destino. El cuerpo era un sumiso animal doméstico y le bastaba, cada mes, la limosna de unas horas de sueño, de un poco de agua y de una piltrafa de carne. Que nadie quiera rebajarnos a ascetas. No hay placer más complejo que el pensamiento y a él nos entregábamos. A veces, un estímulo extraordinario nos restituía al mundo físico. Por ejemplo, aquella mañana, el viejo goce elemental de la lluvia. Esos lapsos eran rarísimos; todos los Inmortales eran capaces de perfecta quietud; recuerdo alguno a quien jamás he visto de pie: un pájaro anidaba en su pecho.

Entre los corolarios de la doctrina de que no hay cosa que no esté compensada por otra, hay uno de muy poca importancia teórica, pero que nos indujo, a fines o a principios del siglo X, a dispersarnos por la faz de la tierra. Cabe en estas palabras: *Existe un río cuyas aguas dan la inmortalidad; en alguna región habrá otro río cuyas aguas la borren.* El número de ríos no es infinito; un viajero inmortal que recorra el mundo acabará, algún día, por haber bebido de todos. Nos propusimos descubrir ese río.

La muerte (o su alusión) hace preciosos y patéticos a los hombres. Éstos conmueven por su condición de fantasmas; cada acto que ejecutan puede ser último; no hay rostro que no esté por desdibujarse como el rostro de un sueño. Todo, entre los mortales, tiene el valor de lo irrecuperable y de lo azaroso. Entre los Inmortales, en cambio, cada acto (y cada pensamiento) es el eco de otros que en el pasado lo antecedieron, sin principio visible, o el fiel presagio de otros que en el futuro lo repetirán hasta el vértigo. No hay cosa que no esté como perdida entre infatigables espejos. Nada puede ocurrir una sola vez, nada es preciosamente precario. Lo elegíaco, lo grave, lo ceremonial, no rigen para los Inmortales. Homero y yo nos separamos en las puertas de Tánger; creo que no nos dijimos adiós.

V

Recorrí nuevos reinos, nuevos imperios. En el otoño de 1066 milité en el puente de Stamford, ya no recuerdo si en las filas de Harold, que no tardó en hallar su destino, o en las de aquel infausto Harald Hardrada que conquistó seis pies de tierra inglesa, o un poco más. En el séptimo siglo de la Héjira, en el arrabal de Bulaq, transcribí con pausada caligrafía, en un idioma que he olvidado, en un alfabeto que ignoro, los siete viajes de Simbad y la historia de la Ciudad de Bronce. En un patio de la cárcel de Samarcanda he jugado muchísimo al ajedrez. En Bikanir he profesado la astrología y también en Bohemia. En 1638 estuve en Kolozsvár y después en Leipzig. En Aberdeen, en 1714, me suscribí a los seis volúmenes de la Ilíada de Pope; sé que los frecuenté con deleite. Hacia 1729 discutí el origen de ese poema con un profesor de retórica, llamado, creo, Giambattista; sus razones me parecieron irrefutables. El cuatro de octubre de 1921, el *Patna*, que me conducía a Bombay, tuvo que fondear en un puerto de la costa eritrea.[1] Bajé; recordé otras mañanas muy antiguas, también frente al Mar Rojo; cuando yo era tribuno de Roma y la fiebre y la magia y la inacción consumían a los soldados. En las afueras vi un caudal de agua clara; la probé, movido por la costumbre. Al repechar la margen, un árbol espinoso me laceró el dorso de la mano. El inusitado dolor me pareció muy vivo. Incrédulo, silencioso y feliz, contemplé la preciosa formación de una lenta gota de sangre. De nuevo soy mortal, me repetí, de nuevo me parezco a todos los hombres. Esa noche, dormí hasta el amanecer.

...He revisado, al cabo de un año, estas páginas. Me consta que se ajustan a la verdad, pero en los primeros capítulos, y aun en ciertos párrafos de los otros, creo percibir algo falso. Ello es obra, tal vez, del abuso de rasgos circunstanciales, procedimiento

[1] Hay una tachadura en el manuscrito; quizás el nombre del puerto ha sido borrado.

que aprendí en los poetas y que todo lo contamina de falsedad, ya que esos rasgos pueden abundar en los hechos, pero no en su memoria... Creo, sin embargo, haber descubierto una razón más íntima. La escribiré; no importa que me juzguen fantástico.

La historia que he narrado parece irreal porque en ella se mezclan los sucesos de dos hombres distintos. En el primer capítulo, el jinete quiere saber el nombre del río que baña las murallas de Tebas; Flaminio Rufo, que antes ha dado a la ciudad el epíteto de Hekatómpylos, dice que el río es el Egipto; ninguna de esas locuciones es adecuada a él, sino a Homero, que hace mención expresa, en la Ilíada, de Tebas Hekatómpylos, y en la Odisea, por boca de Proteo y de Ulises, dice invariablemente Egipto por Nilo. En el capítulo segundo, el romano, al beber el agua inmortal, pronuncia unas palabras en griego; esas palabras son homéricas y pueden buscarse en el fin del famoso catálogo de las naves. Después, en el vertiginoso palacio, habla de "una reprobación que era casi un remordimiento"; esas palabras corresponden a Homero, que había proyectado ese horror. Tales anomalías me inquietaron; otras, de orden estético, me permitieron descubrir la verdad. El último capítulo las incluye; ahí está escrito que milité en el puente de Stamford, que transcribí, en Bulaq, los viajes de Simbad el Marino y que me suscribí, en Aberdeen, a la Ilíada inglesa de Pope. Se lee, *inter alia*: "En Bikanir he profesado la astrología y también en Bohemia." Ninguno de esos testimonios es falso; lo significativo es el hecho de haberlos destacado. El primero de todos parece convenir a un hombre de guerra, pero luego se advierte que el narrador no repara en lo bélico y sí en la suerte de los hombres. Los que siguen son más curiosos. Una oscura razón elemental me obligó a registrarlos; lo hice porque sabía que eran patéticos. No lo son, dichos por el romano Flaminio Rufo. Lo son, dichos por Homero; es raro que éste copie, en el siglo trece, las aventuras de Simbad, de otro Ulises, y descubra, a la vuelta de muchos siglos, en un reino boreal y un idioma bárbaro, las formas de su Ilíada. En cuanto a la oración que recoge el nombre de Bikanir, se ve que la ha fabricado un hombre de letras, ganoso (como el autor del catálogo de las naves) de mostrar vocablos espléndidos.[1]

Cuando se acerca el fin, ya no quedan imágenes del recuerdo; sólo quedan palabras. No es extraño que el tiempo haya confundido las que alguna vez me representaron con las que fueron símbolos de la suerte de quien me acompañó tantos siglos. Yo he sido Homero; en breve, seré Nadie, como Ulises; en breve, seré todos: estaré muerto.

Posdata de 1950. Entre los comentarios que ha despertado la publicación anterior, el más curioso, ya que no el más urbano, bíblicamente se titula *A coat of many colours* (Manchester, 1948) y es obra de la tenacísima pluma del doctor Nahum Cordovero. Abarca unas cien páginas. Habla de los centones griegos, de los centones de la baja latinidad,

[1] Ernesto Sábato sugiere que el "Giambattista" que discutió la formación de la Ilíada con el anticuario Cartaphilus es Giambattista Vico; ese italiano defendía que Homero es un personaje simbólico, a la manera de Plutón o de Aquiles.

de Ben Jonson, que definió a sus contemporáneos con retazos de Séneca, del *Virgilius evangelizans* de Alexander Ross, de los artificios de George Moore y de Eliot y, finalmente, de "la narracción atribuída al anticuario Joseph Cartaphilus". Denuncia, en el primer capítulo, breves interpolaciones de Plinio (*Historia naturalis*, V, 8); en el segundo, de Thomas De Quincey (*Writings*, III, 439); en el tercero, de una epístola de Descartes al embajador Pierre Chanut; en el cuarto, de Bernard Shaw (*Back to Methuselah*, V). Infiere de esas intrusiones, o hurtos, que todo el documento es apócrifo.

A mi entender, la conclusión es inadmisible. *Cuando se acerca el fin*, escribió Cartaphilus, *ya no quedan imágenes del recuerdo; sólo quedan palabras.* Palabras, palabras desplazadas y mutiladas, palabras de otros, fué la pobre limosna que le dejaron las horas y los siglos.

A Cecilia Ingenieros.

EL MUERTO

Que un hombre del suburbio de Buenos Aires, que un triste compadrito sin más virtud que la infatuación del coraje, se interne en los desiertos ecuestres de la frontera del Brasil y llegue a capitán de contrabandistas, parece de antemano imposible. A quienes lo entienden así, quiero contarles el destino de Benjamín Otálora, de quien acaso no perdura un recuerdo en el barrio de Balvanera y que murió en su ley, de un balazo, en los confines de Río Grande do Sul. Ignoro los detalles de su aventura; cuando me sean revelados, he de rectificar y ampliar estas páginas. Por ahora, este resumen puede ser útil.

Benjamín Otálora cuenta, hacia 1891, diecinueve años. Es un mocetón de frente mezquina, de sinceros ojos claros, de reciedumbre vasca; una puñalada feliz le ha revelado que es un hombre valiente; no lo inquieta la muerte de su contrario, tampoco la inmediata necesidad de huir de la República. El caudillo de la parroquia le da una carta para un tal Azevedo Bandeira, del Uruguay. Otálora se embarca, la travesía es tormentosa y crujiente; al otro día, vaga por las calles de Montevideo, con inconfesada y tal vez ignorada tristeza. No da con Azevedo Bandeira; hacia la medianoche, en un almacén del Paso del

Molino, asiste a un altercado entre unos troperos. Un cuchillo relumbra; Otálora no sabe de qué lado está la razón, pero lo atrae el puro sabor del peligro, como a otros la baraja o la música. Para, en el entrevero, una puñalada baja que un peón le tira a un hombre de galera oscura y de poncho. Éste, después, resulta ser Azevedo Bandeira. (Otálora, al saberlo, rompe la carta, porque prefiere debérselo todo a sí mismo.) Azevedo Bandeira da, aunque fornido, la injustificable impresión de ser contrahecho; en su rostro, siempre demasiado cercano, están el judío, el negro y el indio; en su empaque, el mono y el tigre; la cicatriz que le atraviesa la cara es un adorno más, como el negro bigote cerdoso.

Proyección o error del alcohol, el altercado cesa con la misma rapidez con que se produjo. Otálora bebe con los troperos y luego los acompaña a una farra y luego a un caserón en la Ciudad Vieja, ya con el sol bien alto. En el último patio, que es de tierra, los hombres tienden su recado para dormir. Oscuramente, Otálora compara esa noche con la anterior; ahora ya pisa tierra firme, entre amigos. Lo inquieta algún remordimiento, eso sí, de no extrañar a Buenos Aires. Duerme hasta la oración, cuando lo despierta el paisano que agredió, borracho, a Bandeira. (Otálora recuerda que ese hombre ha compartido con los otros la noche de tumulto y de júbilo y que Bandeira lo sentó a su derecha y lo obligó a seguir bebiendo.) El hombre le dice que el patrón lo manda buscar. En una suerte de escritorio que da al zaguán (Otálora nunca ha visto un zaguán con puertas laterales) está esperándolo Azevedo Bandeira, con una clara y desdeñosa mujer de pelo colorado. Bandeira lo pondera, le ofrece una copa de caña, le repite que le está pareciendo un hombre animoso, le propone ir al Norte con los demás a traer una tropa. Otálora acepta; hacia la madrugada están en camino, rumbo a Tacuarembó.

Empieza entonces para Otálora una vida distinta, una vida de vastos amaneceres y de jornada que tienen el olor del caballo. Esa vida es nueva para él, y a veces atroz, pero ya está en su sangre, porque lo mismo que los hombres de otras naciones veneran y presienten el mar, así nosotros (también el hombre que entreteje estos símbolos) ansiamos la llanura inagotable que resuena bajo los cascos. Otálora se ha criado en los barrios del carrero y del cuarteador; antes de un año se hace gaucho. Aprende a jinetear, a entropillar la hacienda, a carnear, a manejar el lazo que sujeta y las boleadoras que tumban, a resistir el sueño, las tormentas, las heladas y el sol, a arrear con el silbido y el grito. Sólo una vez, durante ese tiempo de aprendizaje, ve a Azevedo Bandeira, pero lo tiene muy presente, porque ser *hombre de Bandeira* es ser considerado y temido, y porque, ante cualquier hombrada, los gauchos dicen que Bandeira lo hace mejor. Alguien opina que Bandeira nació del otro lado del Cuareim, en Rio Grande do Sul; eso, que debería rebajarlo, oscuramente lo enriquece de selvas populosas, de ciénagas, de inextricables y casi infinitas distancias. Gradualmente, Otálora entiende que los negocios de Bandeira son múltiples y que el principal es el contrabando. Ser tropero es ser un sirviente; Otálora se propone ascender a contrabandista. Dos de los compañeros, una noche, cruzarán la frontera para volver con unas partidas de caña; Otálora provoca a uno de ellos, lo hiere y toma su lugar. Lo mueve la ambición y también una oscura fidelidad. *Que el hombre* (piensa) *acabe por entender que yo valgo más que todos sus orientales juntos.*

Otro año pasa antes que Otálora regrese a Montevideo. Recorren las orillas, la ciudad (que a Otálora le parece muy grande); llegan a casa del patrón; los hombres tienden los recados en el último patio. Pasan los días y Otálora no ha visto a Bandeira. Dicen, con temor, que está enfermo; un moreno suele subir a su dormitorio con la caldera y con el mate. Una tarde, le encomiendan a Otálora esa tarea. Éste se siente vagamente humillado, pero satisfecho también.

El dormitorio es desmantelado y oscuro. Hay un balcón que mira al poniente, hay una larga mesa con un resplandeciente desorden de taleros, de arreadores, de cintos, de armas de fuego y de armas blancas, hay un remoto espejo que tiene la luna empañada. Bandeira yace boca arriba; sueña y se queja; una vehemencia de sol último lo define. El vasto lecho blanco parece disminuirlo y oscurecerlo; Otálora nota las canas, la fatiga, la flojedad, las grietas de los años. Lo subleva que los esté mandando ese viejo. Piensa que un golpe bastaría para dar cuenta de él. En eso, ve en el espejo que alguien ha entrado. Es la mujer de pelo rojo; está a medio vestir y descalza y lo observa con fría curiosidad. Bandeira se incorpora; mientras habla de cosas de la campaña y despacha mate tras mate, sus dedos juegan con las trenzas de la mujer. Al fin, le da licencia a Otálora para irse.

Días después, les llega la orden de ir al Norte. Arriban a una estancia perdida, que está como en cualquier lugar de la interminable llanura. Ni árboles ni un arroyo la alegran, el primer sol y el último la golpean. Hay corrales de piedra para la hacienda, que es guampuda y menesterosa. *El Suspiro* se llama ese pobre establecimiento.

Otálora oye en rueda de peones que Bandeira no tardará en llegar de Montevideo. Pregunta por qué; alguien aclara que hay un forastero agauchao que está queriendo mandar demasiado. Otálora comprende que es una broma, pero le halaga que esa broma ya sea posible. Averigua, después, que Bandeira se ha enemistado con uno de los jefes políticos y que éste le ha retirado su apoyo. Le gusta esa noticia.

Llegan cajones de armas largas; llegan una jarra y una palangana de plata para el aposento de la mujer; llegan cortinas de intrincado damasco; llega de las cuchillas, uan mañana, un jinete sombrío, de barba cerrada y de poncho. Se llama Ulpiano Suárez y es el *capanga* o guardaespaldas de Azevedo Bandeira. Habla muy poco y de una manera abrasilerada. Otálora no sabe si atribuir su reserva a hostilidad, a desdén o a mera barbarie. Sabe, eso sí, que para el plan que está maquinando tiene que ganar su amistad.

Entra después en el destino de Benjamín Otálora un colorado cabos negros que trae del sur Azevedo Bandeira y que luce apero chapeado y carona con bordes de piel de tigre. Ese caballo liberal es un símbolo de la autoridad del patrón y por eso lo codicia el muchacho, que llega también a desear, con deseo rencoroso, a la mujer de pelo resplandeciente. La mujer, el apero y el colorado son atributos o adjetivos de un hombre que él aspira a destruir.

Aquí la historia se complica y se ahonda. Azevedo Bandeira es diestro en el arte de la intimidación progresiva, en la satánica maniobra de humillar al interlocutor gradualmente, combinando veras y burlas; Otálora resuelve aplicar ese método ambiguo a la dura tarea que se propone. Resuelve suplantar, lentamente, a Azevedo Bandeira. Logra, en jornadas de peligro común, la amistad de Suárez. Le confía su plan; Suárez le promete su ayuda. Muchas cosas van aconteciendo después, de las que sé unas pocas. Otálora no obedece a Bandeira; da en olvidar, en corregir, en invertir sus órdenes. El universo parece conspirar con él y apresura los hechos. Un mediodía, ocurre en campos de Tacuarembó un tiroteo con gente ríograndense; Otálora usurpa el lugar de Bandeira y manda a los orientales. Le atraviesa el hombro una bala, pero esa tarde Otálora regresa al *Suspiro* en el colorado del jefe y esa tarde unas gotas de su sangre manchan la piel de tigre y esa noche duerme con la mujer de pelo reluciente. Otras versiones cambian el orden de estos hechos y niegan que hayan ocurrido en un solo día.

Bandeira, sin embargo, siempre es nominalmente el jefe. Da órdenes que no se ejecutan; Benjamín Otálora no lo toca, por una mezcla de rutina y de lástima.

La ultima escena de la historia corresponde a la

agitación de la última noche de 1894. Esa noche, los hombres del *Suspiro* comen carne recién matada y beben un alcohol pendenciero; alguien infinitamente rasguea una trabajosa milonga. En la cabecera de la mesa, Otálora, borracho, erige exultación sobre exultación, júbilo sobre júbilo; esa torre de vértigos es un símbolo de su irresistible destino. Bandeira, taciturno entre los que gritan, deja que fluya clamorosa la noche. Cuando las doce campanadas resuenan, se levanta como quien recuerda una obligación. Se levanta y golpea con suavidad a la puerta de la mujer. Ésta le abre en seguida, como si esperara el llamado. Sale a medio vestir y descalza. Con una voz que se afemina y se arrastra, el jefe le ordena:

—Ya que vos y el porteño se quieren tanto, ahora mismo le vas a dar un beso a vista de todos.

Agrega una circunstancia brutal. La mujer quiere resistir, pero dos hombres la han tomado del brazo y la echan sobre Otálora. Arrasada en lágrimas, le besa la cara y el pecho. Ulpiano Suárez ha empuñado el revólver. Otálora comprende, antes de morir, que desde el principio lo han traicionado, que ha sido condenado a muerte, que le han permitido el amor, el mando y el triunfo, porque ya lo daban por muerto, porque para Bandeira ya estaba muerto.

Suárez, casi con desdén, hace fuego.

LOS TEÓLOGOS

Arrasado el jardín, profanados los cálices y las aras, entraron a caballo los hunos en la biblioteca monástica y rompieron los libros incomprensibles y los vituperaron y los quemaron, acaso temerosos de que las letras encubrieran blasfemias contra su dios, que era una cimitarra de hierro. Ardieron palimpsestos y códices, pero en el corazón de la hoguera, entre la ceniza, perduró casi intacto el libro duodécimo de la *Civitas Dei*, que narra que Platón enseñó en Atenas que, al cabo de los siglos, todas las cosas recuperarán su estado anterior, y él, en Atenas, ante el mismo auditorio, de nuevo enseñará esa doctrina. El texto que las llamas perdonaron gozó de una veneración especial y quienes lo leyeron y releyeron en esa remota provincia dieron en olvidar que el autor sólo declaró esa doctrina para poder mejor confutarla. Un siglo después, Aureliano, coadjutor de Aquilea, supo que a orillas del Danubio la novísima secta de los *monótonos* (llamados también *anulares*) profesaba que la historia es un círculo y que nada es que no haya sido y que no será. En las montañas, la Rueda y la Serpiente habían desplazado a la Cruz. Todos temían, pero todos se confortaban con el rumor de que Juan de Panonia, que se había distinguido por un tratado sobre el séptimo atributo de Dios, iba a impugnar tan abominable herejía.

Aureliano deploró esas nuevas, sobre todo la última. Sabía que en materia teológica no hay novedad sin riesgo; luego reflexionó que la tesis de un tiempo circular era demasiado disímil, demasiado asombrosa, para que el riesgo fuera grave. (Las herejías que debemos temer son las que pueden confundirse con la ortodoxia.) Más le dolió la intervención —la intrusión— de Juan de Panonia. Hace dos años, éste había usurpado con su verboso *De septima affectione Dei sive de aeternitate* un asunto de la especialidad de Aureliano; ahora, como si el problema del tiempo le perteneciera, iba a rectificar, tal vez con argumentos de Procusto, con triacas más temibles que la Serpiente, a los anulares.... Esa noche, Aureliano pasó las hojas del antiguo diálogo de Plutarco sobre la cesación de los oráculos; en el párrafo veintinueve, leyó una burla contra los estoicos que defienden un infinito ciclo de mundos, con infinitos soles, lunas, Apolos, Dianas y Poseidones. El hallazgo le pareció un pronóstico favorable; resolvió adelantarse a Juan de Panonia y refutar a los heréticos de la Rueda.

Hay quien busca el amor de una mujer para olvidarse de ella, para no pensar más en ella; Aureliano, parejamente, quería superar a Juan de Panonia para curarse del rencor que éste le infundía, no para hacerle mal. Atemperado por el mero trabajo, por la fabricación de silogismos y la invención de injurias, por los *nego* y los *autem* y los *nequaquam*, pudo olvidar ese rencor. Erigió vastos y casi inextricables períodos, estorbados de incisos, donde la negligencia y el solecismo parecían formas del desdén. De la cacofonía hizo un instrumento. Previó que Juan fulminaría a los anulares con gravedad profética; optó, para no coincidir con él, por el escarnio. Agustín había escrito que Jesús es la vía recta que nos salva del laberinto circular en que andan los impíos; Aureliano, laboriosamente trivial, los equiparó con Ixión, con el hígado de Prometeo, con Sísifo, con aquel rey de Tebas que vió dos soles, con la tartamudez, con loros, con espejos, con ecos, con mulas de noria y con silogismos bicornutos. (Las fábulas gentílicas perduraban, rebajadas a adornos.) Como todo poseedor de una biblioteca, Aureliano se sabía culpable de no conocerla hasta el fin; esa controversia le permitió cumplir con muchos libros que parecían reprocharle su incuria. Así pudo engastar un pasaje de la obra *De principiis* de Orígenes, donde se niega que Judas Iscariote volverá a vender al Señor, y Pablo a presenciar en Jerusalén el martirio de Esteban, y otro de los *Academica priora* de Cicerón, en el que éste se burla de quienes sueñan que mientras él conversa con Lúculo, otros Lúculos y otros Cicerones, en número infinito, dicen puntualmente lo mismo, en infinitos mundos iguales. Además, esgrimió contra los monótonos el texto de Plutarco y denunció lo escandaloso de que a un idólatra le valiera más el *lumen naturae* que a ellos la palabra de Dios. Nueve días le tomó ese trabajo; el décimo, le fué remitido un traslado de la refutación de Juan de Panonia.

Era casi irrisoriamente breve; Aureliano la miró con desdén y luego con temor. La primera parte glosaba los versículos terminales del noveno capítulo de la Epístola a los Hebreos, donde se dice que Jesús no fué sacrificado muchas veces desde el principio del mundo, sino ahora una vez en la consumación de los siglos. La segunda alegaba el precepto bíblico sobre las vanas repeticiones de los gentiles (Mateo 6:7) y aquel pasaje del séptimo libro de Plinio, que pondera que en el dilatado universo no hay dos caras iguales. Juan de Panonia declaraba que tampoco hay dos almas y que el pecador más vil es precioso como la sangre que por él vertió Jesucristo. El acto de un solo hombre (afirmó) pesa más que los nueve cielos concéntricos y trasoñar que puede perderse y volver es una aparatosa frivolidad. El tiempo no rehace lo que perdemos; la eternidad lo guarda para la gloria y también para el fuego. El tratado era límpido, universal; no parecía redactado por una persona concreta, sino por cualquier hombre o, quizá, por todos los hombres.

Aureliano sintió una humillación casi física. Pensó destruir o reformar su propio trabajo; luego, con rencorosa probidad, lo mandó a Roma sin modificar una letra. Meses después, cuando se juntó el concilio de Pérgamo, el teólogo encargado de impugnar los errores de los monótonos fué (previsiblemente) Juan de Panonia; su docta y mesurada refutación bastó para que Euforbo, heresiarca, fuera condenado a la hoguera. *Esto ha ocurrido y volverá a ocurrir,* dijo Euforbo. *No encendéis una pira, encendéis un laberinto de fuego. Si aquí se unieran todas las hogueras que he sido, no cabrían en la tierra y queda-*

rían ciegos los ángeles. Esto lo dije muchas veces. Después gritó, porque lo alcanzaron las llamas.

Cayó la Rueda ante la Cruz,[1] pero Aureliano y Juan prosiguieron su batalla secreta. Militaban los dos en el mismo ejército, anhelaban el mismo galardón, guerreaban contra el mismo Enemigo, pero Aureliano no escribió una palabra que inconfesablemente no propendiera a superar a Juan. Su duelo fué invisible; si los copiosos índices no me engañan, no figura una sola vez el nombre del *otro* en los muchos volúmenes de Aureliano que atesora la Patrología de Migne. (De las obras de Juan, sólo han perdurado veinte palabras.) Los dos desaprobaron los anatemas del segundo concilio de Constantinopla; los dos persiguieron a los arrianos, que negaban la generación eterna del Hijo; los dos atestiguaron la ortodoxia de la *Topographia christiana* de Cosmas, que enseña que la tierra es cuadrangular, como el tabernáculo hebreo. Desgraciadamente, por los cuatro ángulos de la tierra cundió otra tempestuosa herejía. Oriunda del Egipto o del Asia (porque los testimonios difieren y Bousset no quiere admitir las razones de Harnack), infestó las provincias orientales y erigió santuarios en Macedonia, en Cartago y en Tréveris. Pareció estar en todas partes; se dijo que en la diócesis de Britania habían sido invertidos los crucifijos y que a la imagen del Señor, en Cesárea, la había suplantado un espejo. El espejo y el óbolo eran emblemas de los nuevos cismáticos.

La historia los conoce por muchos nombres (*es-*

[1] En las cruces rúnicas los dos emblemas enemigos conviven entrelazados.

peculares, abismales, cainitas), pero de todos el más recibido es *histriones*, que Aureliano les dió y que ellos con atrevimiento adoptaron. En Frigia les dijeron *simulacros*, y también en Dardania. Juan Damasceno los llamó *formas*; justo es advertir que el pasaje ha sido rechazado por Erfjold. No hay heresiólogo que con estupor no refiera sus desaforadas costumbres. Muchos histriones profesaron el ascetismo; alguno se mutiló, como Orígenes; otros moraron bajo tierra, en las cloacas; otros se arrancaron los ojos; otros (los *nabucodonosores* de Nitria) "pacían como los bueyes y su pelo crecía como de águila". De la mortificación y el rigor pasaban, muchas veces, al crimen; ciertas comunidades toleraban el robo; otras, el homicidio; otras, la sodomía, el incesto y la bestialidad. Todas eran blasfemas; no sólo maldecían del Dios cristiano, sino de las arcanas divinidades de su propio panteón. Maquinaron libros sagrados, cuya desaparición deploraban los doctos. Sir Thomas Browne, hacia 1658, escribió "El tiempo ha aniquilado los ambiciosos Evangelios *Histriónicos*, no las Injurias con que se fustigó su Impiedad": Erfjord ha sugerido que esas "injurias" (que preserva un códice griego) son los evangelios perdidos. Ello es incomprensible, si ignoramos la cosmología de los histriones.

En los libros herméticos está escrito que lo que hay abajo es igual a lo que hay arriba, y lo que hay arriba, igual a lo que hay abajo; en el Zohar, que el mundo inferior es reflejo del superior. Los histriones fundaron su doctrina sobre una perversión de esa idea. Invocaron a Mateo 6:12 ("perdónanos nuestras deudas, como nosotros perdonamos a nuestros deudores") y 11:12 ("el reino de los cielos padece fuerza") para demostrar que la tierra influye en el cielo, y a I Corintios 13:12 ("vemos ahora por espejo, en obscuridad") para demostrar que todo lo que vemos es falso. Quizá contaminados por los monótonos, imaginaron que todo hombre es dos hombres y que el verdadero es el otro, el que está en el cielo. También imaginaron que nuestros actos proyectan un reflejo invertido, de suerte que si velamos, el otro duerme, si fornicamos, el otro es casto, si robamos, el otro es generoso. Muertos, nos uniremos a él y seremos él. (Algún eco de esas doctrinas perduró en Bloy). Otros histriones discurrieron que el mundo concluiría cuando se agotara la cifra de sus posibilidades; ya que no puede haber repeticiones, el justo debe eliminar (cometer) los actos más infames, para que éstos no manchen el porvenir y para acelerar el advenimiento del reino de Jesús. Ese artículo fué negado por otras sectas, que defendieron que la historia del mundo debe cumplirse en cada hombre. Los más, como Pitágoras, deberán transmigrar por muchos cuerpos antes de obtener su liberación; algunos, los proteicos, "en el término de una sola vida son leones, son dragones, son jabalíes, son agua y son un árbol". Demóstenes refiere la purificación por el fango a que eran sometidos los iniciados en los misterios órficos; los proteicos, analógicamente, buscaron la purificación por el mal. Entendieron, como Carpócrates, que nadie saldrá de la cárcel hasta pagar el último óbolo (Lucas 12 : 59), y solían embaucar a los penitentes con este otro versículo: "Yo he venido para que tengan vida los hombres y para que la tengan en abundancia" (Juan 10 : 10). También decían que no ser un malvado es una soberbia satánica... Muchas y divergentes mitologías urdieron los histriones; unos predicaron el ascetismo, otros la licencia, todos la confusión. Teopompo, histrión de Berenice, negó todas las fábulas; dijo que cada hombre es un órgano que proyecta la divinidad para sentir el mundo.

Los herejes de la diócesis de Aureliano eran de los que afirmaban que el tiempo no tolera repeticiones, no de los que afirmaban que todo acto se refleja en el cielo. Esa circunstancia era rara; en un informe a las autoridades romanas, Aureliano la mencionó. El prelado que recibiría el informe era confesor de la emperatriz; nadie ignoraba que ese ministerio exigente le vedaba las íntimas delicias de la teología especulativa. Su secretario —antiguo colaborador de Juan de Panonia, ahora enemistado con él— gozaba del renombre de puntualísimo inquisidor de heterodoxias; Aureliano agregó una exposición de la herejía histriónica, tal como ésta se daba en los conventículos de Genua y de Aquilea. Redactó unos párrafos; cuando quiso escribir la tesis atroz de que no hay dos instantes iguales, su pluma se detuvo. No dió con la fórmula necesaria; las moniciones de la nueva doctrina ("¿Quieres ver lo que no vieron ojos humanos? Mira la luna. ¿Quieres oír lo que los oídos no oyeron? Oye el grito del pájaro. ¿Quieres tocar lo que no tocaron las manos? Toca la tierra. Verdaderamente digo que Dios está por crear el mundo") eran harto afectadas y metafóricas para la transcripción. De pronto, una oración de veinte palabras se presentó a su espíritu. La escribió, gozoso; inmediatamente después, lo inquietó la sospecha de que era ajena. Al día siguiente, recordó que la había leído hacía muchos años en el *Adversus annulares* que compuso Juan de Panonia. Verificó la cita; ahí estaba. La incertidumbre lo atormentó. Variar o suprimir esas palabras, era debilitar la expresión; dejarlas, era plagiar a un hombre que aborrecía; indicar la fuente, era denunciarlo. Imploró el socorro divino. Hacia el principio del segundo crepúsculo, el ángel de su guarda le dictó una solución intermedia. Aureliano conservó las palabras, pero les antepuso este aviso: *Lo que ladran ahora los heresiarcas para confusión de la fe, lo dijo en este siglo un varón doctísimo, con más ligereza que culpa.* Después, ocurrió lo temido, lo esperado, lo inevitable. Aureliano tuvo que declarar quién era ese varón; Juan de Panonia fué acusado de profesar opiniones heréticas.

Cuatro meses después, un herrero del Aventino, alucinado por los engaños de los histriones, cargó sobre los hombros de su hijito una gran esfera de hierro, para que su doble volara. El niño murió; el horror engendrado por ese crimen impuso una intachable severidad a los jueces de Juan. Éste no quiso retractarse; repitió que negar su proposición era incurrir en la pestilencial herejía de los monótonos. No entendió (no quiso entender) que hablar de los monótonos era hablar de lo ya olvidado. Con insistencia algo senil, prodigó los períodos más brillantes de sus viejas polémicas; los jueces ni siquiera oían lo que los arrebató alguna vez. En lugar de tratar de purificarse de la más leve mácula de histrionismo, se esforzó en demostrar que la proposición de que lo acusaban era rigurosamente ortodoxa. Discutió con los hombres de cuyo fallo dependía su suerte y cometió la máxima torpeza de hacerlo con ingenio y con ironía. El veintiséis de octubre, al cabo de una discusión que duró tres días y tres noches, lo sentenciaron a morir en la hoguera.

Aureliano presenció la ejecución, porque no hacerlo era confesarse culpable. El lugar del suplicio era una colina, en cuya verde cumbre había un palo, hincado profundamente en el suelo, y en torno muchos haces de leña. Un ministro leyó la sentencia del tribunal. Bajo el sol de las doce, Juan de Panonia yacía con la cara en el polvo, lanzando bestiales aullidos. Arañaba la tierra, pero los verdugos lo arrancaron, lo desnudaron y por fin lo amarraron a la picota. En la cabeza le pusieron una corona de paja untada de azufre; al lado, un ejemplar del pestilente *Adversus annulares*. Había llovido la noche antes y la leña ardía mal. Juan de Panonia rezó en griego y luego en un idioma desconocido. La hoguera iba a llevárselo, cuando Aureliano se atrevió a alzar los ojos. Las ráfagas ardientes se detuvieron; Aureliano vió por primera y última vez el rostro del odiado. Le recordó el de alguien, pero no pudo precisar el de quién. Después, las llamas lo perdieron; después gritó y fué como si un incendio gritara.

Plutarco ha referido que Julio César lloró la muerte de Pompeyo; Aureliano no lloró la de Juan, pero sintió lo que sentiría un hombre curado de una enfermedad incurable, que ya fuera una parte de su vida. En Aquilea, en Éfeso, en Macedonia, dejó que sobre él pasaran los años. Buscó los arduos límites del Imperio, las torpes ciénagas y los contemplativos desiertos, para que lo ayudara la soledad a entender su destino. En una celda mauritana, en la noche cargada de leones, repensó la compleja acusación contra Juan de Panonia y justificó, por enésima vez, el dictamen. Más le costó justificar su tortuosa denuncia. En Rusaddir predicó el anacrónico sermón *Luz de las luces encendida en la carne de un réprobo*. En Hibernia, en una de las chozas de un monasterio cercado por la selva, lo sorprendió una noche, hacia el alba, el rumor de la lluvia. Recordó una noche romana en que lo había sorprendido, también, ese minucioso rumor. Un rayo, al mediodía, incendió los árboles y Aureliano pudo morir como había muerto Juan.

El final de la historia sólo es referible en metáforas, ya que pasa en el reino de los cielos, donde no hay tiempo. Tal vez cabría decir que Aureliano conversó con Dios y que Éste se interesa tan poco en diferencias religiosas que lo tomó por Juan de Panonia. Ello, sin embargo, insinuaría una confusión de la mente divina. Más correcto es decir que en el paraíso, Aureliano supo que para la insondable divinidad, él y Juan de Panonia (el ortodoxo y el hereje, el aborrecedor y el aborrecido, el acusador y la víctima) formaban una sola persona.

HISTORIA DEL GUERRERO Y DE LA CAUTIVA

En la página 278 del libro *La poesia* (Bari, 1942), Croce, abreviando un texto latino del historiador Pablo el Diácono, narra la suerte y cita el epitafio de Droctulft; éstos me conmovieron singularmente, luego entendí por qué. Fué Droctulft un guerrero lombardo que en el asedio de Ravena abandonó a los suyos y murió defendiendo la ciudad que antes había atacado. Los raveneses le dieron sepultura en un templo y compusieron un epitafio en el que manifestaron su gratitud ("contespsit caros, dum nos amat ille, parentes") y el peculiar contraste que se advertía entre la figura atroz de aquel bárbaro y su simplicidad y bondad:

> *Terribilis visu facies, sed mente benignus,*
> *Longaque robusto pectores barba fuit!* [1]

Tal es la historia del destino de Droctulf, bárbaro que murió defendiendo a Roma, o tal es el fragmento de su historia que pudo rescatar Pablo el Diácono. Ni siquiera sé en qué tiempo ocurrió: si al promediar el siglo VI, cuando los longobardos

[1] También Gibbon (*Decline and fall*, XLV) transcribe estos versos.

desolaron las llanuras de Italia; si en el VIII, antes de la rendición de Ravena. Imaginemos (éste no es un trabajo histórico) lo primero.

Imaginemos, *sub specie aeternitatis,* a Droctulft no al individuo Droctulft, que sin duda fué único e insondable (todos los individuos lo son), sino al tipo genérico que de él y de otros muchos como él ha hecho la tradición, que es obra del olvido y de la memoria. A través de una oscura geografía de selvas y de ciénagas, las guerras lo trajeron a Italia, desde las márgenes del Danubio y del Elba, y tal vez no sabía que iba al Sur y tal vez no sabía que guerreaba contra el nombre romano. Quizá profesaba el arrianismo, que mantiene que la gloria del Hijo es reflejo de la gloria del Padre, pero más congruente es imaginarlo devoto de la Tierra, de Hertha, cuyo ídolo tapado iba de cabaña en cabaña en un carro tirado por vacas, o de los dioses de la guerra y del trueno, que eran torpes figuras de madera, envueltas en ropa tejida y recargadas de monedas y ajorcas. Venía de las selvas inextricables del jabalí y del uro; era blanco, animoso, inocente, cruel, leal a su capitán y a su tribu, no al universo. Las guerras lo traen a Ravena y ahí ve algo que no ha visto jamás, o que no ha visto con plenitud. Ve el día y los cipreses y el mármol. Ve un conjunto que es múltiple sin desorden; ve una ciudad, un organismo hecho de estatuas, de templos, de jardines, de habitaciones, de gradas, de jarrones, de capiteles, de espacios regulares y abiertos. Ninguna de esas fábricas (lo sé) lo impresiona por bella; lo tocan como ahora nos tocaría una maquinaria compleja, cuyo fin ignoráramos, pero en cuyo diseño se adivinara una inteligencia inmortal. Quizá le basta ver un solo arco, con una incomprensible inscripción en eternas letras romanas. Bruscamente lo ciega y lo renueva esa revelación, la Ciudad. Sabe que en ella será un perro, o un niño, y que no empezará siquiera a entenderla, pero sabe también que ella vale más que sus dioses y que la fe jurada y que todas las ciénagas de Alemania. Droctulft abandona a los suyos y pelea por Ravena. Muere, y en la sepultura graban palabras que él no hubiera entendido:

Contempsit caros, dum nos amat ille, parentes,
Hanc patriam reputans esse, Ravenna, suam.

No fué un traidor (los traidores no suelen inspirar epitafios piadosos); fué un iluminado, un converso. Al cabo de unas cuantas generaciones, los longobardos que culparon al tránsfugo, procedieron como él; se hicieron italianos, lombardos y acaso alguno de su sangre —Aldíger— pudo engendrar a quienes engendraron al Alighieri... Muchas conjeturas cabe aplicar al acto de Droctulft; la mía es la más económica; si no es verdadera como hecho, lo será como símbolo.

Cuando leí en el libro de Croce la historia del guerrero, ésta me conmovió de manera insólita y tuve la impresión de recuperar, bajo forma diversa, algo que había sido mío. Fugazmente pensé en los jinetes mogoles que querían hacer de la China un infinito campo de pastoreo y luego envejecieron en las ciudades que habían anhelado destruir; no era ésa la memoria que yo buscaba. La encontré al fin; era un relato que le oí alguna vez a mi abuela inglesa, que ha muerto.

En 1872 mi abuelo Borges era jefe de las fronteras Norte y Oeste de Buenos Aires y Sur de Santa Fe. La comandancia estaba en Junín; más allá, a cuatro o cinco leguas uno de otro, la cadena de los fortines; más allá, lo que se denominaba entonces la Pampa y también Tierra Adentro. Alguna vez, entre maravillada y burlona, mi abuela comentó su destino de inglesa desterrada a ese fin del mundo; le dijeron que no era la única y le señalaron, meses después, una muchacha india que atravesaba lentamente la plaza. Vestía dos mantas coloradas e iba descalza; sus crenchas eran rubias. Un soldado le dijo que otra inglesa quería hablar con ella. La mujer asintió; entró en la comandancia sin temor, pero no sin recelo. En la cobriza cara, pintarrajeada de colores feroces, los ojos eran de ese azul desganado que los ingleses llaman gris. El cuerpo era ligero, como de cierva; las manos, fuertes y huesudas. Venía del desierto, de Tierra Adentro, y todo parecía quedarle chico: las puertas, las paredes, los muebles.

Quizá las dos mujeres por un instante se sintieron hermanas; estaban lejos de su isla querida y en un increíble país. Mi abuela enunció alguna pregunta; la otra le respondió con dificultad, buscando las palabras y repitiéndolas, como asombrada de un antiguo sabor. Haría quince años que no hablaba el idioma natal y no le era fácil recuperarlo. Dijo que era de Yorkshire, que sus padres emigraron a Buenos Aires, que los había perdido en un malón, que la habían llevado los indios y que ahora era mujer de un capitanejo, a quien ya había dado dos hijos y que era muy valiente. Eso lo fué diciendo en un inglés rústico, entreverado de araucano o de pampa, y detrás del relato se vislumbraba una vida feral: los toldos de cuero de caballo, las hogueras de estiércol, los festines de carne chamuscada o de vísceras crudas, las sigilosas marchas al alba; el asalto de los corrales, el alarido y el saqueo, la guerra, el caudaloso arreo de las haciendas por jinetes desnudos, la poligamia, la hediondez y la magia. A esa barbarie se había rebajado una inglesa. Movida por la lástima y el escándalo, mi abuela la exhortó a no volver. Juró ampararla, juró rescatar a sus hijos. La otra le contestó que era feliz y volvió, esa noche, al desierto. Francisco Borges moriría poco después, en la revolución del 74; quizá mi abuela, entonces, pudo percibir en la otra mujer, también arrebatada y transformada por este continente implacable, un espejo monstruoso de su destino...

Todos los años, la india rubia solía llegar a las pulperías de Junín, o del Fuerte Lavalle, en procura de baratijas y "vicios"; no apareció, desde la conversación con mi abuela. Sin embargo, se vieron otra vez. Mi abuela había salido a cazar; en un rancho, cerca de los bañados, un hombre degollaba una oveja. Como en un sueño, pasó la india a caballo. Se tiró al suelo y bebió la sangre caliente. No sé si lo hizo porque ya no podía obrar de otro modo, o como un desafío y un signo.

Mil trescientos años y el mar median entre el destino de la cautiva y el destino de Droctulft. Los dos, ahora, son igualmente irrecuperables. La figura del bárbaro que abraza la causa de Ravena, la figura de la mujer europea que opta por el desierto, pueden parecer antagónicos. Sin embargo, a los dos los arrebató un ímpetu secreto, un ímpetu más hondo que la razón, y los dos acataron ese ímpetu que no hubieran sabido justificar. Acaso las historias que he referido son una sola historia. El anverso y el reverso de esta moneda son, para Dios, iguales.

A Ulrike von Kühlmann.

BIOGRAFÍA DE TADEO ISIDORO CRUZ (1829-1874)

I'm looking for the face I had
Before the world was made.
YEATS: *The winding stair.*

El seis de febrero de 1829, los montoneros que, hostigados ya por Lavalle, marchaban desde el Sur para incorporarse a las divisiones de López, hicieron alto en una estancia cuyo nombre ignoraban, a tres o cuatro leguas del Pergamino; hacia el alba, uno de los hombres tuvo una pesadilla tenaz: en la penumbra del galpón, el confuso grito despertó a la mujer que dormía con él. Nadie sabe lo que soñó, pues al otro día, a las cuatro, los montoneros fueron desbaratados por la caballería de Suárez y la persecución duró nueve leguas, hasta los pajonales ya lóbregos, y el hombre pereció en una zanja, partido el cráneo por un sable de las guerras del Perú y del Brasil. La mujer se llamaba Isidora Cruz; el hijo que tuvo recibió el nombre de Tadeo Isidoro.

Mi propósito no es repetir su historia. De los días y noches que la componen, sólo me interesa una noche; del resto no referiré sino lo indispensable para que esa noche se entienda. La aventura consta en un libro insigne; es decir, en un libro cuya materia puede ser todo para todos (I Corintios 9:22), pues es capaz de casi inagotables repeticiones, versiones, perversiones. Quienes han comentado, y son muchos, la historia de Tadeo Isidoro, destacan el influjo de la llanura sobre su formación, pero gauchos idénticos a él nacieron y murieron en las selváticas riberas del Paraná y en las cuchillas orientales. Vivió, eso sí, en un mundo de barbarie monótona. Cuando, en 1874, murió de una viruela negra, no había visto jamás una montaña ni un pico de gas ni un molino. Tampoco una ciudad. En 1849, fué a Buenos Aires con una tropa del establecimiento de Francisco Xavier Acevedo; los troperos entraron en la ciudad para vaciar el cinto; Cruz, receloso, no salió de una fonda en el vecindario de los corrales. Pasó ahí muchos días, taciturno, durmiendo en la tierra, mateando, levantándose al alba y recogiéndose a la oración. Comprendió (más allá de las palabras y aun del entendimiento) que nada tenía que ver con él la ciudad. Uno de los peones, borracho, se burló de él. Cruz no le replicó, pero en las noches del regreso, junto al fogón, el otro menudeaba las burlas, y entonces Cruz (que antes no había demostrado rencor, ni siquiera disgusto) lo tendió de una puñalada. Prófugo, hubo de guarecerse en un fachinal; noches después, el grito de un chajá le advirtió que lo había cercado la policía. Probó el cuchillo en una mata; para que no le estorbaran en la de a pie, se quitó las espuelas. Prefirió pelear a entregarse. Fué herido en el antebrazo, en el hombro, en la mano izquierda; malhirió a los más bravos de la partida; cuando la sangre le corrió entre los dedos, peleó con más coraje que nunca; hacia el alba, mareado por la pérdida de sangre, lo desarmaron. El ejército, entonces, desempeñaba una función penal; Cruz fué destinado a un fortín de la frontera Norte. Como soldado raso, participó en las guerras civiles; a veces combatió por su provincia natal, a veces en contra. El veintitrés de enero de 1856, en las Lagunas de Cardoso, fué uno de los treinta cristianos que, al mando del sargento mayor Eusebio Laprida, pelearon contra doscientos indios. En esa acción recibió una herida de lanza.

En su oscura y valerosa historia abundan los hiatos. Hacia 1868 lo sabemos de nuevo en el Pergamino: casado o amancebado, padre de un hijo, dueño de una fracción de campo. En 1869 fué nombrado sargento de la policía rural. Había corregido el pasado; en aquel tiempo debió de considerarse feliz, aunque profundamente no lo era. (Lo esperaba, secreta en el porvenir, una lúcida noche fundamental: la noche en que por fin vió su propia cara, la noche en que por fin escuchó su nombre. Bien entendida, esa noche agota su historia; mejor dicho, un instante de esa noche, un acto de esa noche, porque los actos son nuestro símbolo.) Cualquier destino, por largo y complicado que sea, consta en realidad *de un solo momento*: el momento en que el hombre sabe para siempre quién es. Cuéntase que Alejandro de Macedonia vió reflejado su futuro de hierro en la fabulosa historia de Aquiles; Carlos XII de Suecia, en la de Alejandro. A Tadeo Isidoro Cruz, que no sabía leer, ese conocimiento no le fué revelado en un libro; se vió a sí mismo en un entrevero y un hombre. Los hechos ocurrieron así:

En los últimos días del mes de junio de 1870, recibió la orden de apresar a un malevo, que debía dos muertes a la justicia. Era éste un desertor de las fuerzas que en la frontera Sur mandaba el coronel Benito Machado; en una borrachera, había asesinado a un moreno en un lupanar; en otra, a un vecino del partido de Rojas; el informe agregaba que procedía de la Laguna Colorada. En este lugar, hacía cuarenta años, habíanse congregado los montoneros para la desventura que dió sus carnes a los pájaros y a los perros; de ahí salió Manuel Mesa, que fué ejecutado en la plaza de la Victoria, mientras los tambores sonaban para que no se oyera su ira; de ahí, el desconocido que engendró a Cruz y que pereció en una zanja, partido el cráneo por un sable de las batallas del Perú y del Brasil. Cruz había olvidado ese nombre; con leve pero inexplicable inquietud lo reconoció... El criminal, acosado por los soldados, urdió a caballo un largo laberinto de idas y de venidas; éstos, sin embargo, lo acorralaron la noche del doce de julio. Se había guarecido en un pajonal. La tiniebla era casi indescifrable; Cruz y los suyos, cautelosos y a pie, avanzaron hacia las matas en cuya hondura trémula acechaba o dormía el hombre secreto. Gritó un chajá; Tadeo Isidoro Cruz tuvo la impresión de haber vivido ya ese momento. El criminal salió de la guarida para pelearlos. Cruz lo entrevió, terrible; la crecida melena y la barba gris parecían comerle la cara. Un motivo notorio me veda referir la pelea. Básteme recordar que el desertor malhirió o mató a varios de los hombres de Cruz. Éste, mientras combatía en la oscuridad (mientras su cuerpo combatía en la oscuridad), empezó a comprender. Comprendió que un destino no es mejor que otro, pero que todo hombre debe acatar el que lleva adentro. Comprendió que las jinetas y el uniforme ya le estorbaban. Comprendió su íntimo destino de lobo, no de perro gregario; comprendió que el otro era él. Amanecía en la desaforada llanura; Cruz arrojó por tierra el quepis, gritó que no iba a consentir el delito de que se matara a un valiente y se puso a pelear contra los soldados, junto al desertor Martín Fierro.

EMMA ZUNZ

El catorce de enero de 1922, Emma Zunz, al volver de la fábrica de tejidos Tarbuch y Loewenthal, halló en el fondo del zaguán una carta, fechada en el Brasil, por la que supo que su padre había muerto. La engañaron, a primera vista, el sello y el sobre; luego, la inquietó la letra desconocida. Nueve o diez líneas borroneadas querían colmar la hoja; Emma leyó que el señor Maier había ingerido por error una fuerte dosis de veronal y había fallecido el tres del corriente en el hospital de Bagé. Un compañero de pensión de su padre firmaba la noticia, un tal Fein o Fain, de Río Grande, que no podía saber que se dirigía a la hija del muerto.

Emma dejó caer el papel. Su primera impresión fué de malestar en el vientre y en las rodillas; luego de ciega culpa, de irrealidad, de frío, de temor; luego, quiso ya estar en el día siguiente. Acto continuo comprendió que esa voluntad era inútil porque la muerte de su padre era lo único que había sucedido en el mundo, y seguiría sucediendo sin fin. Recogió el papel y se fué a su cuarto. Furtivamente lo guardó en un cajón, como si de algún modo ya conociera los hechos ulteriores. Ya había empezado a vislumbrarlos, tal vez; ya era la que sería.

En la creciente oscuridad, Emma lloró hasta el fin de aquel día el suicidio de Manuel Maier, que en los antiguos días felices fué Emanuel Zunz. Recordó veraneos en una chacra, cerca de Gualeguay, recordó (trató de recordar) a su madre, recordó la casita de Lanús que les remataron, recordó los amarillos losanges de una ventana, recordó el auto de prisión, el oprobio, recordó los anónimos con el suelto sobre "el desfalco del cajero", recordó (pero eso jamás lo olvidaba) que su padre, la última noche, le había jurado que el ladrón era Loewenthal. Loewenthal, Aarón Loewenthal, antes gerente de la fábrica y ahora uno de los dueños. Emma, desde 1916, guardaba el secreto. A nadie se lo había revelado, ni siquiera a su mejor amiga, Elsa Urstein. Quizá rehuía la profana incredulidad; quizá creía que el secreto era un vínculo entre ella y el ausente. Loewenthal no sabía que ella sabía; Emma Zunz derivaba de ese hecho ínfimo un sentimiento de poder.

No durmió aquella noche, y cuando la primera luz definió el rectángulo de la ventana, ya estaba perfecto su plan. Procuró que ese día, que le pareció interminable, fuera como los otros. Había en la fábrica rumores de huelga; Emma se declaró, como siempre, contra toda violencia. A las seis, concluído el trabajo, fué con Elsa a un club de mujeres, que tiene gimnasio y pileta. Se inscribieron; tuvo que repetir y deletrear su nombre y su apellido, tuvo que festejar las bromas vulgares que comentan la revisación. Con Elsa y con la menor de las Kronfuss discutió a qué cinematógrafo irían el domingo a la tarde. Luego, se habló de novios y nadie esperó que

Emma hablara. En abril cumpliría diecinueve años, pero los hombres le inspiraban, aún, un temor casi patológico... De vuelta, preparó una sopa de tapioca y unas legumbres, comió temprano, se acostó y se obligó a dormir. Así, laborioso y trivial, pasó el viernes quince, la víspera.

El sábado, la impaciencia la despertó. La impaciencia, no la inquietud, y el singular alivio de estar en aquel día, por fin. Ya no tenía que tramar y que imaginar; dentro de algunas horas alcanzaría la simplicidad de los hechos. Leyó en *La Prensa* que el *Nordstjärnan*, de Malmö, zarparía esa noche del dique 3; llamó por teléfono a Loewenthal, insinuó que deseaba comunicar, sin que lo supieran las otras, algo sobre la huelga y prometió pasar por el escritorio, al oscurecer. Le temblaba la voz; el temblor convenía a una delatora. Ningún otro hecho memorable ocurrió esa mañana. Emma trabajó hasta las doce y fijó con Elsa y con Perla Kronfuss los pormenores del paseo del domingo. Se acostó después de almorzar y recapituló, cerrados los ojos, el plan que había tramado. Pensó que la etapa final sería menos horrible que la primera y que le depararía, sin duda, el sabor de la victoria y de la justicia. De pronto, alarmada, se levantó y corrió al cajón de la cómoda. Lo abrió; debajo del retrato de Milton Sills, donde la había dejado la antenoche, estaba la carta de Fain. Nadie podía haberla visto; la empezó a leer y la rompió.

Referir con alguna realidad los hechos de esa tarde sería difícil y quizá improcedente. Un atributo de lo infernal es la irrealidad, un atributo que parece mitigar sus terrores y que los agrava tal vez. ¿Cómo hacer verosímil una acción en la que casi no creyó quien la ejecutaba, cómo recuperar ese breve caos que hoy la memoria de Emma Zunz repudia y confunde? Emma vivía por Almagro, en la calle Liniers; nos consta que esa tarde fué al puerto. Acaso en el infame Paseo de Julio se vió multiplicada en espejos, publicada por luces y desnudada por los ojos hambrientos, pero más razonable es conjeturar que al principio erró, inadvertida, por la indiferente recova... Entró en dos o tres bares, vió la rutina o los manejos de otras mujeres. Dió al fin con hombres del *Nordstjärnan*. De uno, muy joven, temió que le inspirara alguna ternura y optó por otro, quizá más bajo que ella y grosero, para que la pureza del horror no fuera mitigada. El hombre la condujo a una puerta y después a un turbio zaguán y después a una escalera tortuosa y después a un vestíbulo (en el que había una vidriera con losanges idénticos a los de la casa en Lanús) y después a un pasillo y después a una puerta que se cerró. Los hechos graves están fuera del tiempo, ya porque en ellos el pasado inmediato queda como tronchado del porvenir, ya porque no parecen consecutivas las partes que los forman.

¿En aquel tiempo fuera del tiempo, en aquel desorden perplejo de sensaciones inconexas y atroces, pensó Emma Zunz *una sola vez* en el muerto que motivaba el sacrificio? Yo tengo para mí que pensó una vez y que en ese momento peligró su desesperado propósito. Pensó (no pudo no pensar) que su padre le había hecho a su madre la cosa horrible que a ella ahora le hacían. Lo pensó con débil asombro y se refugió, en seguida, en el vértigo. El hombre, sueco o finlandés, no hablaba español; fué una herramienta para Emma como ésta lo fué para él, pero ella sirvió para el goce y él para la justicia.

Cuando se quedó sola, Emma no abrió en seguida los ojos. En la mesa de luz estaba el dinero que había dejado el hombre: Emma se incorporó y lo rompió como antes había roto la carta. Romper dinero es una impiedad, como tirar el pan; Emma se arrepintió, apenas lo hizo. Un acto de soberbia y en aquel día... El temor se perdió en la tristeza de su cuerpo, en el asco. El asco y la tristeza la encadenaban, pero Emma lentamente se levantó y procedió a vestirse. En el cuarto no quedaban colores vivos; el último crepúsculo se agravaba. Emma pudo salir sin que la advirtieran; en la esquina subió a un Lacroze, que iba al oeste. Eligió, conforme a su plan, el asiento más delantero, para que no le vieran la cara. Quizá le confortó verificar, en el insípido trajín de las calles, que lo acaecido no había contaminado las cosas. Viajó por barrios decrecientes y opacos, viéndolos y olvidándolos en el acto, y se apeó en una de las bocacalles de Warnes. Paradójicamente su fatiga venía a ser una fuerza, pues la obligaba a concentrarse en los pormenores de la aventura y le ocultaba el fondo y el fin.

Aarón Loewenthal era, para todos, un hombre serio; para sus pocos íntimos, un avaro. Vivía en los altos de la fábrica, solo. Establecido en el desmantelado arrabal, temía a los ladrones; en el patio de la fábrica había un gran perro y en el cajón de su escritorio, nadie lo ignoraba, un revólver. Había llorado con decoro, el año anterior, la inesperada muerte de su mujer —¡una Gauss, que le trajo una buena dote—, pero el dinero era su verdadera pasión. Con íntimo bochorno se sabía menos apto para ganarlo que para conservarlo. Era muy religioso; creía tener con el Señor un pacto secreto, que lo eximía de obrar bien, a trueque de oraciones y devociones. Calvo, corpulento, enlutado, de quevedos ahumados y barba rubia, esperaba de pie, junto a la ventana, el informe confidencial de la obrera Zunz.

La vió empujar la verja (que él había entornado a propósito) y cruzar el patio sombrío. La vió hacer un pequeño rodeo cuando el perro atado ladró. Los labios de Emma se atareaban como los de quien reza en voz baja; cansados, repetían la sentencia que el señor Loewenthal oiría antes de morir.

Las cosas no ocurrieron como había previsto Emma Zunz. Desde la madrugada anterior, ella se había soñado muchas veces, dirigiendo el firme revólver, forzando al miserable a confesar la miserable culpa y exponiendo la intrépida estratagema que permitiría a la Justicia de Dios triunfar de la justicia humana. (No por temor, sino por ser un instrumento de la Justicia, ella no quería ser castigada.) Luego, un solo balazo en mitad del pecho rubricaría la suerte de Loewenthal. Pero las cosas no ocurrieron así.

Ante Aarón Loewenthal, más que la urgencia de vengar a su padre, Emma sintió la de castigar el ultraje padecido por ello. No podía no matarlo, después de esa minuciosa deshonra. Tampoco tenía tiempo que perder en teatralerías. Sentaba, tímida, pidió excusas a Loewenthal, invocó (a fuer de delatora) las obligaciones de la lealtad, pronunció algunos nombres, dió a entender otros y se cortó como si la venciera el temor. Logró que Loewenthal saliera a buscar una copa de agua. Cuando éste, incrédulo de tales aspavientos, pero indulgente, volvió del comedor, Emma ya había sacado del cajón el pesado revólver. Apretó el gatillo dos veces. El considerable cuerpo se desplomó como si los estampidos y el humo lo hubieran roto, el vaso de agua se rompió, la cara la miró con asombro y cólera, la boca de la cara la injurió en español y en ídisch. Las malas palabras no cejaban; Emma tuvo que hacer fuego otra vez. En el patio, el perro encadenado rompió a ladrar, y una efusión de brusca sangre manó de los labios obscenos y manchó la barba y la ropa. Emma inició la acusación que tenía preparada ("He vengado a mi padre y no me podrán castigar..."), pero no la acabó, porque el señor Loewenthal ya había muerto. No supo nunca si alcanzó a comprender.

Los ladridos tirantes le recordaron que no podía, aún, descansar. Desordenó el diván, desabrochó el saco del cadáver, le quitó los quevedos salpicados y los dejó sobre el fichero. Luego tomó el teléfono y repitió lo que tantas veces repetiría, con esas y con otras palabras: *Ha ocurrido una cosa que es increíble... El señor Loewenthal me hizo venir con el pretexto de la huelga... Abusó de mí, lo maté...*

La historia era increíble, en efecto, pero se impuso a todos, porque sustancialmente era cierta. Verdadero era el tono de Emma Zunz, verdadero el pudor, verdadero el odio. Verdadero también era el ultraje que había padecido; sólo eran falsas las circunstancias, la hora y uno o dos nombres propios.

LA CASA DE ASTERIÓN

Y la reina dió a luz un hijo que se llamó Asterión.

APOLODORO: *Biblioteca*, III, I.

Sé que me acusan de soberbia, y tal vez de misantropía, y tal vez de locura. Tales acusaciones (que yo castigaré a su debido tiempo) son irrisorias. Es verdad que no salgo de mi casa, pero también es verdad que sus puertas (cuyo número es infinito)[1] están abiertas día y noche a los hombres y también a los animales. Que entre el que quiera. No hallará pompas mujeriles aquí ni el bizarro aparato de los palacios pero sí la quietud y la soledad. Asimismo hallará una casa como no hay otra en la faz de la tierra. (Mienten los que declaran que en Egipto hay una parecida.) Hasta mis detractores admiten que no hay *un solo mueble* en la casa. Otra especie ridícula es que yo, Asterión, soy un prisionero. ¿Repetiré que no hay una puerta cerrada, añadiré que no hay una cerradura? Por lo demás, algún atardecer he pisado la calle; si antes de la noche volví, lo hice por el temor que me infundieron las caras de la plebe, caras descoloridas y aplanadas, como la mano abierta. Ya se había puesto el sol, pero el desvalido llanto de un niño y las toscas plegarias de la grey dijeron que

[1] El original dice *catorce*, pero sobran motivos para inferir que, en boca de Asterión, ese adjetivo numeral vale por *infinitos*.

me habían reconocido. La gente oraba, huía, se prosternaba; unos se encaramaban al estilóbato del templo de las Hachas, otros juntaban piedras. Alguno, creo, se ocultó bajo el mar. No en vano fué una reina mi madre; no puedo confundirme con el vulgo, aunque mi modestia lo quiera.

El hecho es que soy único. No me interesa lo que un hombre pueda trasmitir a otros hombres; como el filósofo, pienso que nada es comunicable por el arte de la escritura. Las enojosas y triviales minucias no tienen cabida en mi espíritu, que está capacitado para lo grande; jamás he retenido la diferencia entre una letra y otra. Cierta impaciencia generosa no ha consentido que yo aprendiera a leer. A veces lo deploro, porque las noches y los días son largos.

Claro que no me faltan distracciones. Semejante al carnero que va a embestir, corro por las galerías de piedra hasta rodar al suelo, mareado. Me agazapo a la sombra de un aljibe o a la vuelta de un corredor y juego a que me buscan. Hay azoteas desde las que me dejo caer, hasta ensangrentarme. A cualquier hora puedo jugar a estar dormido, con los ojos cerrados y la respiración poderosa. (A veces me duermo realmente, a veces ha cambiado el color del día cuando he abierto los ojos.) Pero de tantos juegos el que prefiero es el de otro Asterión. Finjo que viene a visitarme y que yo le muestro la casa. Con grandes reverencias le digo: *Ahora volvemos a la encrucijada anterior* o *Ahora desembocamos en otro patio* o *Bien decía yo que te gustaría la canaleta* o *Ahora verás una cisterna que se llenó de arena* o *Ya verás cómo el sótano se bifurca.* A veces me equivoco y nos reímos buenamente los dos.

No sólo he imaginado esos juegos; también he meditado sobre la casa. Todas las partes de la casa están muchas veces, cualquier lugar es otro lugar. No hay un aljibe, un patio, un abrevadero, un pesebre; son catorce [son infinitos] los pesebres, abrevaderos, patios, aljibes. La casa es del tamaño del mundo; mejor dicho, es el mundo. Sin embargo, a fuerza de fatigar patios con un aljibe y polvorientas galerías de piedra gris he alcanzado la calle y he visto el templo de las Hachas y el mar. Eso no lo entendí hasta que una visión de la noche me reveló que también son catorce [son infinitos] los mares y los templos. Todo está muchas veces, catorce veces, pero dos cosas hay en el mundo que parecen estar una sola vez: arriba, el intrincado sol; abajo, Asterión. Quizá yo he creado las estrellas y el sol y la enorme casa, pero ya no me acuerdo.

Cada nueve años entran en la casa nueve hombres para que yo los libere de todo mal. Oigo sus pasos o su voz en el fondo de las galerías de piedra y corro alegremente a buscarlos. La ceremonia dura pocos minutos. Uno tras otro caen sin que yo me ensangriente las manos. Donde cayeron, quedan, y los cadáveres ayudan a distinguir una galería de las otras. Ignoro quiénes son, pero sé que uno de ellos profetizó, en la hora de su muerte, que alguna vez llegaría mi redentor. Desde entonces no me duele la soledad, porque sé que vive mi redentor y al fin se levantará sobre el polvo. Si mi oído alcanzara todos los rumores del mundo, yo percibiría sus pasos. Ojalá me lleve a un lugar con menos galerías y menos puertas. ¿Cómo será mi redentor?, me pregunto. ¿Será un toro o un hombre? ¿Será tal vez un toro con cara de hombre? ¿O será como yo?

El sol de la mañana reverberó en la espada de bronce. Ya no quedaba ni un vestigio de sangre.

—¿Lo creerás, Ariadna? —dijo Teseo—. El minotauro apenas se defendió.

A Marta Mosquera Eastman.

LA OTRA MUERTE

Un par de años hará (he perdido la carta), Gannon me escribió de Gualeguaychú, anunciando el envío de una versión, acaso la primera española, del poema *The past*, de Ralph Waldo Emerson, y agregando en una posdata que don Pedro Damián, de quien yo guardaría alguna memoria, había muerto noches pasadas, de una congestión pulmonar. El hombre, arrasado por la fiebre, había revivido en su delirio la sangrienta jornada de Masoller; la noticia me pareció previsible y hasta convencional, porque don Pedro, a los diecinueve o veinte años, había seguido las banderas de Aparicio Saravia. La revolución de 1904 lo tomó en una estancia de Río Negro o de Paysandú, donde trabajaba de peón; Pedro Damián era entrerriano, de Gualeguay, pero fué adonde fueron los amigos, tan animoso y tan ignorante como ellos. Combatió en algún entrevero y en la batalla última; repatriado en 1905, retomó con humilde tenacidad las tareas de campo. Que yo sepa, no volvió a dejar su provincia. Los últimos treinta años los pasó en un puesto muy solo, a una o dos leguas del Ñancay; en aquel desamparo, yo conversé con él una tarde (yo traté de conversar con él una tarde), hacia 1942. Era hombre taciturno, de pocas luces. El sonido y la furia de Masoller agotaban su historia; no me sorprendió que los reviviera, en la hora de su muerte... Supe que no vería más a Damián y quise recordarlo; tan pobre es mi memoria visual que sólo recordé una fotografía que Gannon le tomó. El hecho nada tiene de singular, si consideramos que al hombre lo vi a principios de 1942, una vez, y a la efigie, muchísimas. Gannon me mandó esa fotografía; la he perdido y ya no la busco. Me daría miedo encontrarla.

El segundo episodio se produjo en Montevideo, meses después. La fiebre y la agonía del entrerriano me sugirieron un relato fantástico sobre la derrota de Masoller; Emir Rodríguez Monegal, a quien referí el argumento, me dió unas líneas para el coronel Dionisio Tabares, que había hecho esa campaña. El coronel me recibió después de cenar. Desde un sillón de hamaca, en un patio, recordó con desorden y con amor los tiempos que fueron. Habló de municiones que no llegaron y de caballadas rendidas, de hombres dormidos y terrosos tejiendo laberintos de marchas, de Saravia, que pudo haber entrado en Montevideo y que se desvió, "porque el gaucho le teme a la ciudad", de hombres degollados hasta la nuca, de una guerra civil que me pareció menos la colisión de dos ejércitos que el sueño de un matrero. Habló de Illescas, de Tupambaé, de Masoller. Lo hizo con períodos tan cabales y de un modo tan vívido que comprendí que muchas veces había referido esas mismas cosas, y temí que detrás de sus palabras casi no quedaran recuerdos. En un respiro conseguí intercalar el nombre de Damián.

—¿Damián? ¿Pedro Damián? —dijo el coronel— Ése sirvió conmigo. Un tapecito que le decían Daymán los muchachos. —Inició una ruidosa carcajada y la cortó de golpe, con fingida o veraz incomodidad.

Con otra voz dijo que la guerra servía, como la mujer, para que se probaran los hombres, y que, antes de entrar en batalla, nadie sabía quién era. Alguien podía pensarse cobarde y ser un valiente, y asimismo al revés, como le ocurrió a ese pobre Damián, que se anduvo floreando en las pulperías con su divisa blanca y después flaqueó en Masoller. En algún tiroteo con los *zumacos* se portó como un hombre, pero otra cosa fué cuando los ejércitos se enfrentaron y empezó el cañoneo y cada hombre sintió que cinco mil hombres se habían coaligado para matarlo. Pobre gurí, que se la había pasado bañando ovejas y que de pronto lo arrastró esa patriada...

Absurdamente, la versión de Tabares me avergonzó. Yo hubiera preferido que los hechos no ocurrieran así. Con el viejo Damián, entrevisto una tarde, hace muchos años, yo había fabricado, sin proponérmelo, una suerte de ídolo; la versión de Tabares lo destrozaba. Súbitamente comprendí la reserva y la obstinada soledad de Damián; no las había dictado la modestia, sino el bochorno. En vano me repetí que un hombre acosado por un acto de cobardía es más complejo y más interesante que un hombre meramente animoso. El gaucho Martín Fierro, pensé, es menos memorable que Lord Jim o que Razumov. Sí, pero Damián, como gaucho, tenía obligación de ser Martín Fierro— sobre todo, ante gauchos orientales. En lo que Tabares dijo y no dijo percibí el agreste sabor de lo que se llamaba artiguismo: la conciencia (tal vez incontrovertible) de que el Uruguay es más elemental que nuestro país y, por ende, más bravo... Recuerdo que esa noche nos despedimos con exagerada efusión.

En el invierno, la falta de una o dos circunstancias para mi relato fantástico (que torpemente se obstinaba en no dar con su forma) hizo que yo volviera a la casa del coronel Tabares. Lo hallé con otro señor de edad: el doctor Juan Francisco Amaro, de Paysandú, que también había militado en la revolución de Saravia. Se habló, previsiblemente, de Masoller. Amaro refirió unas anécdotas y después agregó con lentitud, como quien está pensando en voz alta:

—Hicimos noche en *Santa Irene*, me acuerdo, y se nos incorporó alguna gente. Entre ellos, un veterinario francés que murió la víspera de la acción, y un mozo esquilador, de Entre Ríos, un tal Pedro Damián.

Lo interrumpí con acritud.

—Ya sé —le dije—. El argentino que flaqueó ante las balas.

Me detuve; los dos me miraban perplejos.

—Usted se equivoca, señor —dijo, al fin, Amaro—. Pedro Damián murió como querría morir cualquier hombre. Serían las cuatro de la tarde. En la cumbre de la cuchilla se había hecho fuerte la infantería colorada; los nuestros la cargaron, a lanza; Damián iba en la punta, gritando, y una bala lo acertó en pleno pecho. Se paró en los estribos, concluyó el grito y rodó por tierra y quedó entre las patas de los caballos. Estaba muerto y la última carga de Masoller le pasó por encima. Tan valiente y no había cumplido veinte años.

Hablaba, a no dudarlo, de otro Damián, pero algo me hizo preguntar qué gritaba el gurí.

—Malas palabras —dijo el coronel—, que es lo que se grita en las cargas.

—Puede ser —dijo Amaro—, pero también gritó ¡Viva Urquiza!

Nos quedamos callados. Al fin, el coronel murmuró:

—No como si peleara en Masoller, sino en Cagancha o India Muerta, hará un siglo.

Agregó con sincera perplejidad:

—Yo comandé esas tropas, y juraría que es la primera vez que oigo hablar de un Damián.

No pudimos lograr que lo recordara.

En Buenos Aires, el estupor que me produjo su olvido se repitió. Ante los once deleitables volúmenes de las obras de Emerson, en el sótano de la librería inglesa de Mitchell, encontré, una tarde, a Patricio Gannon. Le pregunté por su traducción de *The past.* Dijo que no pensaba traducirlo y que la literatura española era tan tediosa que hacía innecesario a Emerson. Le recordé que me había prometido esa versión en la misma carta en que me escribió la muerte de Damián. Preguntó quién era Damián. Se lo dije, en vano. Con un principio de terror advertí que me oía con extrañeza, y busqué amparo en una discusión literaria sobre los detractores de

Emerson, poeta más complejo, más diestro y sin duda más singular que el desdichado Poe.

Algunos hechos más debo registrar. En abril tuve carta del coronel Dionisio Tabares; éste ya no estaba ofuscado y ahora se acordaba muy bien del entrerrianito que hizo punta en la carga de Masoller y que enterraron esa noche sus hombres, al pie de la cuchilla. En julio pasé por Gualeguaychú; no di con el rancho de Damián, de quien ya nadie se acordaba. Quise interrogar al puestero Diego Abaroa, que lo vió morir; éste había fallecido antes del invierno. Quise traer a la memoria los rasgos de Damián; meses después, hojeando unos álbumes, comprobé que el rostro sombrío que yo había conseguido evocar era el del célebre tenor Tamberlick, en el papel de Otelo.

Paso ahora a las conjeturas. La más fácil, pero también la menos satisfactoria, postula dos Damianes: el cobarde que murió en Entre Ríos hacia 1946, el valiente, que murió en Masoller en 1904. Su defecto reside en no explicar lo realmente enigmático: los curiosos vaivenes de la memoria del coronel Tabares, el olvido que anula en tan poco tiempo la imagen y hasta el nombre del que volvió. (No acepto, no quiero aceptar, una conjetura más simple: la de haber yo soñado al primero.) Más curiosa es la conjetura sobrenatural que ideó Ulrike von Kühlmann. Pedro Damián, decía Ulrike, pereció en la batalla, y en la hora de su muerte suplicó a Dios que lo hiciera volver a Entre Ríos. Dios vaciló un segundo antes de otorgar esa gracia, y quien la había pedido ya estaba muerto, y algunos hombres lo habían visto caer. Dios, que no puede cambiar el pasado, pero sí las imágenes del pasado, cambió la imagen de la muerte en la de un desfallecimiento, y la sombra del entrerriano volvió a su tierra. Volvió, pero debemos recordar su condición de sombra. Vivió en la soledad, sin una mujer, sin amigos; todo lo amó y lo poseyó, pero desde lejos, como del otro lado de un cristal; "murió", y su tenue imagen se perdió, como el agua en el agua. Esa conjetura es errónea, pero hubiera debido sugerirme la verdadera (la que hoy creo la verdadera), que a la vez es más simple y más inaudita. De un modo casi mágico la descubrí en el tratado *De Omnipotentia*, de Pier Damiani, a cuyo estudio me llevaron dos versos del canto XXI del *Paradiso*, que plantean precisamente un problema de identidad. En el quinto capítulo de aquel tratado, Pier Damiani sostiene, contra Aristóteles y contra Fredegario de Tours, que Dios puede efectuar que no haya sido lo que alguna vez fué. Leí esas viejas discusiones teológicas y empecé a comprender la trágica historia de don Pedro Damián.

La adivino así. Damián se portó como un cobarde en el campo de Masoller, y dedicó la vida a corregir esa bochornosa flaqueza. Volvió a Entre Ríos; no alzó la mano a ningún hombre, no *marcó* a nadie, no buscó fama de valiente, pero en los campos del Ñancay se hizo duro, lidiando con el monte y la hacienda chúcara. Fué preparando, sin duda sin saberlo, el milagro. Pensó con lo más hondo: Si el destino me trae otra batalla, yo sabré merecerla. Durante cuarenta años la aguardó con oscura esperanza, y el destino al fin se la trajo, en la hora de su muerte. La trajo en forma de delirio pero ya los griegos sabían que somos las sombras de un sueño. En la agonía revivió su batalla, y se condujo como un hombre y encabezó la carga final y una bala lo acertó en pleno pecho. Así, en 1946, por obra de una larga pasión, Pedro Damián murió en la derrota de Masoller, que ocurrió entre el invierno y la primavera de 1904.

En la Suma Teológica se niega que Dios pueda hacer que lo pasado no haya sido, pero nada se dice de la intrincada concatenación de causas y efectos, que es tan vasta y tan íntima que acaso no cabría anular *un solo* hecho remoto, por insignificante que fuera, sin invalidar el presente. Modificar el pasado no es modificar un solo hecho; es anular sus consecuencias, que tienden a ser infinitas. Dicho sea con otras palabras; es crear dos historias universales. En la primera (digamos), Pedro Damián murió en Entre Ríos, en 1946; en la segunda, en Masoller, en 1904. Ésta es la que vivimos ahora, pero la supresión de aquélla no fué inmediata y produjo las incoherencias que he referido. En el coronel Dionisio Tabares se cumplieron las diversas etapas: al principio recordó que Damián obró como un cobarde; luego, lo olvidó totalmente; luego, recordó su impetuosa muerte. No menos corroborativo es el caso del puestero Abaroa; éste murió, lo entiendo, porque tenía demasiadas memorias de don Pedro Damián.

En cuanto a mí, entiendo no correr un peligro análogo. He adivinado y registrado un proceso no accesible a los hombres, una suerte de escándalo de la razón; pero algunas circunstancias mitigan ese privilegio temible. Por lo pronto, no estoy seguro de haber escrito siempre la verdad. Sospecho que en mi relato hay falsos recuerdos. Sospecho que Pedro Damián (si existió) no se llamó Pedro Damián, y que yo lo recuerdo bajo ese nombre para creer algún día que su historia me fué sugerida por los argumentos de Pier Damiani. Algo parecido acontece con el poema que mencioné en el primer párrafo y que versa sobre la irrevocabilidad del pasado. Hacia 1951 creeré haber fabricado un cuento fantástico y habré historiado un hecho real; también el inocente Virgilio, hará dos mil años, creyó anunciar el nacimiento de un hombre y vaticinaba el de Dios.

¡Pobre Damián! La muerte lo llevó a los veinte años en una triste guerra ignorada y en una batalla casera, pero consiguió lo que anhelaba su corazón, y tardó mucho en conseguirlo, y acaso no hay mayores felicidades.

DEUTSCHES REQUIEM

Aunque él me quitare la vida, en él confiaré.

JOB 13: 15

Mi nombre es Otto Dietrich zur Linde. Uno de mis antepasados, Christoph zur Linde, murió en la carga de caballería que decidió la victoria de Zorndorf. Mi bisabuelo materno, Ulrich Forkel, fué asesinado en la foresta de Marchenoir por francotiradores franceses, en los últimos días de 1870; el capitán Dietrich zur Linde, mi padre, se distinguió en el sitio de Namur, en 1914, y, dos años después, en la travesía del Danubio.[1] En cuanto a mí, seré fusilado por torturador y asesino. El tribunal ha procedido con rectitud; desde el principio, yo me he declarado culpable. Mañana, cuando el reloj de la prisión dé las nueve, yo habré entrado en la muerte; es natural que piense en mis mayores, ya que tan cerca estoy de su sombra, ya que de algún modo soy ellos.

Durante el juicio (que afortunadamente duró poco) no hablé; justificarme, entonces, hubiera entorpecido el dictamen y hubiera parecido una cobardía. Ahora las cosas han cambiado; en esta noche que

[1] Es significativa la omisión del antepasado más ilustre del narrador, el teólogo y hebraísta Johannes Forkel (1799-1846), que aplicó la dialéctica de Hegel a la cristología y cuya versión literal de algunos de los Libros Apócrifos mereció la censura de Hengstenberg y la aprobación de Thilo y Geseminus. *(Nota del editor.)*

precede a mi ejecución, puedo hablar sin temor. No pretendo ser perdonado, porque no hay culpa en mí, pero quiero ser comprendido. Quienes sepan oírme, comprenderán la historia de Alemania y la futura historia del mundo. Yo sé que casos como el mío, excepcionales y asombrosos ahora, serán muy en breve triviales. Mañana moriré, pero soy un símbolo de las generaciones del porvenir.

Nací en Marienburg, en 1908. Dos pasiones, ahora casi olvidadas, me permitieron afrontar con valor y aun con felicidad muchos años infaustos: la música y la metafísica. No puedo mencionar a todos mis bienhechores, pero hay dos nombres que no me resigno a omitir: el de Brahms y el de Schopenhauer. También frecuenté la poesía; a esos nombres quiero juntar otro vasto nombre germánico, William Shakespeare. Antes, la teología me interesó, pero de esa fantástica disciplina (y de la fe cristiana) me desvió para siempre Schopenhauer, con razones directas; Shakespeare y Brahms, con la infinita variedad de su mundo. Sepa quien se detiene maravillado, trémulo de ternura y de gratitud, ante cualquier lugar de la obra de esos felices, que yo también me detuve ahí, yo el abominable.

Hacia 1927 entraron en mi vida Nietzsche y Spengler. Observa un escritor del siglo XVIII que nadie quiere deber nada a sus contemporáneos; yo, para libertarme de una influencia que presentí opresora, escribí un artículo titulado *Abrechnung mit Spengler*, en el que hacía notar que el monumento más inequívoco de los rasgos que el autor llama fáusticos no es el misceláneo drama de Goethe [1] sino un poema redactado hace veinte siglos, el *De rerum natura.* Rendí justicia, empero, a la sinceridad del filósofo de la historia, a su espíritu radicalmente alemán (*kerndeutsch*), militar. En 1929 entré en el Partido.

Poco diré de mis años de aprendizaje. Fueron más duros para mí que para muchos otros, ya que a pesar de no carecer de valor, me falta toda vocación de violencia. Comprendí, sin embargo, que estábamos al borde de un tiempo nuevo y que ese tiempo, comparable a las épocas iniciales del Islam o del Cristianismo, exigía hombres nuevos. Individualmente, mis camaradas me eran odiosos; en vano procuré razonar que para el alto fin que nos congregaba, no éramos individuos.

Aseveran los teólogos que si la atención del Señor se desviara un solo segundo de mi derecha mano que escribe, ésta recaería en la nada, como si la fulminara un fuego sin luz. Nadie puede ser, digo yo, nadie puede probar una copa de agua o partir un trozo de pan, sin justificación. Para cada hombre, esa justificación es distinta; yo esperaba la guerra inexorable que probaría nuestra fe. Me bastaba saber que yo sería un soldado de sus batallas. Alguna vez temí que nos defraudaran la cobardía de Inglaterra y de Rusia. El azar, o el destino, tejió de otra ma-

[1] Otras naciones viven con inocencia, en sí y para sí como los minerales o los meteoros; Alemania es el espejo universal que a todas recibe, la conciencia del mundo (*das Weltbewussisein*). Goethe es el prototipo de esa comprensión ecuménica. No lo censuro, pero no veo en él al hombre fáustico de la tesis de Spengler.

nera mi porvenir: el primero de marzo de 1939, al oscurecer, hubo disturbios en Tilsit que los diarios no registraron; en la calle detrás de la sinagoga, dos balas me atrevesaron la pierna, que fué necesario amputar.[1] Días después, entraban en Bohemia nuestros ejércitos; cuando las sirenas lo proclamaron, yo estaba en el sedentario hospital, tratando de perderme y de olvidarme en los libros de Schopenhauer. Símbolo de mi vano destino, dormía en el reborde de la ventana un gato enorme y fofo.

En el primer volumen de *Parerga und Paralipomena* releí que todos los hechos que pueden ocurrirle a un hombre, desde el instante de su nacimiento hasta el de su muerte, han sido prefijados por él. Así, toda negligencia es deliberada, todo casual encuentro una cita, toda humillación una penitencia, todo fracaso una misteriosa victoria, toda muerte un suicidio. No hay consuelo más hábil que el pensamiento de que hemos elegido nuestras desdichas; esa teleología individual nos revela un orden secreto y prodigiosamente nos confunde con la divinidad. ¿Qué ignorado propósito (cavilé) me hizo buscar ese atardecer, esas balas y esa mutilación? No el temor de la guerra, yo lo sabía; algo más profundo. Al fin creí entender. Morir por una religión es más simple que vivirla con plenitud; batallar en Éfeso contra las fieras es menos duro (miles de mártires oscuros lo hicieron) que ser Pablo, siervo de Jesucristo; un acto es menos que todas las horas de un hombre. La batalla y la gloria son *facilidades*; más ardua que la

[1] Se murmura que las consecuencias de esa herida fueron muy graves. *(Nota del editor.)*

empresa de Napoleón fué la de Raskolnikov. El siete de febrero de 1941 fuí nombrado subdirector del campo de concentración de Tarnoitz.

El ejercicio de ese cargo no me fué grato; pero no pequé nunca de negligencia. El cobarde se prueba entre las espadas; el misericordioso, el piadoso, busca el examen de las cárceles y del dolor ajeno. El nazismo, intrínsecamente, es un hecho moral, un despojarse del viejo hombre, que está viciado, para vestir el nuevo. En la batalla esa mutación es común, entre el clamor de los capitanes y el vocerío; no así en un torpe calabozo, donde nos tienta con antiguas ternuras la insidiosa piedad. No en vano escribo esa palabra; la piedad por el hombre superior es el último pecado de Zarathustra. Casi lo cometí (lo confieso) cuando nos remitieron de Breslau al insigne poeta David Jerusalem.

Era éste un hombre de cincuenta años. Pobre de bienes de este mundo, perseguido, negado, vituperado, había consagrado su genio a cantar la felicidad. Creo recordar que Albert Soergel, en la obra *Dichtung der Zeit*, lo equipara con Whitman. La comparación no es feliz; Whitman celebra el universo de un modo previo, general, casi indiferente; Jerusalem se alegra de cada cosa, con minucioso amor. No comete jamás enumeraciones, catálogos. Aún puedo repetir muchos hexámetros de aquel hondo poema que se titula *Tse Yang, pintor de tigres*, que está como rayado de tigres, que está como cargado y atravesado de tigres transversales y silenciosos. Tampoco olvidaré el soliloquio *Rosencrantz habla con el Ángel*, en el que un prestamista londinense del siglo XVI vanamente trata, al morir, de vindicar sus culpas, sin sospechar que la secreta justificación de su vida es haber inspirado a uno de sus clientes (que lo ha visto una sola vez y a quien no recuerda) el carácter de Shylock. Hombre de memorables ojos, de piel cetrina, de barba casi negra, David Jerusalem era el prototipo del judío sefardí, si bien pertenecía a los depravados y aborrecidos Ashkenazim. Fuí severo con él; no permití que me ablandaran ni la compasión ni su gloria. Yo había comprendido hace muchos años que no hay cosa en el mundo que no sea germen de un Infierno posible; un rostro, una palabra, una brújula, un aviso de cigarrillos, podrían enloquecer a una persona, si ésta no lograra olvidarlos. ¿No estaría loco un hombre que continuamente se figurara el mapa de Hungría? Determiné aplicar ese principio al régimen disciplinario de nuestra casa y [1]... A fines de 1942, Jerusalem perdió la razón; el primero de marzo de 1943, logró darse muerte.[2]

Ignoro si Jerusalem comprendió que si yo lo destruí, fué para destruir mi piedad. Ante mis ojos,

[1] Ha sido inevitable, aquí, omitir unas líneas. *(Nota del editor.)*

[2] Ni en los archivos ni en la obra de Soergel figura el nombre de Jerusalem. Tampoco lo registran las historias de la literatura alemana. No creo, sin embargo, que se trate de un personaje falso. Por orden de Otto Dietrich zur Linde fueron torturados en Tarnowitz muchos intelectuales judíos, entre ellos la pianista Emma Rosenzweig. "David Jerusalem" es tal vez un símbolo de varios individuos. Nos dicen que murió el primero de marzo de 1943; el primero de marzo de 1939, el narrador fué herido en Tilsit. *(Nota del editor.)*

no era un hombre, ni siquiera un judío; se había transformado en el símobolo de una detestada zona de mi alma. Yo agonicé con él, yo morí con él, yo de algún modo me he perdido con él; por eso, fuí implacable.

Mientras tanto, giraban sobre nosotros los grandes días y las grandes noches de una guerra feliz. Había en el aire que respirábamos un sentimiento parecido al amor. Como si bruscamente el mar estuviera cerca, había un asombro y una exaltación en la sangre. Todo, en aquellos años, era distinto; hasta el sabor del sueño. (Yo, quizá, nunca fuí plenamente feliz, pero es sabido que la desventura requiere paraísos perdidos.) No hay hombre que no aspire a la plenitud, es decir a la suma de experiencias de que un hombre es capaz; no hay hombre que no tema ser defraudado de alguna parte de ese patrimonio infinito. Pero todo lo ha tenido mi generación, porque primero le fué deparada la gloria y después la derrota.

En octubre o noviembre de 1942, mi hermano Friedrich pereció en la segunda batalla de El Alamein, en los arenales egipcios; un bombardeo aéreo, meses después, destrozó nuestra casa natal; otro, a fines de 1943, mi laboratorio. Acosado por vastos continentes, moría el Tercer Reich; su mano estaba contra todos y las manos de todos contra él. Entonces, algo singular ocurrió, que ahora creo entender. Yo me creía capaz de apurar la copa de la cólera, pero en las heces me detuvo un sabor no esperado, el misterioso y casi terrible sabor de la felicidad. Ensayé diversas explicaciones; no me bastó ninguna. Pensé: *Me satisface la derrota, porque secretamente me sé culpable y sólo puede redimirme el castigo.* Pensé: *Me satisface la derrota, porque es un fin y yo estoy muy cansado.* Pensé: *Me satisface la derrota, porque ha ocurrido, porque está innumerablemente unida a todos los hechos que son, que fueron, que serán, porque censurar o deplorar un solo hecho real es blasfemar del universo.* Esas razones ensayé, hasta dar con la verdadera.

Se ha dicho que todos los hombres nacen aristotélicos o platónicos. Ello equivale a declarar que no hay debate de carácter abstracto que no sea un momento de la polémica de Aristóteles y Platón; a través de los siglos y latitudes, cambian los nombres, los dialectos, las caras, pero no los eternos antagonistas. También la historia de los pueblos registra una continuidad secreta. Arminio, cuando degolló en una ciénaga las legiones de Varo, no se sabía precursor de un Imperio Alemán; Lutero, traductor de la Biblia, no sospechaba que su fin era forjar un pueblo que destruyera para siempre la Biblia; Christoph zur Linde, a quien mató una bala moscovita en 1758, preparó de algún modo las victorias de 1914; Hitler creyó luchar por *un* país, pero luchó por todos, aun por aquellos que agredió y detestó. No importa que su yo lo ignorara; lo sabían su sangre, su voluntad. El mundo se moría de judaísmo y de esa enfermedad del judaísmo, que es la fe de Jesús; nosotros le enseñamos la violencia y la fe de la espada. Esa espada nos mata y somos comparables al hechicero que teje un laberinto y que se ve forzado a errar en él hasta el fin de sus días o a David que juzga a un desconocido y lo condena a muerte y oye después la revelación: *Tú eres aquel hombre.* Muchas cosas hay que destruir para edificar el nuevo orden; ahora sabemos que Alemania era una de esas cosas. Hemos dado algo más que nuestra vida, hemos dado la suerte de nuestro querido país. Que otros maldigan y otros lloren; a mí me regocija que nuestro don sea orbicular y perfecto.

Se cierne ahora sobre el mundo una época implacable. Nosotros la forjamos, nosotros que ya somos su víctima. ¿Qué importa que Inglaterra sea el martillo y nosotros el yunque? Lo importante es que rija la violencia, no las serviles timideces cristianas. Si la victoria y la injusticia y la felicidad no son para Alemania, que sean para otras naciones. Que el cielo exista, aunque nuestro lugar sea el infierno.

Miro mi cara en el espejo para saber quién soy, para saber cómo me portaré dentro de unas horas, cuando me enfrente con el fin. Mi carne puede tener miedo; yo, no.

LA BUSCA DE AVERROES

> S'imaginant que la tragédie n'est autre chose que l'art de louer...
>
> ERNEST RENAN: *Averroès*, 48 (1861).

Abulgualid Muhámmad Ibn-Ahmad ibn-Muhámmad ibn-Rushd (un siglo tardaría ese largo nombre en llegar a Averroes, pasando por Benraist y por Avenryz, y aun por Aben-Rassad y Filius Rosadis) redactaba el undécimo capítulo de la obra *Tahafut-ul-Tahafut* (Destrucción de la Destrucción), en el que se mantiene, contra el asceta persa Ghazali, autor del *Tahafut-ul-falasifa* (Destrucción de filósofos), que la divinidad sólo conoce las leyes generales del universo, lo concerniente a las especies, no al individuo. Escribía con lenta seguridad, de derecha a izquierda; el ejercicio de formar silogismos y de eslabonar vastos párrafos no le impedía sentir, como un bienestar, la fresca y honda casa que lo rodeaba. En el fondo de la siesta se enronquecían amorosas palomas; de algún patio invisible se elevaba el rumor de una fuente; algo en la carne de Averroes, cuyos antepasados procedían de los desiertos árabes, agradecía la constancia del agua. Abajo estaban los jardines, la huerta; abajo, el atareado Guadalquivir y después la querida ciudad de Córdoba, no menos clara que Bagdad o que el Cairo, como un complejo y delicado instrumento, y alrededor (esto Averroes lo sentía también) se dilataba hacia el confín la tierra de España, en la que hay pocas cosas, pero donde cada una parece estar de un modo sustantivo y eterno.

La pluma corría sobre la hoja, los argumentos se enlazaban, irrefutables, pero una leve preocupación empañó la felicidad de Averroes. No la causaba el Tahafut, trabajo fortuito, sino un problema de índole filológica vinculado a la obra monumental que lo justificaría ante las gentes: el comentario de Aristóteles. Este griego, manantial de toda filosofía, había sido otorgado a los hombres para enseñarles todo lo que se puede saber; interpretar sus libros como los ulemas interpretan el Alcorán era el arduo propósito de Averroes. Pocas cosas más bellas y más patéticas registrará la historia que esa consagración de un médico árabe a los pensamientos de un hombre de quien lo separaban catorce siglos; a las dificultades intrínsecas debemos añadir que Averroes, ignorante del siríaco y del griego, trabajaba sobre la traducción de una traducción. La víspera, dos palabras dudosas lo habían detenido en el principio de la Poética. Esas palabras eran *tragedia* y *comedia*. Las había encontrado años atrás, en el libro tercero de la Retórica; nadie, en el ámbito del Islam, barruntaba lo que querían decir. Vanamente había fatigado las páginas de Alejandro de Afrodisia, vanamente había compulsado las versiones del nestoriano Hunáin ibn-Ishaq y de Abu-Bashar Mata. Esas dos palabras arcanas pululaban en el texto de la Poética; imposible eludirlas.

Averroes dejó la pluma. Se dijo (sin demasiada fe) que suele estar muy cerca lo que buscamos, guardó el manuscrito del Tahafut y se dirigió al anaquel donde se alineaban, copiados por calígrafos persas, los muchos volúmenes del *Mohkam* del ciego Abensida. Era irrisorio imaginar que no los había consultado, pero lo tentó el ocioso placer de volver sus páginas. De esa estudiosa distracción lo distrajo una suerte de melodía. Miró por el balcón enrejado; abajo, en el estrecho patio de tierra, jugaban unos chicos semidesnudos. Uno, de pie en los hombros de otro, hacía notoriamente de almuédano; bien cerrados los ojos, salmodiaba *No hay otro dios que el Dios*. El que lo sostenía, inmóvil, hacía de alminar; otro, abyecto en el polvo y arrodillado, de congregación de los fieles. El juego duró poco; todos querían ser el almuédano, nadie la congregación o la torre. Averroes los oyó disputar en dialecto *grosero*, vale decir en el incipiente español de la plebe musulmana de la Península. Abrió el *Quitab ul ain* de Jalil y pensó con orgullo que en toda Córdoba (acaso en todo Al-Andalus) no había otra copia de la obra perfecta que esta que el emir Yacub Almansur le había remitido de Tánger. El nombre de ese puerto le recordó que el viajero Abulcásim Al-Asharí, que había regresado de Marruecos, cenaría con él esa noche en casa del alcoranista Farach. Abulcásim decía haber alcanzado los reinos del imperio de Sin (de la China); sus detractores, con esa lógica peculiar que da el odio, juraban que nunca había pisado la China y que en los templos de ese país había blasfemado de Alá. Inevitablemente, la reunión duraría unas horas; Averroes, presuroso, retomó la escritura del *Tahāfut.* Trabajó hasta el crepúsculo de la noche.

El diálogo, en la casa de Farach, pasó de las incomparables virtudes del gobernador a las de su hermano el emir; después, en el jardín, hablaron de rosas. Abulcásim, que no las había mirado, juró que no había rosas como las rosas que decoran los cármenes andaluces. Farach no se dejó sobornar; observó que el docto Ibn Qutaiba describe una excelente variedad de la rosa perpetua, que se da en los jardines del Indostán y cuyos pétalos, de un rojo encarnado, presentan caracteres que dicen: *No hay otro dios como el Dios. Muhámmad es el Apóstol de Dios.* Agregó que Abulcásim, seguramente, conocería esas rosas. Abulcásim lo miró con alarma. Si respondía que sí, todos lo juzgarían, con razón, el más disponible y casual de los impostores; si respondía que no, lo juzgarían un infiel. Optó por musitar que con el Señor están las llaves de las cosas ocultas y que no hay en la tierra una cosa verde o una cosa marchita que no esté registrada en Su Libro. Esas palabras pertenecen a una de las primeras azoras; las acogió un murmullo reverencial. Envanecido por esa victoria dialéctica. Abulcásim iba a pronunciar que el Señor es perfecto en sus obras e inescrutable. Entonces Averroes declaró, prefigurando las remotas razones de un todavía problemático Hume:

—Me cuesta menos admitir un error en el docto Ibn Qutaiba, o en los copistas, que admitir que la tierra da rosas con la profesión de la fe.

—Así es. Grandes y verdaderas palabras —dijo Abulcásim.

—Algún viajero —recordó el poeta Abdalmálik— habla de un árbol cuyo fruto son verdes pájaros. Menos me duele creer en él que en rosas con letras.

—El color de los pájaros —dijo Averroes— parece facilitar el portento. Además, los frutos y los pájaros pertenecen al mundo natural, pero la escritura es un arte. Pasar de hojas a pájaros es más fácil que de rosas a letras.

Otro huésped negó con indignación que la escritura fuese un arte, ya que el original del Qurán —*la madre del Libro*— es anterior a la Creación y se guarda en el cielo. Otro habló de Cháhiz de Basra, que dijo que el Qurán es una sustancia que puede tomar la forma de un hombre o la de un animal, opinión que parece convenir con la de quienes le atribuyen dos caras. Farach expuso largamente la doctrina ortodoxa. El Qurán (dijo) es uno de los atributos de Dios, como Su piedad; se copia en un libro, se pronuncia con la lengua, se recuerda en el corazón, y el idioma y los signos y la escritura son obra de los hombres, pero el Qurán es irrevocable y eterno. Averroes, que había comentado la República, pudo haber dicho que la madre del Libro es algo así como su modelo platónico, pero notó que la teología era un tema del todo inaccesible a Abulcásim.

Otros, que también lo advirtieron, instaron a Abulcásim a referir alguna maravilla. Entonces como ahora, el mundo era atroz; los audaces podían recorrerlo, pero también los miserables, los que se allanaban a todo. La memoria de Abulcásim era un espejo de íntimas cobardías. ¿Qué podía referir? Además, le exigían maravillas y la maravilla es acaso incomunicable; la luna de Bengala no es igual a la luna del Yemen, pero se deja descibir con las mismas voces. Abulcásim vaciló; luego, habló:

—Quien recorre los climas y las ciudades —proclamó con unción— ve muchas cosas que son dignas de crédito. Ésta, digamos, que sólo he referido una vez, al rey de los turcos. Ocurrió en Sin Kalán (Cantón), donde el río del Agua de la Vida se derrama en el mar.

Farach preguntó si la ciudad quedaba a muchas leguas de la muralla que Iskandar Zul Qarnain (Alejandro Bicorne de Macedonia) levantó para detener a Gog y a Magog.

—Desiertos la separan —dijo Abulcásim, con involuntaria soberbia—. Cuarenta días tardaría una cáfila (caravana) en divisar sus torres y dicen que otros tantos en alcanzarla. En Sin Kalán no sé de ningún hombre que la haya visto o que haya visto a quien la vió.

El temor de lo crasamente infinito, del mero espacio, de la mera materia, tocó por un instante a Averroes. Miró el simétrico jardín; se supo envejecido, inútil, irreal. Decía Abulcásim:

—Una tarde, los mercaderes musulmanes de Sin Kalán me condujeron a una casa de madera pintada, en la que vivían muchas personas. No se puede contar cómo era esa casa, que más bien era un solo cuarto, con filas de alacenas o de balcones, unas encima de otras. En esas cavidades había gente que comía y bebía; y asimismo en el suelo, y asimismo en una terraza. Las personas de esa terraza tocaban el tambor y el laúd, salvo unas quince o veinte (con máscaras de color carmesí) que rezaban, cantaban y dialogaban. Padecían prisiones, y nadie veía la cárcel; cabalgaban, pero no se percibía el caballo; combatían, pero las espadas eran de caña; morían y después estaban de pie.

—Los actos de los locos —dijo Farach— exceden las previsiones del hombre cuerdo.

—No estaban locos —tuvo que explicar Abulcásim—. Estaban figurando, me dijo un mercader, una historia.

Nadie comprendió, nadie pareció querer comprender. Abulcásim, confuso, pasó de la escuchada narración a las desairadas razones. Dijo, ayudándose con las manos:

—Imaginemos que alguien muestra una historia en vez de referirla. Sea esa historia la de los durmientes de Éfeso. Los vemos retirarse a la caverna, los vemos orar y dormir, los vemos dormir con los ojos abiertos, los vemos crecer mientras duermen, los vemos despertar a la vuelta de trescientos nueve años, los vemos entregar al vendedor una antigua moneda, los vemos despertar en el paraíso, los vemos despertar con el perro. Algo así nos mostraron aquella tarde las personas de la terraza.

—¿Hablaban esas personas? —interrogó Farach.

—Por supuesto que hablaban —dijo Abulcásim, convertido en apologista de una función que apenas recordaba y que lo había fastidiado bastante—. ¡Hablaban y cantaban y peroraban!

—En tal caso —dijo Farach— no se requerían *veinte* personas. Un solo hablista puede referir cualquier cosa, por compleja que sea.

Todos aprobaron ese dictamen. Se encarecieron las virtudes del árabe, que es el idioma que usa Dios para dirigir a los ángeles; luego, de la poesía de los árabes. Abdalmálik, después de ponderarla debidamente, motejó de anticuados a los poetas que en Damasco o en Córdoba se aferraban a imágenes pastoriles y a un vocabulario beduino. ,Dijo que era absurdo que un hombre ante cuyos ojos se dilataba el Guadalquivir celebrara el agua de un pozo. Urgió la conveniencia de renovar las antiguas metáforas; dijo que cuando Zuhair comparó al destino con un camello ciego, esa figura pudo suspender a la gente, pero que cinco siglos de admiración la habían gastado. Todos aprobaron ese dictamen, que ya habían escuchado muchas veces, de muchas bocas. Averroes callaba. Al fin habló, menos para los otros que para él mismo.

—Con menos elocuencia —dijo Averroes— pero con argumentos congéneres, he defendido alguna vez la proposición que mantiene Abdalmálik. En Alejandría se ha dicho que sólo es incapaz de una culpa quien ya la cometió y ya se arrepintió; para estar libre de un error, agreguemos, conviene haberlo profesado. Zuhair, en su mohalaca, dice que en el decurso de ochenta años de dolor y de gloria, ha visto muchas veces al destino atropellar de golpe a los hombres, como un camello ciego; Abdalmálik entiende que esa figura ya no puede maravillar. A ese reparo cabría contestar muchas cosas. La primera, que si el fin del poema fuera el asombro, su tiempo no se mediría por siglos, sino por días y por horas y tal vez por minutos. La segunda, que un famoso poeta es menos inventor que descubridor. Para alabar a Ibn-Sháraf de Berja, se ha repetido que sólo él pudo imaginar que las estrellas en el alba caen lentamente, como las hojas caen de los árboles; ello, si fuera cierto, evidenciaría que la imagen es baladí. La imagen que un solo hombre puede formar es la que no toca a ninguno. Infinitas cosas hay en la tierra; cualquiera puede equipararse a cualquiera. Equiparar estrellas con hojas no es menos arbitrario que equipararlas con peces o con pájaros. En cambio, nadie no sintió alguna vez que el destino es fuerte y es torpe, que es inocente y es también inhumano. Para esa convicción, que puede ser pasajera o continua, pero que nadie elude, fué escrito el verso de Zuhair. No se dirá mejor lo que allí se dijo. Además (y esto es acaso lo esencial de mis reflexiones), el tiempo, que despoja los alcázares, enriquece los versos. El de Zuhair, cuando éste lo compuso en Arabia, sirvió para confrontar dos imágenes, la del viejo camello y la del destino; repetido ahora, sirve para memoria de Zuhair y para confundir nuestros pesares con los de aquel árabe muerto. Dos términos tenía la figura y hoy tiene cuatro. El tiempo agranda el ámbito de los versos y sé de algunos que a la par de la música, son todo para todos los hombres. Así, atormentado hace años en Marrakesh por memorias de Córdoba, me complacía en repetir el apóstrofe que Abdurrahmán dirigió en los jardines de Ruzafa a una palma africana:

Tú también eres, ¡oh palma!,
En este suelo extranjera. . .

Singular beneficio de la poesía; palabras redactadas por un rey que anhelaba el Oriente me sirvieron a mí, desterrado en África, para mi nostalgia de España.

Averroes, después, habló de los primeros poetas, de aquellos que en el Tiempo de la Ignorancia, antes del Islam, ya dijeron todas las cosas, en el infinito lenguaje de los desiertos. Alarmado, no sin razón, por las fruslerías de Ibn-Sháraf, dijo que en los antiguos y en el Qurán estaba cifrada toda poesía y condenó por analfabeta y por vana la ambición de innovar. Los demás lo escucharon con placer, porque vindicaba lo antiguo.

Los muecines llamaban a la oración de la primera luz cuando Averroes volvió a entrar en la biblioteca. (En el harén, las esclavas de pelo negro habían torturado a una esclava de pelo rojo, pero él no lo sabría sino a la tarde.) Algo le había revelado el sentido de las dos palabras oscuras. Con firme y cuidadosa caligrafía agregó estas líneas al manuscrito: *Aristú* (Aristóteles) *denomina tragedia a los panegíricos y comedias a las sátiras y anatemas. Admirables tragedias y comedias abundan en las páginas del Corán y en las mohalacas del santuario.*

Sintió sueño, sintió un poco de frío. Desceñido el turbante, se miró en un espejo de metal. No sé lo que vieron sus ojos. porque ningún historiador ha descrito las formas de su cara. Sé que desapareció bruscamente, como si lo fulminara un fuego sin luz, y que con él desaparecieron la casa y el invisible surtidor y los libros y los manuscritos y las palomas y las muchas esclavas de pelo negro y la trémula esclava de pelo rojo y Farach y Abulcásim y los rosales y tal vez el Guadalquivir.

En la historia anterior quise narrar el proceso de una derrota. Pensé, primero, en aquel arzobispo de Canterbury que se propuso demostrar que hay un Dios; luego, en los alquimistas que buscaron la piedra filosofal; luego, en los vanos trisectores del ángulo y rectificadores del círculo. Reflexioné, después, que más poético es el caso de un hombre que se propone un fin que no está vedado a los otros, pero sí a él. Recordé a Averroes, que encerrado en el ámbito del Islam, nunca pudo saber el significado de las voces *tragedia* y *comedia.* Referí el caso; a medida que adelantaba, sentí lo que hubo de sentir aquel dios mencionado por Burton que se propuso crear un toro y creó un búfalo. Sentí que la obra se burlaba de mí. Sentí que Averroes, queriendo imaginar lo que es un drama sin haber sospechado lo que es un teatro, no era más absurdo que yo, queriendo imaginar a Averroes, sin otro material que unos adarmes de Renan, de Lane y de Asín Palacios. Sentí, en la última página, que mi narración era un símbolo del hombre que yo fuí, mientras la escribía y que, para redactar esa narración, yo tuve que ser aquel hombre y que, para ser aquel hombre, yo tuve que redactar esa narración, y así hasta lo infinito. (En el instante en que yo dejo de creer en él, "Averroes" desaparece.)

EL ZAHIR

En Buenos Aires el Zahir es una moneda común, de veinte centavos; marcas de navaja o de cortaplumas rayan las letras N T y el número dos; 1929 es la fecha grabada en el anverso. (En Guzerat, a fines del siglo XVIII, un tigre fué Zahir; en Java, un ciego de la mezquita de Surakarta, a quien lapidaron los fieles; en Persia, un astrolabio que Nadir Shah hizo arrojar al fondo del mar; en las prisiones del Mahdí, hacia 1892, una pequeña brújula que Rudolf Carl von Slatin tocó, envuelta en un jirón de turbante; en la aljama de Córdoba, según Zotenberg, una veta en el mármol de uno de los mil doscientos pilares; en la judería de Tetuán, el fondo de un pozo.) Hoy es el trece de noviembre; el día siete de junio, a la madrugada, llegó a mis manos el Zahir; no soy el que era entonces pero aún me es dado recordar, y acaso referir, lo ocurrido. Aún, siquiera parcialmente, soy Borges.

El seis de junio murió Teodelina Villar. Sus retratos, hacia 1930, obstruían las revistas mundanas; esa plétora acaso contribuyó a que la juzgaran muy linda, aunque no todas las efigies apoyaran incondicionalmente esa hipótesis. Por lo demás, Teodelina

Villar se preocupaba menos de la belleza que de la perfección. Los hebreos y los chinos codificaron todas las circunstancias humanas; en la Mishnah se lee que, iniciado el crepúsculo del sábado, un sastre no debe salir a la calle con una aguja; en el Libro de los Ritos que un huésped, al recibir la primera copa, debe tomar un aire grave y, al recibir la segunda, un aire respetuoso y feliz. Análogo, pero más minucioso, era el rigor que se exigía Teodelina Villar. Buscaba, como el adepto de Confucio o el talmudista, la irreprochable corrección de cada acto, pero su empeño era más admirable y más duro, porque las normas de su credo no eran eternas, sino que se plegaban a los azares de París o de Hollywood. Teodelina Villar se mostraba en lugares ortodoxos, a la hora ortodoxa, con atributos ortodoxos, con desgano ortodoxo, pero el desgano, los atributos, la hora y los lugares caducaban casi inmediatamente y servirían (en boca de Teodelina Villar) para definición de lo cursi. Buscaba lo absoluto, como Flaubert, pero lo absoluto en lo momentáneo. Su vida era ejemplar y, sin embargo, la roía sin tregua una desesperación interior. Ensayaba continuas metamorfosis, como para huir de sí misma; el color de su pelo y las formas de su peinado eran famosamente inestables. También cambiaban la sonrisa, la tez, el sesgo de los ojos. Desde 1932, fué estudiosamente delgada... La guerra le dió mucho que pensar. Ocupado París por los alemanes ¿cómo seguir la moda? Un extranjero de quien ella siempre había desconfiado se permitió abusar de su buena fe para venderle una porción de sombreros cilíndricos;

al año, se propaló que esos adefesios *nunca se habían llevado en París* y por consiguiente no eran sombreros, sino arbitrarios y desautorizados caprichos. Las desgracias no vienen solas; el doctor Villar tuvo que mudarse a la calle Aráoz y el retrato de su hija decoró anuncios de cremas y de automóviles. (¡Las cremas que harto se aplicaba, los automóviles que ya *no* poseía!) Ésta sabía que el buen ejercicio de su arte exigía una gran fortuna; prefirió retirarse a claudicar. Además, le dolía competir con chicuelas insustanciales. El siniestro departamento de Aráoz resultó demasiado oneroso; el seis de junio, Teodelina Villar cometió el solecismo de morir en pleno Barrio Sur. ¿Confesaré que, movido por la más sincera de las pasiones argentinas, el esnobismo, yo estaba enamorado de ella y que su muerte me afectó hasta las lágrimas? Quizá ya lo haya sospechado el lector.

En los velorios, el progreso de la corrupción hace que el muerto recupere sus caras anteriores. En alguna etapa de la confusa noche del seis, Teodelina Villar fué mágicamente la que fué hace veinte años; sus rasgos recobraron la autoridad que dan la soberbia, el dinero, la juventud, la conciencia de coronar una jerarquía, la falta de imaginación, las limitaciones, la estolidez. Más o menos pensé: ninguna versión de esa cara que tanto me inquietó será tan memorable como ésta; conviene que sea la última, ya que pudo ser la primera. Rígida entre las flores la dejé, perfeccionado su desdén por la muerte. Serían las dos de la mañana cuando salí. Afuera, las previstas hileras de casas bajas y de casas de un piso habían tomado ese aire abstracto que suelen tomar en la noche, cuando la sombra y el silencio las simplifican. Ebrio de una piedad casi impersonal, caminé por las calles. En la esquina de Chile y de Tacuarí vi un almacén abierto. En aquel almacén, para mi desdicha, tres hombres jugaban al truco.

En la figura que se llama *oximoron*, se aplica a una palabra un epíteto que parece contradecirla; así los gnósticos hablaron de luz oscura; los alquimistas, de un sol negro. Salir de mi última visita a Teodelina Villar y tomar una caña en un almacén era una especie de oximoron; su grosería y su facilidad me tentaron. (La circunstancia de que se jugara a los naipes aumentaba el contraste.) Pedí una caña de naranja; en el vuelto me dieron el Zahir; lo miré un instante; salí a la calle, tal vez con un principio de fiebre. Pensé que no hay moneda que no sea símbolo de las monedas que sin fin resplandecen en la historia y la fábula. Pensé en el óbolo de Caronte; en el óbolo que pidió Belisario; en los treinta dineros de Judas; en las dracmas de la cortesana Laís; en la antigua moneda que ofreció uno de los durmientes de Éfeso; en las claras monedas del hechicero de las 1001 Noches, que después eran círculos de papel; en el denario inagotable de Isaac Laquedem; en las sesenta mil piezas de plata, una por cada verso de una epopeya, que Firdusi devolvió a un rey porque no eran de oro; en la onza de oro que hizo clavar Ahab en el mástil; en el florín irreversible de Leopold Bloom; en el luis cuya efigie delató, cerca de Varennes, al fugitivo Luis XVI. Como en un sueño, el pensamiento de que toda moneda permite esas ilustres connotaciones me pareció de vasta, aunque inexplicable, importancia. Recorrí, con creciente velocidad, las calles y las plazas desiertas. El cansancio me dejó en una esquina. Vi una sufrida verja de fierro; detrás vi las baldosas negras y blancas del atrio de la Concepción. Había errado en círculo; ahora estaba a una cuadra del almacén donde me dieron el Zahir.

Doblé; la ochava oscura me indicó, desde lejos, que el almacén ya estaba cerrado. En la calle Belgrano tomé un taxímetro. Insomne, poseído, casi feliz, pensé que nada hay menos material que el dinero, ya que cualquier moneda (una moneda de veinte centavos, digamos) es, en rigor, un repertorio de futuros posibles. El dinero es abstracto, repetí, el dinero es tiempo futuro. Puede ser una tarde en las afueras, puede ser música de Brahms, puede ser mapas, puede ser ajedrez, puede ser café, puede ser las palabras de Epicteto, que enseñan el desprecio del oro; es un Proteo más versátil que el de la isla de Pharos. Es tiempo imprevisible, tiempo de Bergson, no duro tiempo del Islam o del Pórtico. Los deterministas niegan que haya en el mundo un solo hecho posible, *id es* un hecho que pudo acontecer; una moneda simboliza nuestro libre albedrío. (No sospechaba yo que esos "pensamientos" eran un artificio contra el Zahir y una primera forma de su demoníaco influjo.) Dormí tras de tenaces cavilaciones, pero soñé que yo era las monedas que custodiaba un grifo.

Al otro día resolví que yo había estado ebrio. También resolví librarme de la moneda que tanto me inquietaba. La miré: nada tenía de particular, salvo unas rayaduras. Enterrarla en el jardín o esconderla en un rincón de la biblioteca hubiera sido lo mejor, pero yo quería alejarme de su órbita. Preferí perderla. No fuí al Pilar, esa mañana, ni al cementerio; fuí, en subterráneo, a Constitución y de Constitución a San Juan y Boedo. Bajé, impensadamente, en Urquiza; me dirigí al oeste y al sur; barajé, con desorden estudioso, unas cuantas esquinas y en una calle que me pareció igual a todas, entré en un boliche cualquiera, pedí una caña y la pagué con el Zahir. Entrecerré los ojos, detrás de los cristales ahumados; logré no ver los números de las casas ni el nombre de la calle. Esa noche, tomé una pastilla de veronal y dormí tranquilo.

Hasta fines de junio me distrajo la tarea de componer un relato fantástico. Éste encierra dos o tres perífrasis enigmáticas —en lugar de *sangre* pone *agua de la espada*; en lugar de *oro, lecho de la serpiente*— y está escrito en primera persona. El narrador es un asceta que ha renunciado al trato de los hombres y vive en una suerte de páramo. (Gnitaheidr es el nombre de ese lugar.) Dado el candor y la sencillez de su vida, hay quienes lo juzgan un ángel; ello es una piadosa exageración, porque no hay hombre que esté libre de culpa. Sin ir más lejos, él mismo ha degollado a su padre; bien es verdad que éste era un famoso hechicero que se había apoderado, por artes mágicas, de un tesoro infinito. Resguardar el tesoro de la insana codicia de los humanos es la misión a la que ha dedicado su vida; día y noche vela sobre él. Pronto, quizá demasiado pronto, esa vigilia tendrá fin: las estrellas le han dicho que ya se ha forjado la espada que la tronchará para siempre. (Gram es el nombre de esa espada.) En un estilo cada vez más tortuoso, pondera el brillo y la flexibilidad de su cuerpo; en algún párrafo habla distraídamente de escamas; en otro dice que el tesoro que guarda es de oro fulgurante y de anillos rojos. Al final entendemos que el asceta es la serpiente Fafnir y el tesoro en que yace, el de los Nibelungos. La aparición de Sigurd corta bruscamente la historia.

He dicho que la ejecución de esa fruslería (en cuyo decurso intercalé, seudoeruditamente, algún verso de la *Fáfnismál*) me permitió olvidar la moneda. Noches hubo en que me creí tan seguro de poder olvidarla que voluntariamente la recordaba. Lo cierto es que abusé de esos ratos; darles principio resultaba más fácil que darles fin. En vano repetí que ese abominable disco de níquel no difería de los otros que pasan de una mano a otra mano, iguales, infinitos e inofensivos. Impulsado por esa reflexión, procuré pensar en otra moneda, pero no pude. También recuerdo algún experimento, frustrado, con cinco y diez centavos chilenos y con un vintén oriental. El dieciséis de julio adquirí una libra esterlina; no la miré durante el día, pero esa noche (y otras) la puse bajo un vidrio de aumento y la estudié a la luz de una poderosa lámpara eléctrica. Después la dibujé con un lápiz, a través de un papel. De nada me valieron el fulgor y el dragón y el San Jorge; no logré cambiar de idea fija.

El mes de agosto, opté por consultar a un psiquiatra. No le confié toda mi ridícula historia; le dije que el insomnio me atormentaba y que la imagen de un objeto cualquiera solía perseguirme; la de una ficha o la de una moneda, digamos... Poco después, exhumé en una librería de la calle Sarmiento un ejemplar de *Urkunden zur Geschichte der Zahirsage* (Breslau, 1899) de Julius Barlach.

En aquel libro estaba declarado mi mal. Según el prólogo, el autor se propuso "reunir en un solo volumen en manuable octavo mayor todos los documentos que se refieren a la superstición del Zahir, incluso cuatro piezas pertenecientes al archivo de Habicht y el manuscrito original del informe de Philip Meadows Taylor". La creencia en el Zahir es islámica y data, al parecer, del siglo XVIII. (Barlach impugna los pasajes que Zotenberg atribuye a Abulfeda.) *Zahir*, en árabe, quiere decir notorio, visible; en tal sentido, es uno de los noventa y nueve nombres de Dios; la plebe, en tierras musulmanas, lo dice de "los seres o cosas que tienen la terrible virtud de ser inolvidables y cuya imagen acaba por enloquecer a la gente". El primer testimonio incontrovertido es el del persa Lutf Alí Azur. En las puntales páginas de la enciclopedia biográfica titulada *Templo del Fuego*, ese polígrafo y derviche ha narrado que en un colegio de Shiraz hubo un astrolabio de cobre, "construído de tal suerte que quien lo miraba una vez no pensaba en otra cosa y así el rey ordenó que lo arrojaran a lo más profundo del mar, para que los hombres no se olvidaran del universo". Más dilatado es el informe de Meadows Taylor, que sirvió al nizam de Haidarabad y compuso la famosa novela *Confessions of a Thug*. Hacia 1832, Taylor oyó en los arrabales de Bhuj la desacostumbrada locución "Haber visto al Tigre" (*Verily he has looked on the Tiger*) para significar la locura o la santidad. Le dijeron que la referencia era a un tigre mágico, que fué la perdición de cuantos lo vieron, aun de muy lejos, pues todos continuaron pensando en él, hasta el fin de sus días. Alguien dijo que uno de esos desventurados había huído a Mysore, donde había pintado en un palacio la figura del tigre. Años después, Taylor visitó las cárceles de ese reino; en la de Nittur el gobernador le mostró una celda, en cuyo piso, en cuyos muros, y en cuya bóbeda un faquir musulmán había diseñado (en bárbaros colores que el tiempo, antes de borrar, afinaba) una especie de tigre infinito. Ese tigre estaba hecho de muchos tigres, de vertiginosa manera; lo atravesaban tigres, estaba rayado de tigres, incluía mares e Himalayas y ejércitos que parecían otros tigres. El pintor había muerto hace muchos años, en esa misma celda; venía de Sind o acaso de Guzerat y su propósito inicial había sido trazar un mapamundi. De ese propósito quedaban vestigios en la monstruosa imagen. Taylor narró la historia a Muhammad Al-Yemení, de Fort William; éste le dijo que no había criatura en el orbe que no propendiera a *Zaheer* [1], pero que el Todomisericordioso no deja que dos cosas lo sean a un tiempo, ya que una sola puede fascinar muchedumbres. Dijo que siempre hay un Zahir y que en la Edad de la Ignorancia fué el ídolo que se llamó Yaúq y después un profeta del Jorasán, que usaba un velo recamado

[1] Así escribe Taylor esa palabra.

de piedras o una máscara de oro.[2] También dijo que Dios es inescrutable.

Muchas veces leí la monografía de Barlach. No desentraño cuáles fueron mis sentimientos; recuerdo la desesperación cuando comprendí que ya nada me salvaría, el intrínseco alivio de saber que yo no era culpable de mi desdicha, la envidia que me dieron aquellos hombres cuyo Zahir no fué una moneda sino un trozo de mármol o un tigre. Qué empresa fácil no pensar en un tigre, reflexioné. También recuerdo la inquietud singular con que leí este párrafo: "Un comentador del *Gulshan i Raz* dice que quien ha visto al Zahir pronto verá la Rosa y alega un verso interpolado en el *Asrar Nama* (Libro de cosas que se ignoran) de Attar: el Zahir es la sombra de la Rosa y la rasgadura del Velo."

La noche que velaron a Teodelina, me sorprendió no ver entre los presentes a la señora de Abascal, su hermana menor. En octubre, una amiga suya me dijo:

—Pobre Julita, se había puesto rarísima y la internaron en el Bosch. Cómo las postrará a las enfermeras que le dan de comer en la boca. Sigue dele temando con la moneda, idéntica al *chauffeur* de Morena Sackmann.

El tiempo, que atenúa los recuerdos, agrava el del Zahir. Antes, yo me figuraba el anverso y después el reverso; ahora, veo simultáneamente los dos.

[2] Barlach observa que Yaúq figura en el Corán (71, 23) y que el profeta es Al-Moqanna (El Velado) y que nadie, fuera del sorprendente corresponsal de Philip Meadows Taylor, los ha vinculado al Zahir.

Ello no ocurre como si fuera de cristal el Zahir, pues una cara no se superpone a la otra; más bien ocurre como si la visión fuera esférica y el Zahir campeara en el centro. Lo que no es el Zahir me llega tamizado y como lejano: la desdeñosa imagen de Teodelina, el dolor físico. Dijo Tennyson que si pudiéramos comprender una sola flor sabríamos quiénes somos y qué es el mundo. Tal vez quiso decir que no hay hecho, por humilde que sea, que no implique la historia universal y su infinita concatenación de efectos y causas. Tal vez quiso decir que el mundo visible se da entero en cada representación, de igual manera que la voluntad, según Schopenhauer, se da entera en cada sujeto. Los cabalistas entendieron que el hombre es un microcosmo, un simbólico espejo del universo; todo, según Tennyson, lo sería. Todo, hasta el intolerable Zahir.

Antes de 1948, el destino de Julia me habrá alcanzado. Tendrán que alimentarme y vestirme, no sabré si es tarde o de mañana, no sabré quién fué Borges. Calificar de terrible ese porvenir es una falacia, ya que ninguna de sus circunstancias obrará para mí. Tanto valdría mantener que es terrible el dolor de un anestesiado a quien le abren el cráneo. Ya no percibiré el universo, percibiré el Zahir. Según la doctrina idealista, los verbos *vivir* y *soñar* son rigurosamente sinónimos; de miles de apariencias pasaré a una; de un sueño muy complejo a un sueño muy simple. Otros soñarán que estoy loco y yo con el Zahir. Cuando todos los hombres de la tierra piensen, día y noche, en el Zahir, ¿cuál será un sueño y cuál una realidad, la tierra o el Zahir?

En las horas desiertas de la noche aún puedo caminar por las calles. El alba suele sorprenderme en un banco de la plaza Garay, pensando (procurando pensar) en aquel pasaje del *Asrar Nama*, donde se dice que Zahir es la sombra de la Rosa y la rasgadura del Velo. Vinculo ese dictamen a esta noticia: Para perderse en Dios, los sufíes repiten su propio nombre o los noventa y nueve nombres divinos hasta que éstos ya nada quieren decir. Yo anhelo recorrer esa senda. Quizá yo acabe por gastar el Zahir a fuerza de pensarlo y de repensarlo; quizá detrás de la moneda esté Dios.

A Wally Zenner.

LA ESCRITURA DEL DIOS

La cárcel es profunda y de piedra; su forma, la de un hemisferio casi perfecto, si bien el piso (que también es de piedra) es algo menor que un círculo máximo, hecho que agrava de algún modo los sentimientos de opresión y de vastedad. Un muro medianero la corta; éste, aunque altísimo, no toca la parte superior de la bóveda; de un lado estoy yo, Tzinacán, mago de la pirámide de Qaholom, que Pedro de Alvarado incendió; del otro hay un jaguar, que mide con secretos pasos iguales el tiempo y el espacio del cautiverio. A ras del suelo, una larga ventana con barrotes corta el muro central. En la hora sin sombra [el mediodía], se abre una trampa en lo alto y un carcelero que han ido borrando los años maniobra una roldana de hierro, y nos baja, en la punta de un cordel, cántaros con agua y trozos de carne. La luz entra en la bóveda; en ese instante puedo ver al jaguar.

He perdido la cifra de los años que yazgo en la tiniebla; yo, que alguna vez era joven y podía caminar por esta prisión, no hago otra cosa que aguardar, en la postura de mi muerte, el fin que me destinan los dioses. Con el hondo cuchillo de pedernal he abierto el pecho de las víctimas y ahora no podría, sin magia, levantarme del polvo.

La víspera del incendio de la Pirámide, los hombres que bajaron de altos caballos me castigaron con metales ardientes para que revelara el lugar de un tesoro escondido. Abatieron, delante de mis ojos, el ídolo del dios, pero éste no me abandonó y me mantuve silencioso entre los tormentos. Me laceraron, me rompieron, me deformaron y luego desperté en esta cárcel, que ya no dejaré en mi vida mortal.

Urgido por la fatalidad de hacer algo, de poblar de algún modo el tiempo, quise recordar, en mi sombra, todo lo que sabía. Noches enteras malgasté en recordar el orden y el número de unas sierpes de piedra o la forma de un árbol medicinal. Así fuí debelando los años, así fuí entrando en posesión de lo que ya era mío. Una noche sentí que me acercaba a un recuerdo preciso; antes de ver el mar, el viajero siente una agitación en la sangre. Horas después, empecé a avistar el recuerdo; era una de las tradiciones del dios. Éste, previendo que en el fin de los tiempos ocurrirían muchas desventuras y ruinas, escribió el primer día de la Creación una sentencia mágica, apta para conjurar esos males. La escribió de manera que llegara a las más apartadas generaciones y que no la tocara el azar. Nadie sabe en qué punto la escribió ni con qué caracteres, pero nos consta que perdura, secreta, y que la leerá un elegido. Consideré que estábamos, como siempre, en el fin de los tiempos y que mi destino de último sacerdote del dios me daría acceso al privilegio de intuir esa escritura. El hecho de que me rodeara una cárcel no me vedaba esa esperanza; acaso yo había visto miles de veces la inscripción de Qaholom y sólo me faltaba entenderla.

Esta reflexión me animó y luego me infundió una especie de vértigo. En el ámbito de la tierra hay formas antiguas, formas incorruptibles y eternas; cualquiera de ellas podía ser el símbolo buscado. Una montaña podía ser la palabra del dios, o un río o el imperio o la configuración de los astros. Pero en el curso de los siglos las montañas se allanan y el camino de un río suele desviarse y los imperios conocen mutaciones y estragos y la figura de los astros varía. En el firmamento hay mudanza. La montaña y la estrella son individuos y los individuos caducan. Busqué algo más tenaz, más invulnerable. Pensé en las generaciones de los cereales, de los pastos, de los pájaros, de los hombres. Quizá en mi cara estuviera escrita la magia, quizá yo mismo fuera el fin de mi busca. En ese afán estaba cuando recordé que el jaguar era uno de los atributos del dios.

Entonces mi alma se llenó de piedad. Imaginé la primera mañana del tiempo, imaginé a mi dios confiando el mensaje a la piel viva de los jaguares, que se amarían y se engendrarían sin fin, en cavernas, en cañaverales, en islas, para que los últimos hombres lo recibieran. Imaginé esa red de tigres, ese caliente laberinto de tigres, dando horror a los prados y a los rebaños para conservar un dibujo. En la otra celda había un jaguar; en su vecindad percibí una confirmación de mi conjetura y un secreto favor.

Dedigué largos años a aprender el orden y la configuración de las manchas. Cada ciega jornada me concedía un instante de luz, y así pude fijar en la mente las negras formas que tachaban el pelaje amarillo. Algunas incluían puntos; otras formaban rayas trasversales en la cara interior de las piernas; otras, anulares, se repetían. Acaso eran un mismo sonido o una misma palabra. Muchas tenían bordes rojos.

No diré las fatigas de mi labor. Más de una vez grité a la bóveda que era imposible descifrar aquel texto. Gradualmente, el enigma concreto que me atareaba me inquietó menos que el enigma genérico de una sentencia escrita por un dios. ¿Qué tipo de sentencia (me pregunté) construirá una mente absoluta? Consideré que aun en los lenguajes humanos no hay proposición que no implique el universo entero; decir *el tigre* es decir los tigres que lo engendraron, los ciervos y tortugas que devoró, el pasto de que se alimentaron los ciervos, la tierra que fué madre del pasto, el cielo que dió luz a la tierra. Consideré que en el lenguaje de un dios toda palabra enunciaría esa infinita concatenación de los hechos, y no de un modo implícito, sino explícito, y no de un modo progresivo, sino inmediato. Con el tiempo, la noción de una sentencia divina parecióme pueril o blasfematoria. Un dios, reflexioné, sólo debe decir una palabra y en esa palabra la plenitud. Ninguna voz articulada por él puede ser inferior al universo o menos que la suma del tiempo. Sombras o simulacros de esa voz que equivale a un lenguaje y a cuanto puede comprender un lenguaje son las ambiciosas y pobres voces humanas, *todo, mundo universo.*

Un día o una noche —entre mis días y mis noches, ¿qué diferencia cabe?— soñé que en el piso de la cárcel había un grano de arena. Volví a dormir, indiferente; soñé que despertaba y que había dos granos de arena. Volví a dormir; soñé que los granos de arena eran tres. Fueron, así, multiplicándose hasta colmar la cárcel y yo moría bajo ese hemisferio de arena. Comprendí que estaba soñando; con un vasto esfuerzo me desperté. El despertar fué inútil; la innumerable arena me sofocaba. Alguien me dijo: *No has despertado a la vigilia, sino a un sueño anterior. Ese sueño está dentro de otro, y así hasta lo infinito, que es el número de los granos de arena. El camino que habrás de desandar es interminable y morirás antes de haber despertado realmente.*

Me sentí perdido. La arena me rompía la boca, pero grité: *Ni una arena soñada puede matarme ni hay sueños que estén dentro de sueños.* Un resplandor me despertó. En la tiniebla superior se cernía un círculo de luz. Vi la cara y las manos del carcelero, la rodaja, el cordel, la carne y los cántaros.

Un hombre se confunde, gradualmente, con la forma de su destino; un hombre es, a la larga, sus circunstancias. Más que un descifrador o un vengador, más que un sacerdote del dios, yo era un encarcelado. Del incansable laberinto de sueños yo regresé como a mi casa a la dura prisión. Bendije su humedad, bendije su tigre, bendije el agujero de luz, bendije mi viejo cuerpo doliente, bendije la tiniebla y la piedra.

Entonces ocurrió lo que no puedo olvidar ni comunicar. Ocurrió la unión con la divinidad, con el universo (no sé si estas palabras difieren). El éxtasis no repite sus símbolos; hay quien ha visto a Dios en un resplandor, hay quien lo ha percibido en una espada o en los círculos de una rosa. Yo vi una Rueda altísima, que no estaba delante de mis ojos, ni detrás, ni a los lados, sino en todas partes, a un tiempo. Esa Rueda estaba hecha de agua, pero también de fuego, y era (aunque se veía el borde) infinita. Entretejidas, la formaban todas las cosas que serán, que son y que fueron, y yo era una de las hebras de esa trama total, y Pedro de Alvarado, que me dió tormento, era otra. Ahí estaban las causas y los efectos y me bastaba ver esa Rueda para entenderlo todo, sin fin. ¡Oh dicha de entender, mayor que la de imaginar o la de sentir! Vi el universo y vi los íntimos designios del universo. Vi los orígenes que narra el Libro del Común. Vi las montañas que surgieron del agua, vi los primeros hombres de palo, vi las tinajas que se volvieron contra los hombres, vi los perros que les destrozaron las caras. Vi el dios sin cara que hay detrás de los dioses. Vi infinitos procesos que formaban una sola felicidad y, entendiéndolo todo, alcancé también a entender la escritura del tigre.

Es una fórmula de catorce palabras casuales (que parecen casuales) y me bastaría decirla en voz alta para ser todopoderoso. Me bastaría decirla para abolir esta cárcel de piedra, para que el día entrara en mi noche, para ser joven, para ser inmortal, para que el tigre destrozara a Alvarado, para sumir el santo cuchillo en pechos españoles, para reconstruir la pirámide, para reconstruir el imperio. Cuarenta sílabas, catorce palabras, y yo, Tzinacán, regiría las tierras que rigió Moctezuma. Pero yo sé que nunca diré esas palabras, porque ya no me acuerdo de Tzinacán.

Que muera conmigo el misterio que está escrito en los tigres. Quien ha entrevisto el universo, quien ha entrevisto los ardientes designios del universo, no puede pensar en un hombre, en sus triviales dichas o desventuras, aunque ese hombre sea él. Ese hombre *ha sido él* y ahora no le importa. Qué le importa la suerte de aquel otro, qué le importa la nación de aquel otro, si él, ahora es nadie. Por eso no pronuncio la fórmula, por eso dejo que me olviden los días, acostado en la oscuridad.

A Ema Risso Platero.

ABENJACÁN EL BOJARÍ, MUERTO EN SU LABERINTO

...son comparables a la araña, que edifica una casa.

ALCORÁN, XXIX, 40.

Ésta —dijo Dunraven con un vasto ademán que no rehusaba las nubladas estrellas y que abarcaba el negro páramo, el mar y un edificio majestuoso y decrépito que parecía una caballeriza venida a menos— es la tierra de mis mayores.

Unwin, su compañero, se sacó la pipa de la boca y emitió sonidos modestos y aprobatorios. Era la primera tarde del verano de 1914; hartos de un mundo sin la dignidad del peligro, los amigos apreciaban la soledad de ese confín de Cornwall. Dunraven fomentaba una barba oscura y se sabía autor de una considerable epopeya que sus contemporáneos casi no podrían escandir y cuyo tema no le había sido aún revelado; Unwin había publicado un estudio sobre el teorema que Fermat no escribió al margen de una página de Diofanto. Ambos —¿será preciso que lo diga?— eran jóvenes, distraídos y apasionados.

—Hará un cuarto de siglo —dijo Dunraven— que Abenjacán el Bojarí, caudillo o rey de no sé qué tribu nilótica, murió en la cámara central de esa casa a manos de su primo Zaid. Al cabo de los años, las circunstancias de su muerte siguen oscuras.

Unwin preguntó por qué, dócilmente.

—Por diversas razones —fué la respuesta—. En primer lugar, esa casa es un laberinto. En segundo lugar, la vigilaban un esclavo y un león. En tercer lugar, se desvaneció un tesoro secreto. En cuarto lugar, el asesino estaba muerto cuando el asesinato ocurrió. En quinto lugar...

Unwin, cansado, lo detuvo.

—No multipliques los misterios —le dijo—. Éstos deben ser simples. Recuerda la carta robada de Poe, recuerda el cuarto cerrado de Zangwill.

—O complejos —replicó Dunraven—. Recuerda el universo.

Repechando colinas arenosas, habían llegado al laberinto. Éste, de cerca, les pareció una derecha y casi interminable pared, de ladrillos sin revocar, apenas más alta que un hombre. Dunraven dijo que tenía la forma de un círculo, pero tan dilatada era su área que no se percibía la curvatura. Unwin recordó a Nicolás de Cusa, para quien toda línea recta es el arco de un círculo infinito... Hacia la medianoche descubrieron una ruinosa puerta, que daba a un ciego y arriesgado zaguán. Dunraven dijo que en el interior de la casa había muchas encrucijadas, pero que, doblando siempre a la izquierda, llegarían en poco más de una hora al centro de la red. Unwin asintió. Los pasos cautelosos resonaron en el suelo de piedra; el corredor se bifurcó en otros más angostos. La casa parecía querer ahogarlos, el techo era muy bajo. Debieron avanzar uno tras otro por la complicada tiniebla. Unwin iba adelante. Entorpecido de asperezas y de ángulos, fluía sin fin contra su mano el invisible muro. Unwin, lento en la sombra, oyó de boca de su amigo la historia de la muerte de Abenjacán.

—Acaso el más antiguo de mis recuerdos —contó Dunraven— es el de Abenjacán el Bojarí en el puerto de Pentreath. Lo seguía un hombre negro con un león; sin duda el primer negro y el primer león que miraron mis ojos, fuera de los grabados de la Escritura. Entonces yo era niño, pero la fiera del color del sol y el hombre del color de la noche me impresionaron menos que Abenjacán. Me pareció muy alto; era un hombre de piel cetrina, de entrecerrados ojos negros, de insolente nariz, de carnosos labios, de barba azafranada, de pecho fuerte, de andar seguro y silencioso. En casa dije: "Ha venido un rey en un buque." Después, cuando trabajaron los albañiles, amplié ese título y le puse el Rey de Babel.

La noticia de que el forastero se fijaría en Pentreath fué recibida con agrado; la extensión y la forma de su casa, con estupor y aun con escándalo. Pareció intolerable que una casa constara de una sola habitación y de leguas y leguas de corredores. "Entre los moros se usarán tales casas, pero no entre cristianos", decía la gente. Nuestro rector, el señor Allaby, hombre de curiosa lectura, exhumó la historia de un rey a quien la Divinidad castigó por haber erigido un laberinto y la divulgó desde el púlpito. El lunes, Abenjacán visitó la rectoría; las circunstancias de la breve entrevista no se conocieron entonces, pero ningún sermón ulterior aludió a la soberbia, y el moro pudo contratar albañiles. Años después, cuando pereció Abenjacán, Allaby declaró a las autoridades la substancia del diálogo.

Abenjacán le dijo, de pie, estas o parecidas palabras: "Ya nadie puede censurar lo que yo hago. Las culpas que me infaman son tales que aunque yo repitiera durante siglos el Último Nombre de Dios, ello no bastaría a mitigar uno solo de mis tormentos; las culpas que me infaman son tales que aunque yo lo matara con estas manos, ello no agravaría los tormentos que me destina la infinita Justicia. En tierra alguna es desconocido mi nombre; soy Abenjacán el Bojarí y he regido las tribus del desierto con un cetro de hierro. Durante muchos años las despojé, con asistencia de mi primo Zaid, pero Dios oyó mi clamor y sufrió que se rebelaran. Mis gentes fueron rotas y acuchilladas; yo alcancé a huir con el tesoro recaudado en mis años de expoliación. Zaid me guió al sepulcro de un santo, al pie de una montaña de piedra. Le ordené a mi esclavo que vigilara la cara del desierto; Zaid y yo dormimos, rendidos. Esa noche creí que me aprisionaba una red de serpientes. Desperté con horror; a mi lado, en el alba, dormía Zaid; el roce de una telaraña en mi carne me había hecho soñar aquel sueño. Me dolió que Zaid, que era cobarde, durmiera con tanto reposo. Consideré que el tesoro no era infinito y que él podía reclamar una parte. En mi cinto estaba la daga con empuñadura de plata; la desnudé y le atravesé la garganta. En su agonía balbuceó unas palabras que no pude entender. Lo miré; estaba muerto, pero yo temí que se levantara y le ordené al esclavo que le deshiciera la cara con una roca. Después erramos bajo el cielo y un día divisamos un mar. Lo surcaban buques muy altos; pensé que un muerto no podría andar por el agua y decidí buscar otras tierras. La primera noche que navegamos soné que yo mataba a Zaid. Todo se repitió pero yo entendí sus palabras. Decía: *Como ahora me borras te borraré, dondequiera que estés.* He jurado frustrar esa amenaza; me ocultaré en el centro de un laberinto para que su fantasma se pierda."

Dicho lo cual, se fué. Allaby trató de pensar que el moro estaba loco y que el absurdo laberinto era un símbolo y un claro testimonio de su locura. Luego reflexionó que esa explicación condecía con el extravagante edificio y con el extravagante relato, no con la enérgica impresión que dejaba el hombre Abenjacán. Quizá tales historias fueran comunes en los arenales egipcios, quizá tales rarezas correspondieran (como los dragones de Plinio) menos a una persona que a una cultura... Allaby, en Londres, revisó números atrasados del *Times*; comprobó la verdad de la rebelión y de una subsiguiente derrota del Bojarí y de su visir, que tenía fama de cobarde.

Aquél, apenas concluyeron los albañiles, se instaló en el centro del laberinto. No lo vieron más en el pueblo; a veces Allaby temió que Zaid ya lo hubiera alcanzado y aniquilado. En las noches el viento nos traía el rugido del león, y las ovejas del redil se apretaban con un antiguo miedo.

Solían anclar en la pequeña bahía, rumbo a Cardiff o a Bristol, naves de puertos orientales. El esclavo descendía del laberinto (que entonces, lo recuerdo, no era rosado, sino de color carmesí) y cambiaba palabras africanas con las tripulaciones y parecía buscar entre los hombres el fantasma del rey. Era fama que tales embarcaciones traían contrabando, y si de alcoholes o marfiles prohibidos, ¿por qué no, también, de hombres muertos?

A los tres años de erigida la casa, ancló al pie de los cerros el *Rose of Sharon*. No fuí de los que vieron ese velero y tal vez en la imagen que tengo de él influyen olvidadas litografías de Aboukir o de Trafalgar, pero entiendo que era de esos barcos muy trabajados que no parecen obra de naviero, sino de carpintero y menos de carpintero que de ebanista. Era (si no en la realidad, en mis sueños) bruñido, oscuro, silencioso y veloz, y lo tripulaban árabes y malayos.

Ancló en el alba de uno de los días de octubre. Hacia el atardecer, Abenjacán irrumpió en casa de Allaby. Lo dominaba la pasión del terror; apenas pudo articular que Zaid ya había entrado en el laberinto y que su esclavo y su león habían perecido. Seriamente preguntó si las autoridades podrían ampararlo. Antes que Allaby respondiera, se fué, como si lo arrebatara el mismo terror que lo había traído a esa casa, por segunda y última vez. Allaby, solo en su biblioteca, pensó con estupor que ese temeroso había oprimido en el Sudán a tribus de hierro y sabía qué cosa es una batalla y qué cosa es matar. Advirtió, al otro día, que ya había zarpado el velero (rumbo a Suakin en el Mar Rojo, se averiguó después). Reflexionó que su deber era comprobar la muerte del esclavo y se dirigió al laberinto. El jadeante relato del Bojarí le pareció fantástico, pero en un recodo de las galerías dió con el león, y el león estaba muerto, y en otro, con el esclavo, que estaba muerto, y en la cámara central con el Bojarí, a quien le habían destrozado la cara. A los pies del hombre había un arca taraceada de nácar; alguien había forzado la cerradura y no quedaba ni una sola moneda.

Los períodos finales, agravados de pausas oratorias, querían ser elocuentes; Unwin adivinó que Dunraven los había emitido muchas veces, con idéntico aplomo y con idéntica ineficacia. Preguntó, para simular interés:

—¿Cómo murieron el león y el esclavo?

La incorregible voz contestó con sombría satisfacción:

—También les habían destrozado la cara.

Al ruido de los pasos se agregó el ruido de la lluvia. Unwin pensó que tendrían que dormir en el laberinto, en la "cámara central" del relato, y que en el recuerdo esa larga incomodidad sería una aventura. Guardó silencio: Dunraven no pudo contenerse y le preguntó, como quien no perdona una deuda:

—¿No es inexplicable esta historia?

Unwin le respondió, como si pensara en voz alta:

—No sé si es explicable o inexplicable. Sé que es mentira.

Dunraven prorrumpió en malas palabras e invocó el testimonio del hijo mayor del rector (Allaby, parece, había muerto) y de todos los vecinos de Pentreath. No menos atónito que Duraven, Unwin se disculpó. El tiempo, en la oscuridad, parecía más largo; los dos temieron haber extraviado el camino y estaban muy cansados cuando una tenue claridad superior les mostró los peldaños iniciales de una angosta escalera. Subieron y llegaron a una ruinosa habitación redonda. Dos signos perduraban del temor del malhadado rey: una estrecha ventana que dominaba los páramos y el mar y en el suelo una trampa que se abría sobre la curva de la escalera. La habitación, aunque espaciosa, tenía mucho de celda carcelaria.

Menos instados por la lluvia que por el afán de vivir para la rememoración y la anécdota, los amigos hicieron noche en el laberinto. El matemático durmió con tranquilidad; no así el poeta, acosado por versos que su razón juzgaba detestables:

Faceless the sultry and overpowering lion,
Faceless the stricken slave, faceless the king.

Unwin creía que no le había interesado la historia de la muerte del Bojarí, pero se despertó con la convicción de haberla descifrado. Todo aquel día estuvo preocupado y huraño, ajustando y reajustando las piezas, y tres o cuatro noches después, citó a Dunraven en una cervecería de Londres y le dijo estas o parecidas palabras:

—En Cornwall dije que era mentira la historia que te oí. Los *hechos* eran ciertos, o podían serlo, pero contados como tú los contaste, eran, de un modo manifiesto, mentiras. Empezaré por la mayor mentira de todas, por el laberinto increíble. Un fugitivo no se oculta en un laberinto. No erige un laberinto sobre un alto lugar de la costa, un laberinto carmesí que avistan desde lejos los marineros. Nó preciso erigir un laberinto, cuando el universo ya lo es. Para quien verdaderamente quiere ocultarse, Londres es mejor laberinto que un mirador al que conducen todos los corredores de un edificio. La sabia reflexión que ahora te someto me fué deparada antenoche, mientras oíamos llover sobre el laberinto y esperábamos que el sueño nos visitara; amonestado y mejorado por ella, opté por olvidar tus absurdidades y pensar en algo sensato.

—En la teoría de los conjuntos, digamos, o en una cuarta dimensión del espacio —observó Dunraven.

—No —dijo Unwin con seriedad—. Pensé en el laberinto de Creta. El laberinto cuyo centro era un hombre con cabeza de toro.

Dunraven, versado en obras policiales, pensó que la solución del misterio siempre es inferior al misterio. El misterio participa de lo sobrenatural y aun de lo divino; la solución, del juego de manos. Dijo, para aplazar lo inevitable:

—Cabeza de toro tiene en medallas y esculturas el minotauro. Dante lo imaginó con cuerpo de toro y cabeza de hombre.

—También esa versión me conviene —Unwin asintió—. Lo que importa es la correspondencia de la casa monstruosa con el habitante monstruoso. El minotauro justifica con creces la existencia del laberinto. Nadie dirá lo mismo de una amenaza percibida en un sueño. Evocada la imagen del minotauro (evocación fatal en un caso en que hay un laberinto), el problema, virtualmente, estaba resuelto. Sin embargo, confieso que no entendí que esa antigua imagen era la clave y así fué necesario que tu relato me suministrara un símbolo más preciso: la telaraña.

—¿La telaraña? —repitió, perplejo, Dunraven.

—Sí. Nada me asombraría que la telaraña (la forma universal de la telaraña, entendamos bien, la telaraña de Platón) hubiera sugerido al asesino (porque hay un asesino) su crimen. Recordarás que el Bojarí, en una tumba, soñó con una red de serpientes y que al despertar descubrió que una telaraña le había sugerido aquel sueño. Volvamos a esa noche en que el Bojarí soñó con una red. El rey vencido y el visir y el esclavo huyen por el desierto con un tesoro. Se refugian en una tumba. Duerme el visir, de quien sabemos que es un cobarde; no duerme el rey, de quien sabemos que es un valiente. El rey, para no compartir el tesoro con el visir, lo mata de una cuchillada; su sombra lo amenaza en un sueño, noches después. Todo esto es increíble; yo entiendo que los hechos ocurrieron de otra manera. Esa noche durmió el rey, el valiente, y veló Zaid, el cobarde. Dormir es distraerse del universo, y la distracción es difícil para quien sabe que lo persiguen con espadas desnudas. Zaid, ávido, se inclinó sobre el sueño de su rey. Pensó en matarlo (quizá jugó con el puñal), pero no se atrevió. Llamó al esclavo, ocultaron parte del tesoro en la tumba, huyeron a Suakin y a Inglaterra. No para ocultarse del Bojarí, sino para atraerlo y matarlo construyó a la vista del mar el alto laberinto de muros rojos. Sabía que las naves llevarían a los puertos de Nubia la fama del hombre bermejo, del esclavo y del león, y que, tarde o temprano, el Bojarí lo vendría a buscar en su laberinto. En el último corredor de la red esperaba la trampa. El Bojarí lo despreciaba infinitamente; no se rebajaría a tomar la menor precaución. El día codiciado llegó; Abenjacán desembarcó en Inglaterra, caminó hasta la puerta del laberinto, barajó los ciegos corredores y ya había pisado, tal vez, los primeros peldaños cuando su visir lo mató, no sé si de un balazo, desde la trampa. El esclavo mataría al león y otro balazo mataría al esclavo. Luego Zaid deshizo las tres caras con una piedra. Tuvo que obrar así; un solo muerto con la cara deshecha hubiera sugerido un problema de identidad, pero la fiera, el negro y el rey formaban una serie y, dados los dos términos iniciales, todos postularían el último. No es raro que lo dominara el temor cuando habló con Allaby; acababa de ejecutar la horrible faena y se disponía a huir de Inglaterra para recuperar el tesoro.

Un silencio pensativo, o incrédulo, siguió a las palabras de Unwin. Dunraven pidió otro jarro de cerveza antes de opinar.

—Acepto —dijo— que mi Abenjacán sea Zaid. Tales metamorfosis, me dirás, son clásicos artificios del género, son verdaderas *convenciones* cuya observación exige el lector. Lo que me resisto a admitir es la conjetura de que una porción del tesoro quedara en el Sudán. Recuerda que Zaid huía del rey y de los enemigos del rey; más fácil es imaginarlo robándose todo el tesoro que demorándose a enterrar una parte. Quizá no se encontraron monedas porque no quedaban monedas; los albañiles habrían agotado un caudal que, a diferencia del oro rojo de los Nibelungos, no era infinito. Tendríamos así a Abenjacán atravesando el mar para reclamar un tesoro dilapidado.

—Dilapidado, no —dijo Unwin—. Invertido en armar en tierra de infieles una gran trampa circular de ladrillo destinada a apresarlo y aniquilarlo. Zaid, si tu conjetura es correcta, procedió urgido por el odio y por el temor y no por la codicia. Robó el tesoro y luego comprendió que el tesoro no era lo esencial para él. Lo esencial era que Abenjacán pereciera. Simuló ser Abenjacán, mató a Abenjacán y finalmente *fué Abenjacán.*

—Sí —confirmó Dunraven—. Fué un vagabundo que, antes de ser nadie en la muerte, recordaría haber sido un rey o haber fingido ser un rey, algún día.

LOS DOS REYES Y LOS DOS LABERINTOS[1]

Cuentan los hombres dignos de fe (pero Alá sabe más) que en los primeros días hubo un rey de las islas de Babilonia que congregó a sus arquitectos y magos y les mandó construir un laberinto tan perplejo y sutil que los varones más prudentes no se aventuraban a entrar, y los que entraban se perdían. Esa obra era un escándalo, porque la confusión y la maravilla son operaciones propias de Dios y no de los hombres. Con el andar del tiempo vino a su corte un rey de los árabes, y el rey de Babilonia (para hacer burla de la simplicidad de su huésped) lo hizo penetrar en el laberinto, donde vagó afrentado y confundido hasta la declinación de la tarde. Entonces imploró socorro divino y dió con la puerta. Sus labios no profirieron queja ninguna, pero le dijo al rey de Babilonia que él en Arabia tenía un laberinto mejor y que, si Dios era servido, se lo daría a conocer algún día. Luego regresó a Arabia, juntó sus capitanes y sus alcaides y estragó los reinos de Babilonia con tan venturosa fortuna que derribó sus castillos, rompió sus gentes e hizo cautivo al mismo rey. Lo amarró encima de un ca-

[1] Esta es la historia que el rector divulgó desde el púlpito. Véase la página 125.

mello veloz y lo llevó al desierto. Cabalgaron tres días, y le dijo: "¡Oh, rey del tiempo y substancia y cifra del siglo!, en Babilonia me quisiste perder en un laberinto de bronce con muchas escaleras, puertas y muros; ahora el Poderoso ha tenido a bien que te muestre el mío, donde no hay escaleras que subir, ni puertas que forzar, ni fatigosas galerías que recorrer, ni muros que te veden el paso."

Luego le desató las ligaduras y lo abandonó en mitad del desierto, donde murió de hambre y de sed. La gloria sea con Aquel que no muere.

LA ESPERA

El coche lo dejó en el cuatro mil cuatro de esa calle del Noroeste. No habían dado las nueve de la mañana; el hombre notó con aprobación los manchados plátanos, el cuadrado de tierra al pie de cada uno, las decentes casas de balconcito, la farmacia contigua, los desvaídos rombos de la pinturería y ferretería. Un largo y ciego paredón de hospital cerraba la acera de enfrente; el sol reverberaba, más lejos, en unos invernáculos. El hombre pensó que esas cosas (ahora arbitrarias y casuales y en cualquier orden, como las que se ven en los sueños) serían con el tiempo, si Dios quisiera, invariables, necesarias y familiares. En la vidriera de la farmacia se leía en letras de loza: Breslauer, los judíos estaban desplazando a los italianos, que habían desplazado a los criollos. Mejor así; el hombre prefería no alternar con gente de su sangre.

El cochero le ayudó a bajar el baúl; una mujer de aire distraído o cansado abrió por fin la puerta. Desde el pescante el cochero le devolvió una de las monedas, un vintén oriental que estaba en su bolsillo desde esa noche en el hotel de Melo. El hombre le entregó cuarenta centavos, y en el acto sintió: "Tengo la obligación de obrar de manera que todos se olviden de mí. He cometido dos errores: he dado una moneda de otro país y he dejado ver que me importa esa equivocación."

Precedido por la mujer, atravesó el zaguán y el primer patio. La pieza que le habían reservado daba, felizmente, al segundo. La cama era de hierro, que el artífice había deformado en curvas fantásticas, figurando ramas y pámpanos; había, asimismo, un alto ropero de pino, una mesa de luz, un estante con libros a ras del suelo, dos sillas desparejas y un lavatorio con su palangana, su jarra, su jabonera y un botellón de vidrio turbio. Un mapa de la provincia de Buenos Aires y un crucifijo adornaban las paredes; el papel era carmesí, con grandes pavos reales repetidos, de cola desplegada. La única puerta daba al patio. Fué necesario variar la colocación de las sillas para dar cabida al baúl. Todo lo aprobó el inquilino; cuando la mujer le preguntó cómo se llamaba, dijo Villari, no como un desafío secreto, no para mitigar una humillación que, en verdad, no sentía, sino porque ese nombre lo trabajaba, porque le fué imposible pensar en otro. No lo sedujo, ciertamente, el error literario de imaginar que asumir el nombre del enemigo podía ser una astucia.

El señor Villari, al principio, no dejaba la casa; cumplidas unas cuantas semanas, dió en salir, un rato, al oscurecer. Alguna noche entró en el cinematógrafo que había a las tres cuadras. No pasó nunca de la última fila; siempre se levantaba un poco antes del fin de la función. Vió trágicas historias del hampa; éstas, sin duda, incluían errores, éstas, sin duda, incluían imágenes que también lo eran de su vida anterior; Villari no los advirtió porque la idea de una coincidencia entre el arte y la realidad era ajena a él. Dócilmente trataba de que le gustaran las cosas; quería adelantarse a la intención con que se las mostraban. A diferencia de quienes han leído novelas, no se veía nunca a sí mismo como un personaje del arte.

No le llegó jamás una carta, ni siquiera una circular, pero leía con borrosa esperanza una de las secciones del diario. De tarde, arrimaba a la puerta una de las sillas y mateaba con seriedad, puestos los ojos en la enredadera del muro de la inmediata casa de altos. Años de soledad le habían enseñado que los días, en la memoria, tienden a ser iguales, pero que no hay un día, ni siquiera de cárcel o de hospital, que no traiga sorpresas, que no sea al trasluz una red de mínimas sorpresas. En otras reclusiones había cedido a la tentación de contar los días y las horas, pero esta reclusión era distinta, porque no tenía término —salvo que el diario, una mañana trajera la noticia de la muerte de Alejandro Villari. También era posible que Villari *ya hubiera muerto* y entonces esta vida era un sueño. Esa posibilidad lo inquietaba, porque no acabó de entender si se parecía al alivio o a la desdicha; se dijo que era absurda y la rechazó. En días lejanos, menos lejanos por el curso del tiempo que por dos o tres hechos irrevocables, había deseado muchas cosas, con amor sin escrúpulo; esa voluntad poderosa, que había movido el odio de los hombres y el amor de alguna mujer, ya no quería cosas particulares: sólo quería perdurar, no concluir. El sabor de la yerba, el sabor del tabaco negro, el creciente filo de sombra que iba ganando el patio, eran suficientes estímulos.

Había en la casa un perro lobo, ya viejo. Villari se amistó con él. Le hablaba en español, en italiano y en las pocas palabras que le quedaban del rústico dialecto de su niñez. Villari trataba de vivir en el mero presente, sin recuerdos ni previsiones; los primeros le importaban menos que las últimas. Oscuramente creyó intuir que el pasado es la sustancia de que el tiempo está hecho; por ello es que éste se vuelve pasado en seguida. Su fatiga, algún día, se pareció a la felicidad; en momentos así, no era mucho más complejo que el perro.

Una noche lo dejó asombrado y temblando una íntima descarga de dolor en el fondo de la boca. Ese horrible milagro recurrió a los pocos minutos y otra vez hacia el alba. Villari, al día siguiente, mandó buscar un coche que lo dejó en un consultorio dental del barrio del Once. Ahí le arrancaron la muela. En ese trance no estuvo más cobarde ni más tranquilo que otras personas.

Otra noche, al volver del cinematógrafo, sintió que lo empujaban. Con ira, con indignación, con secreto alivio, se encaró con el insolente. Le escupió una injuria soez; el otro, atónito, balbuceó una disculpa. Era un hombre alto, joven, de pelo oscuro, y lo acompañaba una mujer de tipo alemán; Villari, esa noche, se repitió que no los conocía. Sin embargo, cuatro o cinco días pasaron antes que saliera a la calle.

Entre los libros del estante había una Divina Comedia, con el viejo comentario de Andreoli. Menos urgido por la curiosidad que por un sentimiento de deber, Villari acometió la lectura de esa obra capital; antes de comer, leía un canto, y luego, en orden riguroso, las notas. No juzgó inverosímiles o excesivas las penas infernales y no pensó que Dante lo hubiera condenado al último círculo, donde los dientes de Ugolino roen sin fin la nuca de Ruggieri.

Los pavos reales del papel carmesí parecían destinados a alimentar pesadillas tenaces, pero el señor Villari no soñó nunca con una glorieta monstruosa hecha de inextricables pájaros vivos. En los amaneceres soñaba un sueño de fondo igual y de circunstancias variables. Dos hombres y Villari entraban con revólveres en la pieza o lo agredían al salir del cinematógrafo o eran, los tres a un tiempo, el desconocido que lo había empujado, o lo esperaban tristemente en el patio y parecían no conocerlo. Al fin del sueño, él sacaba el revólver del cajón de la inmediata mesa de luz (y es verdad que en ese cajón guardaba un revólver) y lo descargaba contra los hombres. El estruendo del arma lo despertaba, pero siempre era un sueño y en otro sueño el ataque se repetía y en otro sueño tenía que volver a matarlos.

Una turbia mañana del mes de julio, la presencia de gente dasconocida (no el ruido de la puerta cuando la abrieron) lo despertó. Altos en la penumbra del cuarto, curiosamente simplificados por la penumbra (siempre en los sueños del temor habían sido más claros), vigilantes, inmóviles y pacientes, bajos los ojos como si el peso de las armas los encorvara, Alejandro Villari y un desconocido lo habían alcanzado, por fin. Con una seña les pidió que esperaran y se dió vuelta contra la pared, como si retomara el sueño. ¿Lo hizo para despertar la misericordia de quienes lo mataron, o porque es menos duro sobrellevar un acontecimiento espantoso que imaginarlo y aguardarlo sin fin, o —y esto es quizá lo más verosímil— para que los asesinos fueran un sueño, como ya lo habían sido tantas veces, en el mismo lugar, a la misma hora?

En esa magia estaba cuando lo borró la descarga.

EL HOMBRE EN EL UMBRAL

Bioy Casares trajo de Londres un curioso puñal de hoja triangular y empuñadura en forma de H; nuestro amigo Christopher Dewey, del Concejo Británico, dijo que tales armas eran de uso común en el Indostán. Ese dictamen lo alentó a mencionar que había trabajado en aquel país, entre las dos guerras. (*Ultra Auroram et Gangen*, recuerdo que dijo en latín, equivocando un verso de Juvenal.) De las historias que esa noche contó, me atrevo a reconstruir la que sigue. Mi texto será fiel: líbreme Alá de la tentación de añadir breves rasgos circunstanciales o de agravar, con interpolaciones de Kipling, el cariz exótico del relato. Éste, por lo demás, tiene un antiguo y simple sabor que sería una lástima perder, acaso el de las Mil y una noches.

*

"La exacta geografía de los hechos que voy a referir importa muy poco. Además, ¿qué precisión guardan en Buenos Aires los nombres de Amritsar o de Udh? Básteme, pues, decir que en aquellos años hubo disturbios en una ciudad musulmana y que el gobierno central envió a un hombre fuerte para imponer el orden. Ese hombre era escocés, de un ilustre clan de guerreros, y en la sangre llevaba una tradición de violencia. Una sola vez lo vieron mis ojos, pero no olvidaré el cabello muy negro, los pómulos salientes, la ávida nariz y la boca, los anchos hombros, la fuerte osatura de viking. David Alexander Glencairn se llamará esta noche en mi historia; los dos nombres convienen, porque fueron de reyes que gobernaron con un cetro de hierro. David Alexander Glencairn (me tendré que habituar a llamarlo así) era, lo sospecho, un hombre temido; el mero anuncio de su advenimiento bastó para apaciguar la ciudad. Ello no impidió que decretara diversas medidas enérgicas. Unos años pasaron. La ciudad y el distrito estaban en paz: *sikhs* y musulmanes habían depuesto las antiguas discordias y de pronto Glencairn desapareció. Naturalmente, no faltaron rumores de que lo habían secuestrado o matado.

Estas cosas las supe por mi jefe, porque la censura era rígida y los diarios no comentaron (ni siquiera registraron, que yo recuerde) la desaparición de Glencairn. Un refrán dice que la India es más grande que el mundo; Glencairn, tal vez omnipotente en la ciudad que una firma al pie de un decreto le destinó, era una mera cifra en los engranajes de la administración del Imperio. Las pesquisas de la policía local fueron del todo vanas; mi jefe pensó que un particular podría infundir menos recelo y alcanzar mejor éxito. Tres o cuatro días después (las distancias en la India son generosas) yo fatigaba sin mayor esperanza las calles de la opaca ciudad que había escamoteado a un hombre.

Sentí, casi inmediatamente, la infinita presencia de una conjuración para ocultar la suerte de Glencairn. *No hay un alma en esta ciudad* (pude sospechar) *que no sepa el secreto y que no haya jurado guardarlo.* Los más, interrogados, profesaban una ilimitada ignorancia; no sabían quién era Glencairn, no lo habían visto nunca, jamás oyeron hablar de él. Otros, en cambio, lo habían divisado hace un cuarto de hora hablando con Fulano de Tal, y hasta me acompañaban a la casa en que entraron los dos, y en la que nada sabían de ellos, o que acababan de dejar en ese momento. A alguno de esos mentirosos precisos le di con el puño en la cara. Los testigos aprobaron mi desahogo, y fabricaron otras mentiras. No las creí, pero no me atreví a desoírlas. Una tarde me dejaron un sobre con una tira de papel en la que había unas señas...

El sol había declinado cuando llegué. El barrio era popular y humilde; la casa era muy baja; desde la acera entreví una sucesión de patios de tierra y hacia el fondo una claridad. En el último patio se celebraba no sé qué fiesta musulmana; un ciego entró con un laúd de madera rojiza.

A mis pies, inmóvil como una cosa, se acurrucaba en el umbral un hombre muy viejo. Diré cómo era, porque es parte esencial de la historia. Los muchos años lo habían reducido y pulido como las aguas a una piedra o las generaciones de los hombres a una sentencia. Largos harapos lo cubrían, o así me pareció, y el turbante que le rodeaba la cabeza era un jirón más. En el crepúsculo, alzó hacia mí una cara oscura y una barba muy blanca. Le hablé sin preámbulos, porque ya había perdido toda esperanza, de David Alexander Glencairn. No me entendió (tal vez no me oyó) y hube de explicar que era un juez y que yo lo buscaba. Sentí, al decir estas palabras, lo irrisorio de interrogar a aquel hombre antiguo, para quien el presente era apenas un indefinido rumor. *Nuevas de la Rebelión o de Akbar podría dar este hombre* (pensé) *pero no de Glencairn.* Lo que me dijo confirmó esta sospecha.

—¡Un juez! —articuló con débil asombro—. Un juez que se ha perdido y lo buscan. El hecho aconteció cuando yo era niño. No sé de fechas, pero no había muerto aún Nikal Seyn (Nicholson) ante la muralla de Delhi. El tiempo que se fué queda en la memoria; sin duda soy capaz de recuperar lo que entonces pasó. Dios había permitido, en su cólera, que la gente se corrompiera; llenas de maldición estaban las bocas y de engaños y fraude. Sin embargo, no todos eran perversos, y cuando se pregonó que la reina iba a mandar un hombre que ejecutaría en este país la ley de Inglaterra, los menos malos se alegraron, porque sintieron que la ley es mejor que el desorden. Llegó el cristiano y no tardó en prevaricar y oprimir, en paliar delitos abominables y en vender decisiones. No lo culpamos, al principio; la justicia inglesa que administraba no era conocida de nadie y los aparentes atropellos del nuevo juez correspondían acaso a válidas y arcanas razones. *Todo tendrá justificación en su libro*, queríamos pensar, pero su afinidad con todos los malos jueces del mundo era demasiado notoria, y al fin hubimos de admitir que era simplemente un malvado. Llegó a ser un tirano y la pobre gente (para vengarse de la errónea esperanza que alguna vez pusieron en él) dió en jugar con la idea de secuestrarlo y someterlo a juicio. Hablar no basta; de los designios tuvieron que pasar a las obras. Nadie, quizá, fuera de los muy simples o los muy jóvenes, creyó que ese propósito temerario podría llevarse a cabo, pero miles de *sikhs* y de musulmanes cumplieron su palabra y un día ejecutaron, incrédulos, lo que a cada uno de ellos había parecido imposible. Secuestraron al juez y le dieron por cárcel una alquería en un apartado arrabal. Después, apalabraron a los sujetos agraviados por él, o (en algún caso) a los huérfanos y a las viudas, porque la espada del verdugo no había descansado en aquellos años. Por fin —esto fué quizá lo más arduo— buscaron y nombraron un juez para juzgar al juez.

Aquí lo interrumpieron unas mujeres que entraban en la casa.

Luego prosiguió, lentamente:

—Es fama que no hay generación que no incluya cuatro hombres rectos que secretamente apuntalan el universo y lo justifican ante el Señor: uno de esos varones hubiera sido el juez más cabal. ¿Pero dónde encontrarlos, si andan perdidos por el mundo y anónimos y no se reconocen cuando se ven y ni ellos mismos saben el alto ministerio que cumplen? Alguien entonces discurrió que si el destino nos vedaba los sabios, había que buscar a los insensatos. Esta opinión prevaleció. Alcoranistas, doctores de la ley, *sikhs* que llevan el nombre de leones y que adoran a un Dios, hindúes que adoran muchedumbres de dioses, monjes de Mahavira que enseñan que la forma del universo es la de un hombre con las piernas abiertas, adoradores del fuego y judíos negros, integraron el tribunal, pero el último fallo fué encomendado al arbitrio de un loco.

Aquí lo interrumpieron unas personas que se iban de la fiesta.

—De un loco —repitió— para que la sabiduría de Dios hablara por su boca y avergonzara las soberbias humanas. Su nombre se ha perdido o nunca se supo, pero andaba desnudo por estas calles, o cubierto de harapos, contándose los dedos con el pulgar y haciendo mofa de los árboles.

Mi buen sentido se rebeló. Dije que entregar a un loco la decisión era invalidar el proceso.

—El acusado aceptó al juez —fué la contestación—. Acaso comprendió que dado el peligro que los conjurados corrían si lo dejaban en libertad, sólo de un loco podía no esperar sentencia de muerte. He oído que se rió cuando le dijeron quién era el juez. Muchos días y noches duró el proceso, por lo crecido del número de testigos.

Se calló. Una preocupación lo trabajaba. Por decir algo, pregunté cuántos días.

—Por lo menos, diecinueve —replicó. Gente que se iba de la fiesta lo volvió a interrumpir; el vino está vedado a los musulmanes, pero las caras y las voces parecían de borrachos. Uno le gritó algo, al pasar.

—Diecinueve días, precisamente —rectificó—. El perro infiel oyó la sentencia, y el cuchillo se cebó en su garganta.

Hablaba con alegre ferocidad. Con otra voz dió fin a la historia:

—Murió sin miedo; en los más viles hay alguna virtud.

—¿Dónde ocurrió lo que has contado? —le pregunté—. ¿En una alquería?

Por primera vez me miró en los ojos. Luego aclaró con lentitud, midiendo las palabras:

—Dije que en una alquería le dieron cárcel, no que lo juzgaron ahí. En esta ciudad lo juzgaron: en una casa como todas, como ésta. Una casa no puede diferir de otra: lo que importa es saber si está edificada en el infierno o en el cielo.

Le pregunté por el destino de los conjurados.

—No sé —me dijo con paciencia—. Estas cosas ocurrieron y se olvidaron hace ya muchos años. Quizá los condenaron los hombres, pero no Dios.

Dicho lo cual, se levantó. Sentí que sus palabras me despedían y que yo había cesado para él, desde aquel momento. Una turba hecha de hombres y mujeres de todas las naciones del Punjab se desbordó, rezando y cantando, sobre nosotros y casi nos barrió: me azoró que de patios tan angostos, que eran poco más que largos zaguanes, pudiera salir tanta gente. Otros salían de las casas del vecindario; sin duda habían saltado las tapias... A fuerza de empujones e imprecaciones me abrí camino. En el último patio me crucé con un hombre desnudo, coronado de flores amarillas, a quien todos besaban y agasajaban, y con una espada en la mano. La espada estaba sucia, porque había dado muerte a Glencairn, cuyo cadáver mutilado encontré en las caballerizas del fondo".

EL ALEPH

> O God, I could be bounded in a nutshell and count myself a King of infinite space.
>
> *Hamlet*, II, 2.
>
> But they will teach us that Eternity is the Standing still of the Present Time, a *Nunc-stans* (as the Schools call it); which neither they, nor any else understand, no more than they would a *Hic-stans* for an Infinite greatnesse of Place.
>
> *Leviathan*, IV, 46.

La candente mañana de febrero en que Beatriz Viterbo murió, después de una imperiosa agonía que no se rebajó un solo instante ni al sentimentalismo ni al miedo, noté que las carteleras de fierro de la Plaza Constitución habían renovado no sé qué aviso de cigarrillos rubios; el hecho me dolió, pues comprendí que el incesante y vasto universo ya se apartaba de ella y que ese cambio era el primero de una serie infinita. Cambiará el universo pero yo no, pensé con melancólica vanidad; alguna vez, lo sé, mi vana devoción la había exasperado; muerta, yo podía consagrarme a su memoria, sin esperanza, pero también sin humillación. Consideré que el treinta de abril era su cumpleaños; visitar ese día la casa de la calle Garay para saludar a su padre y a Carlos Argentino Daneri, su primo hermano, era un acto cortés, irreprochable, tal vez ineludible. De nuevo aguardaría en el crepúsculo de la abarrotada salita, de nuevo estudiaría las circunstancias de sus muchos retratos. Beatriz Viterbo, de perfil, en colores; Beatriz, con antifaz, en los carnavales de 1921; la primera comunión de Beatriz; Beatriz, el día de su boda con Roberto Alessandri; Beatriz, poco después del divorcio, en un almuerzo del Club Hípico; Beatriz, en Quilmes, con Delia San Marco Porcel y Carlos Argentino; Beatriz, con el pekinés que le regaló Villegas Haedo; Beatriz, de frente y de tres cuartos, sonriendo, la mano en el mentón... No estaría obligado, como otras veces, a justificar mi presencia con módicas ofrendas de libros: libros cuyas páginas, finalmente, aprendí a cortar, para no comprobar, meses después, que estaban intactos.

Beatriz Viterbo murió en 1929; desde entonces, no dejé pasar un treinta de abril sin volver a su casa. Yo solía llegar a las siete y cuarto y quedarme unos veinticinco minutos; cada año aparecía un poco más tarde y me quedaba un rato más; en 1933, una lluvia torrencial me favoreció: tuvieron que invitarme a comer. No desperdicié, como es natural, ese buen precedente; en 1934, aparecí, ya dadas las ocho, con un alfajor santafecino; con toda naturalidad me quedé a comer. Así, en aniversarios melancólicos y vanamente eróticos, recibí las graduales confidencias de Carlos Argentino Daneri.

Beatriz era alta, frágil, muy ligeramente inclinada; había en su andar (si el oximoron es tolerable) una como graciosa torpeza, un principio de éxtasis; Carlos Argentino es rosado, considerable, canoso, de rasgos finos. Ejerce no sé qué cargo subalterno en una biblioteca ilegible de los arrabales del Sur; es autoritario, pero también es ineficaz; aprovechaba, hasta hace muy poco, las noches y las fiestas para no salir de su casa. A dos generaciones de distancia, la ese italiana y la copiosa gesticulación italiana sobreviven en él. Su actividad mental es continua, apasionada, versátil y del todo insignificante. Abunda en inservibles analogías y en ociosos escrúpulos. Tiene (como Beatriz) grandes y afiladas manos hermosas. Durante algunos meses padeció la obsesión de Paul Fort, menos por sus baladas que por la idea de una gloria intachable. "Es el Príncipe de los poetas de Francia", repetía con fatuidad. "En vano te revolverás contra él; no lo alcanzará, no, la más inficionada de tus saetas."

El treinta de abril de 1941 me permití agregar al alfajor una botella de coñac del país. Carlos Argentino lo probó, lo juzgó interesante y emprendió, al cabo de unas copas, una vindicación del hombre moderno.

—Lo evoco —dijo con una animación algo inexplicable— en su gabinete de estudio, como si dijéramos en la torre albarrana de una ciudad, provisto de teléfonos, de telégrafos, de fonógrafos, de aparatos de radiotelefonía, de cinematógrafos, de linternas mágicas, de glosarios, de horarios, de prontuarios, de boletines...

Observó que para un hombre así facultado el acto de viajar era inútil; nuestro siglo XX había trasformado la fábula de Mahoma y de la montaña; las montañas, ahora, convergían sobre el moderno Mahoma.

Tan ineptas me parecieron esas ideas, tan pomposa y tan vasta su exposición, que las relacioné inmediatamente con la literatura; le dije que por qué no las escribía. Previsiblemente respondió que ya lo había hecho: esos conceptos, y otros no menos novedosos, figuraban en el Canto Augural, Canto Prologal o simplemente Canto-Prólogo de un poema en el que trabajaba hacía muchos años, sin *réclame*, sin bullanga ensordecedora, siempre apoyado en esos dos báculos que se llaman el trabajo y la soledad. Primero abría las compuertas a la imaginación; luego hacía uso de la lima. El poema se titulaba *La Tierra*; tratábase de una descripción del planeta, en la que no faltaban, por cierto, la pintoresca digresión y el gallardo apóstrofe.

Le rogué que me leyera un pasaje, aunque fuera breve. Abrió un cajón del escritorio, sacó un alto legajo de hojas de block estampadas con el membrete de la Biblioteca Juan Crisóstomo Lafinur y leyó con sonora satisfacción:

> He visto, como el griego, las urbes de los hombres,
> Los trabajos, los días de varia luz, el hambre;
> No corrijo los hechos, no falseo los nombres,
> Pero el *voyage* que narro, es... *autour de ma chambre.*

—Estrofa a todas luces interesante —dictaminó—. El primer verso granjea el aplauso del catedrático, del académico, del helenista, cuando no de los eruditos a la violeta, sector considerable de la opinión; el segundo pasa de Homero a Hesíodo (todo un implícito homenaje, en el frontis del flamante edificio, al padre de la poesía didáctica), no sin remozar un procedimiento cuyo abolengo está en la Escritura, la enumeración, congerie o conglobación; el tercero —¿barroquismo, decadentismo, culto depurado y fanático de la forma?— consta de dos hemistiquios gemelos; el cuarto, francamente bilingüe, me asegura el apoyo incondicional de todo espíritu sensible a los desenfadados envites de la facecia. Nada diré de la rima rara ni de la ilustración que me permite ¡sin pedantismo! acumular en cuatro versos tres alusiones eruditas que abarcan treinta siglos de apretada literatura: la primera a la *Odisea*, la segunda a los *Trabajos y días*, la tercera a la bagatela inmortal que nos depararan los ocios de la pluma del saboyano... Comprendo una vez más que el arte moderno exige el bálsamo de la risa, el *scherzo*. ¡Decididamente, tiene la palabra Goldoni!

Otras muchas estrofas me leyó que también obtuvieron su aprobación y su comentario profuso. Nada memorable había en ellas; ni siquiera las juzgué mucho peores que la anterior. En su escritura habían colaborado la aplicación, la resignación y el azar; las virtudes que Daneri les atribuía eran posteriores. Comprendí que el trabajo del poeta no estaba en la poesía; estaba en la invención de razones para que la poesía fuera admirable; naturalmente, ese ulterior trabajo modificaba la obra para él, pero no para otros. La dicción oral de Daneri era extravagante; su torpeza métrica le vedó, salvo contadas veces, trasmitir esa extravagancia al poema.[1]

[1] Recuerdo, sin embargo, estas líneas de una sátira en que fustigó con rigor a los malos poetas:

Aqueste da al poema belicosa armadura
De erudición; estotro le da pompas y galas.
Ambos baten en vano las ridículas alas...
¡Olvidaron, cuidados, el factor HERMOSURA!

Una sola vez en mi vida he tenido ocasión de examinar los quince mil dodecasílabos del *Polyolbion*, esa epopeya topográfica en la que Michael Drayton registró la fauna, la flora, la hidrografía, la orografía, la historia militar y monástica de Inglaterra; estoy seguro de que ese producto considerable, pero limitado es menos tedioso que la vasta empresa congénere de Carlos Argentino. Éste se proponía versificar toda la redondez del planeta; en 1941 ya había despachado unas hectáreas del estado de Queensland,[1] más de un kilómetro del curso del Ob, un gasómetro al norte de Veracruz, las principales casas de comercio de la parroquia de la Concepción, la quinta de Mariana Cambaceres de Alvear en la calle Once de Setiembre, en Belgrano, y un establecimiento de baños turcos no lejos del acreditado acuario de Brighton. Me leyó ciertos laboriosos pasajes de la zona australiana de su poema; esos largos e informes alejandrinos carecían de la relativa agitación del prefacio. Copio una estrofa:

> Sepan. A manderecha del poste rutinario
> (Viniendo, claro está, desde el Nornoroeste)
> Se aburre una osamenta —¿Color? Blanquiceleste—
> Que da al corral de ovejas catadura de osario.

—¡Dos audacias —gritó con exultación—, rescatadas, te oigo mascullar, por el éxito! Lo admito, lo admito. Una, el epíteto *rutinario*, que certeramente

---

[1] Sólo el temor de crearse un ejército de enemigos implacables y poderosos lo disuadió (me dijo) de publicar sin miedo el poema.

denuncia, *en passant*, el inevitable tedio inherente a las faenas pastoriles y agrícolas, tedio que ni las geórgicas ni nuestro ya laureado *Don Segundo* se atrevieron jamás a denunciar así, al rojo vivo. Otra, el enérgico prosaísmo *se aburre una osamenta*, que el melindroso querrá excomulgar con horror pero que apreciará más que su vida el crítico de gusto viril. Todo el verso, por lo demás, es de muy subidos quilates. El segundo hemistiquio entabla animadísima charla con el lector; se adelanta a su viva curiosidad, le pone una pregunta en la boca y la satisface... al instante. ¿Y qué me dices de ese hallazgo, *blanquiceleste?* El pintoresco neologismo *sugiere* el cielo, que es un factor importantísimo del paisaje australiano. Sin esa evocación resultarían demasiado sombrías las tintas del boceto y el lector se vería compelido a cerrar el volumen, herida en lo más íntimo el alma de incurable y negra melancolía.

Hacia la medianoche me despedí.

Dos domingos después, Daneri me llamó por teléfono, entiendo que por primera vez en la vida. Me propuso que nos reuniéramos a las cuatro, "para tomar juntos la leche, en el contiguo salón-bar que el progresismo de Zunino y de Zungri —los propietarios de mi casa, recordarás— inaugura en la esquina; confitería que te importará conocer." Acepté, con más resignación que entusiasmo. Nos fué difícil encontrar mesa; el "salón-bar", inexorablemente moderno, era apenas un poco menos atroz que mis previsiones; en las mesas vecinas, el excitado público mencionaba las sumas invertidas sin regatear por Zunino y por Zungri. Carlos Argentino fingió asombrarse de no sé qué primores de la instalación de la luz (que, sin duda, ya conocía) y me dijo con cierta severidad:

—Mal de tu grado habrás de reconocer que este local se parangona con los más encopetados de Flores.

Me releyó, después, cuatro o cinco páginas del poema. Las había corregido según un depravado principio de ostentación verbal: donde antes escribió *azulado*, ahora abundaba en *azulino, azulenco* y hasta *azulillo*. La palabra *lechoso* no era bastante fea para él; en la impetuosa descripción de un lavadero de lanas, prefería *lactario, lacticinoso, lactescente, lechal*... Denostó con amargura a los críticos; luego, más benigno, los equiparó a esas personas, "que no disponen de metales preciosos ni tampoco de prensas de vapor, laminadores y ácidos sulfúricos para la acuñación de tesoros, pero que pueden *indicar* a los *otros el sitio* de un tesoro". Acto continuo censuró la *prologomanía*, "de la que ya hizo mofa, en la donosa prefación del Quijote, el Príncipe de los Ingenios". Admitió, sin embargo, que en la portada de la nueva obra convenía el prólogo vistoso, el espaldarazo firmado por el plumífero de garra, de fuste. Agregó que pensaba publicar los cantos iniciales de su poema. Comprendí, entonces, la singular invitación telefónica; el hombre iba a pedirme que prologara su pedantesco fárrago. Mi temor resultó infundado: Carlos Argentino observó, con admiración rencorosa, que no creía errar el epíteto al calificar de sólido el prestigio logrado en todos los círculos por Álvaro Melián Lafinur, hombre de letras, que, si yo me empeñaba, prologaría con embeleso el poema. Para evitar el más imperdonable de los fracasos, yo tenía que hacerme portavoz de dos méritos inconcusos: la perfección formal y el rigor científico, "porque ese dilatado jardín de tropos, de figuras, de galanuras, no tolera un solo detalle que no confirme la severa verdad". Agregó que Beatriz siempre se había distraído con Álvaro.

Asentí, profusamente asentí. Aclaré, para mayor verosimilitud, que no hablaría el lunes con Álvaro, sino el jueves: en la pequeña cena que suele coronar toda reunión del Club de Escritores. (No hay tales cenas, pero es irrefutable que las reuniones tienen lugar los jueves, hecho que Carlos Argentino Daneri podía comprobar en los diarios y que dotaba de cierta realidad a la frase.) Dije, entre adivinatorio y sagaz, que antes de abordar el tema del prólogo, describiría el curioso plan de la obra. Nos despedimos; al doblar por Bernardo de Irigoyen, encaré con toda imparcialidad los porvenires que me quedaban: a) hablar con Álvaro y decirle que el primo hermano aquel de Beatriz (ese eufemismo explicativo me permitiría nombrarla) había elaborado un poema que parecía dilatar hasta lo infinito las posibilidades de la cacofonía y del caos; b) no hablar con Álvaro. Preví, lúcidamente, que mi desidia optaría por b.

A partir del viernes a primera hora, empezó a inquietarme del teléfono. Me indignaba que ese instrumento, que algún día produjo la irrecuperable voz de Beatriz, pudiera rebajarse a receptáculo de las inútiles y quizás coléricas quejas de ese engañado Carlos Argentino Daneri. Felizmente, nada ocurrió —salvo el rencor inevitable que me inspiró aquel hombre que me había impuesto una delicada gestión y luego me olvidaba.

El teléfono perdió sus terrores, pero a fines de octubre, Carlos Argentino me habló. Estaba agitadísimo; no identifiqué su voz, al principio. Con tristeza y con ira balbuceó que esos ya ilimitados Zunino y Zungri, so pretexto de ampliar su desaforada confitería, iban a demoler su casa.

—¡La casa de mis padres, mi casa, la vieja casa inveterada de la calle Garay! —repitió, quizá olvidando su pesar en la melodía.

No me resultó muy difícil compartir su congoja. Ya cumplidos los cuarenta años, todo cambio es un símbolo detestable del pasaje del tiempo; además, se trataba de una casa que, para mí, aludía infinitamente a Beatriz. Quise aclarar ese delicadísimo rasgo; mi interlocutor no me oyó. Dijo que si Zunino y Zungri persistían en ese propósito absurdo, el doctor Zunni, su abogado, los demandaría *ipso facto* por daños y perjuicios y los obligaría a abonar cien mil nacionales.

El nombre de Zunni me impresionó; su bufete, en Caseros y Tacuarí, es de una seriedad proverbial. Interrogué si éste se había encargado ya del asunto. Daneri dijo que le hablaría esa misma tarde. Vaciló y con esa voz llana, impersonal, a que solemos recurrir para confiar algo muy íntimo, dijo que para terminar el poema le era indispensable la casa, pues en un ángulo del sótano había un Aleph. Aclaró que un Aleph es uno de los puntos del espacio que contienen todos los puntos.

—Está en el sótano del comedor —explicó, aligerada su dicción por la angustia—. Es mío, es mío; yo lo descubrí en la niñez, antes de la edad escolar. La escalera del sótano es empinada, mis tíos me tenían prohibido el descenso, pero alguien dijo que había un mundo en el sótano. Se refería, lo supe después, a un baúl, pero yo entendí que había un mundo. Bajé secretamente, rodé por la escalera vedada, caí. Al abrir los ojos, vi el Aleph.

—¿El Aleph? —repetí.

—Sí, el lugar donde están, sin confundirse, todos los lugares del orbe, vistos desde todos los ángulos. A nadie revelé mi descubrimiento, pero volví. ¡El niño no podía comprender que le fuera deparado ese privilegio para que el hombre burilara el poema! No me despojarán Zunino y Zungri, no y mil veces no. Código en mano, el doctor Zunni probará que es *inajenable* mi Aleph.

Traté de razonar.

—Pero, ¿no es muy oscuro el sótano?

—La verdad no penetra en un entendimiento rebelde. Si todos los lugares de la tierra están en el Aleph, ahí estarán todas las luminarias, todas las lámparas, todos los veneros de luz.

—Iré a verlo inmediatamente.

Corté, antes de que pudiera emitir una prohibición. Basta el conocimiento de un hecho para percibir en el acto una serie de rasgos confirmatorios, antes insospechados; me asombró no haber comprendido hasta ese momento que Carlos Argentino era un loco. Todos esos Viterbo, por lo demás... Beatriz (yo mismo suelo repetirlo) era una mujer, una niña, de una clarividencia casi implacable, pero había en ella negligencias, distracciones, desdenes, verdaderas crueldades, que tal vez reclamaban una explicación patológica. La locura de Carlos Argentino me colmó de maligna felicidad; íntimamente, siempre nos habíamos detestado.

En la calle Garay, la sirvienta me dijo que tuviera la bondad de esperar. El niño estaba, como siempre, en el sótano, revelando fotografías. Junto al jarrón sin una flor, en el piano inútil, sonreía (más intemporal que anacrónico) el gran retrato de Beatriz, en torpes colores. No podía vernos nadie; en una desesperación de ternura me aproximé al retrato y le dije:

—Beatriz, Beatriz Elena, Beatriz Elena Viterbo, Beatriz querida, Beatriz perdida para siempre, soy yo, soy Borges.

Carlos entró poco después. Habló con sequedad; comprendí que no era capaz de otro pensamiento que de la perdición del Aleph.

—Una copita del seudo coñac —ordenó— y te zampuzarás en el sótano. Ya sabes, el decúbito dorsal es indispensable. También lo son la oscuridad, la inmovilidad, cierta acomodación ocular. Te acuestas en el piso de baldosas y fijas los ojos en el décimonono escalón de la pertinente escalera. Me voy, bajo la trampa y te quedas solo. Algún roedor te mete miedo ¡fácil empresa! A los pocos minutos ves el Aleph. ¡El microcosmo de alquimistas y cabalistas, nuestro concreto amigo proverbial, el *multum in parvo!*

Ya en el comedor, agregó:

—Claro está que si no lo ves, tu incapacidad no invalida mi testimonio... Baja; muy en breve podrás entablar un diálogo con *todas* las imágenes de Beatriz.

Bajé con rapidez, harto de sus palabras insustanciales. El sótano, apenas más ancho que la escalera, tenía mucho de pozo. Con la mirada, busqué en vano el baúl de que Carlos Argentino me habló. Unos cajones con botellas y unas bolsas de lona entorpecían un ángulo. Carlos tomó una bolsa, la dobló y la acomodó en un sitio preciso.

—La almohada es humildosa —explicó—, pero si la levanto un solo centímetro, no verás ni una pizca y te quedas corrido y avergonzado. Repantiga en el suelo ese corpachón y cuenta diecinueve escalones.

Cumplí con sus ridículos requisitos; al fin se fué. Cerró cautelosamente la trampa; la oscuridad, pese a una hendija que después distinguí, pudo parecerme total. Súbitamente comprendí mi peligro: me había dejado soterrar por un loco, luego de tomar un veneno. Las bravatas de Carlos transparentaban el íntimo terror de que yo no viera el prodigio; Carlos, para defender su delirio, para no saber que estaba loco, *tenía que matarme*. Sentí un confuso malestar, que traté de atribuir a la rigidez, y no a la operación de un narcótico. Cerré los ojos, los abrí. Entonces vi el Aleph.

Arribo, ahora, al inefable centro de mi relato; empieza, aquí, mi desesperación de escritor. Todo lenguaje es un alfabeto de símbolos cuyo ejercicio presupone un pasado que los interlocutores comparten; ¿cómo transmitir a los otros el infinito Aleph, que mi temerosa memoria apenas abarca? Los místicos, en análogo trance, prodigan los emblemas: para significar la divinidad, un persa habla de un pájaro que de algún modo es todos los pájaros; Alanus de Insulis, de una esfera cuyo centro está en todas partes y la circunferencia en ninguna; Ezequiel, de un ángel de cuatro caras que a un tiempo se dirige al Oriente y al Occidente, al Norte y al Sur. (No en vano rememoro esas inconcebibles analogías; alguna relación tienen con el Aleph.) Quizá los dioses no me negarían el hallazgo de una imagen equivalente, pero este informe quedaría contaminado de literatura, de falsedad. Por lo demás, el problema central es irresoluble: la enumeración, siquiera parcial, de un conjunto infinito. En ese instante gigantesco, he visto millones de actos deleitables o atroces; ninguno me asombró como el hecho de que todos ocuparan el mismo punto, sin superposición y sin transparencia. Lo que vieron mis ojos fué simultáneo: lo que transcribiré, sucesivo, porque el lenguaje lo es. Algo, sin embargo, recogeré.

En la parte inferior del escalón, hacia la derecha, vi una pequeña esfera tornasolada, de casi intolerable fulgor. Al principio la creí giratoria; luego comprendí que ese movimiento era una ilusión producida por los vertiginosos espectáculos que encerraba. El diámetro del Aleph sería de dos o tres centímetros, pero el espacio cósmico estaba ahí, sin disminución de tamaño. Cada cosa (la luna del espejo, digamos) era infinitas cosas, porque yo claramente la veía desde todos los puntos del universo. Vi el populoso mar, vi el alba y la tarde, vi las muchedumbres de América, vi una plateada telaraña en el centro de una negra pirámide, vi un laberinto roto (era Londres), vi interminables ojos inmediatos escrutándose en mí como en un espejo, vi todos los espejos del planeta y ninguno me reflejó, vi en un traspatio de la calle Soler las mismas baldosas que hace treinta años vi en el zaguán de una casa en Frey Bentos, vi racimos, nieve, tabaco, vetas de metal, vapor de agua, vi convexos desiertos ecuatoriales y cada uno de sus granos de arena, vi en Inverness a una mujer que no olvidaré, vi la violenta cabellera, el altivo cuerpo, vi un cáncer en el pecho, vi un círculo de tierra seca en una vereda, donde antes hubo un árbol, vi una quinta de Adrogué, un ejemplar de la primera versión inglesa de Plinio, la de Philemon Holland, vi a un tiempo cada letra de cada página (de chico, yo solía maravillarme de que las letras de un volumen cerrado no se mezclaran y perdieran en el decurso de la noche), vi la noche y el día contemporáneo, vi un poniente en Querétaro que parecía reflejar el color de una rosa en Bengala, vi mi dormitorio sin nadie, vi en un gabinete de Alkmaar un globo terráqueo entre dos espejos que lo multiplican sin fin, vi caballos de crin arremolinada, en una playa del Mar Caspio en el alba, vi la delicada osatura de una mano, vi a los sobrevivientes de una batalla, enviando tarjetas postales, vi en un escaparate de Mirzapur una baraja española, vi las sombras oblicuas de unos helechos en el suelo de un invernáculo, vi tigres, émbolos, bisontes, marejadas y ejércitos, vi todas las hormigas que hay en la tierra, vi un astrolabio persa, vi en un cajón del escritorio (y la letra me hizo temblar) cartas obscenas, increíbles, precisas, que Beatriz había dirigido a Carlos Argentino, vi un adorado monumento en la Chacarita, vi la reliquia atroz de lo que deliciosamente había sido Beatriz Viterbo, vi la circulación de mi oscura sangre, vi el engranaje del amor y la modificación de la muerte, vi el Aleph, desde todos los puntos, vi en el Aleph la tierra, y en la tierra otra vez el Aleph y en el Aleph la tierra, vi mi cara y mis vísceras, vi tu cara, y sentí vértigo y lloré, porque mis ojos habían visto ese objeto secreto y conjetural, cuyo nombre usurpan los hombres, pero que ningún hombre ha mirado: el inconcebible universo.

Sentí infinita veneración, infinita lástima.

—Tarumba habrás quedado de tanto curiosear donde no te llaman —dijo una voz aborrecida y jovial—. Aunque te devanes los sesos, no me pagarás en un siglo esta revelación. ¡Qué observatorio formidable, che Borges!

Los pies de Carlos Argentino ocupaban el escalón más alto. En la brusca penumbra, acerté a levantarme y a balbucear:

—Formidable. Sí, formidable.

La indiferencia de mi voz me extrañó. Ansioso, Carlos Argentino insistía:

—¿La viste todo bien, en colores?

En ese instante concebí mi venganza. Benévolo, manifiestamente apiadado, nervioso, evasivo, agradecí a Carlos Argentino Daneri la hospitalidad de su sótano y lo insté a aprovechar la demolición de la casa para alejarse de la perniciosa metrópoli, que a nadie ¡créame, que a nadie! perdona. Me negué, con suave energía, a discutir el Aleph; lo abracé, al despedirme, y le repetí que el campo y la serenidad son dos grandes médicos.

En la calle, en las escaleras de Constitución, en el subterráneo, me parecieron familiares todas las caras. Temí que no quedara una sola cosa capaz de sorprenderme, temí que no me abandonara jamás la impresión de volver. Felizmente, al cabo de unas noches de insomnio, me trabajó otra vez el olvido.

Posdata del primero de marzo de 1943. A los seis meses de la demolición del inmueble de la calle Garay, la Editorial Procusto no se dejó arredrar por la longitud del considerable poema y lanzó al mercado una selección de "trozos argentinos". Huelga repetir lo ocurrido; Carlos Argentino Daneri recibió el Segundo Premio Nacional de Literatura.[1] El primero fué otorgado al doctor Aita; el tercero, al doctor Mario Bonfanti; increíblemente, mi obra *Los naipes del tahur* no logró un solo voto. ¡Una vez más, triunfaron la incomprensión y la envidia! Hace ya mucho tiempo que no consigo ver a Daneri; los diarios dicen que pronto nos dará otro volumen. Su afortunada pluma (no entorpecida ya por el Aleph) se ha consagrado a versificar los epítomes del doctor Acevedo Díaz.

Dos observaciones quiero agregar: una, sobre la naturaleza del Aleph; otra, sobre su nombre. Éste, como es sabido, es el de la primera letra del alfabeto

[1] "Recibí tu apenada congratulación", me escribió. "Bufas, mi lamentable amigo, de envidia, pero confesarás —¡aunque te ahogue!— que esta vez pude coronar mi bonete con la más roja de las plumas; mi turbante, con el más *califa* de los rubíes."

de la lengua sagrada. Su aplicación al círculo de mi historia no parece casual. Para la Cábala, esa letra significa el En Soph, la ilimitada y pura divinidad; también se dijo que tiene la forma de un hombre que señala el cielo y la tierra, para indicar que el mundo inferior es el espejo y es el mapa del superior; para la *Mengenlehre*, es el símbolo de los números transfinitos, en los que el todo no es mayor que alguna de las partes. Yo querría saber: ¿Eligió Carlos Argentino ese nombre, o lo leyó, *aplicado a otro punto donde convergen todos los puntos*, en alguno de los textos innumerables que el Aleph de su casa le reveló? Por increíble que parezca, yo creo que hay (o que hubo) otro Aleph, yo creo que el Aleph de la calle Garay era un falso Aleph.

Doy mis razones. Hacia 1867 el capitán Burton ejerció en el Brasil el cargo de cónsul británico; en julio de 1942 Pedro Henríquez Ureña descubrió en una biblioteca de Santos un manuscrito suyo que versaba sobre el espejo que atribuye el Oriente a Iskandar Zu al-Karnayn, o Alejandro Bicorne de Macedonia. En su cristal se reflejaba el universo entero. Burton menciona otros artificios congéneres —la séptuple copa de Kai Josrú, el espejo que Tárik Benzeyad encontró en una torre (*1001 Noches*, 272), el espejo que Luciano de Samosata pudo examinar en la luna (*Historia Verdadera*, I, 26), la lanza especular que el primer libro del *Satyricon* de Capella atribuye a Júpiter, el espejo universal de Merlín, "redondo y hueco y semejante a un mundo de vidrio" (*The Faerie Queene*, III, 2, 19)—, y añade estas curiosas palabras: "Pero los anteriores (además del defecto de no existir) son meros instrumentos de óptica. Los fieles que concurren a la mezquita de Amr, en el Cairo, saben muy bien que el universo está en el interior de una de las columnas de piedra que rodean el patio central... Nadie, claro está, puede verlo, pero quienes acercan el oído a la superficie, declaran percibir, al poco tiempo, su atareado rumor... La mezquita data del siglo VII; las columnas proceden de otros templos de religiones anteislámicas, pues como ha escrito Abenjaldún: *En las repúblicas fundadas por nómadas, es indispensable el concurso de forasteros para todo lo que sea albañilería*".

¿Existe ese Aleph en lo íntimo de una piedra? ¿Lo he visto cuando vi todas las cosas y lo he olvidado? Nuestra mente es porosa para el olvido; yo mismo estoy falseando y perdiendo, bajo la trágica erosión de los años, los rasgos de Beatriz.

A Estela Canto.

LA INTRUSA

> La angustia me oprime
> por ti, oh hermano mío, Jonatán!
> Tú eras toda mi delicia;
> tu amor era para mí más precioso
> que el amor de las mujeres.
>
> 2 REYES, I, 26.

Dicen (lo cual es improbable) que la historia fué referida por Eduardo, el menor de los Nelson, en el velorio de Cristián, el mayor, que falleció de muerte natural, hacia mil ochocientos noventa y tantos, en el partido de Morón. Lo cierto es que alguien la oyó de alguien, en el decurso de esa larga noche perdida, entre mate y mate, y la repitió a Santiago Dabove, por quien la supe. Años después, volvieron a contármela en Turdera, donde había acontecido. La segunda versión, algo más prolija, confirmaba en suma la de Santiago, con las pequeñas variaciones y divergencias que son del caso. La escribo ahora porque en ella se cifra, si no me engaño, un breve y trágico cristal de la índole de los orilleros antiguos. Lo haré con probidad, pero ya preveo que cederé a la tentación literaria de acentuar o agregar algún pormenor.

En Turdera los llamaban los Nilsen. El párroco me dijo que su predecesor recordaba, no sin sorpresa, haber visto en la casa de esa gente una gastada Biblia de tapas negras, con caracteres góticos; en las últimas páginas entrevió nombres y fechas manuscritas. Era el único libro que había en la casa. La azarosa crónica de los Nilsen, perdida como todo se perderá. El caserón, que ya no existe, era de ladrillo sin revocar; desde el zaguán se divisaban un patio de baldosa colorada y otro de tierra. Pocos, por lo demás, entraron ahí; los Nilsen defendían su soledad. En las habitaciones desmanteladas dormían en catres; sus lujos eran el caballo, el apero, la daga de hoja corta, el atuendo rumboso de los sábados y el alcohol pendenciero. Sé que eran altos, de melena rojiza. Dinamarca o Irlanda, de las que nunca oirían hablar, andaban por la sangre de esos dos criollos. El barrio los temía a los Colorados; no es imposible que debieran alguna muerte. Hombro a hombro pelearon una vez a la policía. Se dice que el menor tuvo un altercado con Juan Iberra, en el que no llevó la peor parte, lo cual, según los entendidos, es mucho. Fueron troperos, cuarteadores, cuatreros y alguna vez tahures. Tenían fama de avaros, salvo cuando la bebida y el juego los volvían generosos. De sus deudos nada se sabe ni de dónde vinieron. Eran dueños de una carreta y una yunta de bueyes.

Físicamente diferían del compadraje que dió su apodo forajido a la Costa Brava. Esto, y lo que ignoramos, ayuda a comprender lo unidos que fueron. Malquistarse con uno era contar con dos enemigos.

Los Nilsen eran calaveras, pero sus episodios amorosos habían sido hasta entonces de zaguán o de casa mala. No faltaron, pues, comentarios cuando Cristián llevó a vivir con él a Juliana Burgos. Es verdad que ganaba así una sirvienta, pero no es menos cierto que la colmó de horrendas baratijas y que la lucía en las fiestas. En las pobres fiestas de conventillo, donde la quebrada y el corte estaban prohibidos y donde se bailaba, todavía, con mucha luz. Juliana era de tez morena y de ojos rasgados; bastaba que alguien la mirara, para que se sonriera. En un barrio modesto, donde el trabajo y el descuido gastan a las mujeres, no era mal parecida.

Eduardo los acompañaba al principio. Después emprendió un viaje a Arrecifes por no sé qué negocio; a su vuelta llevó a la casa una muchacha, que había levantado por el camino, y a los pocos días la echó. Se hizo más hosco; se emborrachaba solo en el almacén y no se daba con nadie. Estaba enamorado de la mujer de Cristián. El barrio, que tal vez lo supo antes que él, previó con alevosa alegría la rivalidad latente de los hermanos.

Una noche, al volver tarde de la esquina, Eduardo vió el oscuro de Cristián atado al palenque. En el patio, el mayor estaba esperándolo con sus mejores pilchas. La mujer iba y venía con el mate en la mano. Cristián le dijo a Eduardo:

—Yo me voy a una farra en lo de Farías. Ahí la tenés a la Juliana; si la querés, usala.

El tono era entre mandón y cordial. Eduardo se quedó un tiempo mirándolo; no sabía qué hacer. Cristián se levantó, se despidió de Eduardo, no de Juliana, que era una cosa, montó a caballo y se fué al trote, sin apuro.

Desde aquella noche la compartieron. Nadie sabrá los pormenores de esa sórdida unión, que ultrajaba las decencias del arrabal. El arreglo anduvo bien por unas semanas, pero no podía durar. Entre ellos, los hermanos no pronunciaban el nombre de Juliana, ni siquiera para llamarla, pero buscaban, y encontraban, razones para no estar de acuerdo. Discutían la venta de unos cueros, pero lo que discutían era otra cosa. Cristián solía alzar la voz y Eduardo callaba. Sin saberlo, estaban celándose. En el duro suburbio, un hombre no decía, ni se decía, que una mujer pudiera importarle, más allá del deseo y la posesión, pero los dos estaban enamorados. Esto, de algún modo, los humillaba.

Una tarde, en la plaza de Lomas, Eduardo se cruzó con Juan Iberra, que lo felicitó por ese primor que se había agenciado. Fué entonces, creo, que Eduardo lo injurió. Nadie, delante de él, iba hacer burla de Cristián.

La mujer atendía a los dos con sumisión bestial; pero no podía ocultar alguna preferencia, sin duda por el menor, que no había rechazado la participación, pero que no la había dispuesto.

Un día, le mandaron a la Juliana que sacara dos sillas al primer patio y que no apareciera por ahí, porque tenían que hablar. Ella esperaba un diálogo largo y se acostó a dormir la siesta, pero al rato la recordaron. Le hicieron llenar una bolsa con todo lo que tenía, sin olvidar el rosario de vidrio y la crucecita que le había dejado su madre. Sin explicarle nada la subieron a la carreta y emprendieron un silencioso y tedioso viaje. Había llovido; los caminos estaban muy pesados y serían las once de la noche cuando llegaron a Morón. Ahí la vendieron a la patrona del prostíbulo. El trato ya estaba hecho; Cristián cobró la suma y la dividió después con el otro.

En Turdera, los Nilsen, perdidos hasta entonces en la maraña (que también era una rutina) de aquel monstruoso amor, quisieron reanudar su antigua vida de hombres entre hombres. Volvieron a las trucadas, al reñidero, a las juergas casuales. Acaso, alguna vez, se creyeron salvados, pero solían incurrir, cada cual por su lado, en injustificadas o harto justificadas ausencias. Poco antes de fin de año el menor dijo que tenía que hacer en la Capital. Cristián se fué a Morón; en el palenque de la casa que sabemos reconoció al overo de Eduardo. Entró; adentro estaba el otro, esperando turno. Parece que Cristián le dijo:

—De seguir así, los vamos a cansar a los pingos. Más vale que la tengamos a mano.

Habló con la patrona, sacó unas monedas del tirador y se la llevaron. La Juliana iba con Cristián; Eduardo espoleó al overo para no verlos.

Volvieron a lo que ya se ha dicho. La infame solución había fracasado; los dos habían cedido a la tentación de hacer trampa. Caín andaba por ahí, pero el cariño entre los Nilsen era muy grande —¡quién sabe qué rigores y qué peligros habían compartido!— y prefirieron desahogar su exasperación con ajenos. Con un desconocido, con los perros, con la Juliana, que había traído la discordia.

El mes de marzo estaba por concluir y el calor no cejaba. Un domingo (los domingos la gente suele recogerse temprano) Eduardo, que volvía del almacén vió que Cristián uncía los bueyes. Cristián le dijo:

—Vení; tenemos que dejar unos cueros en lo del Pardo; ya los cargué; aprovechemos la fresca.

El comercio del Pardo quedaba, creo, más al Sur; tomaron por el Camino de las Tropas; después, por un desvío. El campo iba agrandándose con la noche.

Orillaron un pajonal; Cristián tiró el cigarro que había encendido y dijo sin apuro:

—A trabajar, hermano. Después nos ayudarán los caranchos. Hoy la maté. Que se quede aquí con sus pilchas, ya no hará más perjuicios.

Se abrazaron, casi llorando. Ahora los ataba otro vínculo: la mujer tristemente sacrificada y la obligación de olvidarla.

EPÍLOGO

Fuera de *Emma Zunz* (cuyo argumento espléndido, tan superior a su ejecución temerosa, me fué dado por Cecilia Ingenieros) y de la *Historia del guerrero y de la cautiva* que se propone interpretar dos hechos fidedignos, las piezas de este libro corresponden al género fantástico. De todas ellas, la primera es la más trabajada; su tema es el efecto que la inmortalidad causaría en los hombres. A ese bosquejo de una ética para inmortales, lo sigue *El muerto*; Azevedo Bandeira, en ese relato, es un hombre de Rivera o de Cerro Largo y es también una tosca divinidad, una versión mulata y cimarrona del incomparable Sunday de Chesterton. (El capítulo XXIX del *Decline and Fall of the Roman Empire* narra un destino parecido al de Otálora, pero harto más grandioso y más increíble.) De *Los teólogos* basta escribir que son un sueño, un sueño más bien melancólico, sobre la identidad personal; de la *Biografía de Tadeo Isidoro Cruz*, que es una glosa al Martín Fierro. A una tela de Watts, pintada en 1896, debo *La casa de Asterión* y el carácter del pobre protagonista. *La otra muerte* es una fantasía sobre el tiempo, que urdí a la luz de unas razones de Pier

Damiani. En la última guerra nadie pudo anhelar más que yo que fuera derrotada Alemania; nadie pudo sentir más que yo lo trágico del destino alemán; *Deutsches Requiem* quiere entender ese destino, que no supieron llorar, ni siquiera sospechar, nuestros "germanófilos", que nada saben de Alemania. *La escritura del dios* ha sido generosamente juzgada; el jaguar me obligó a poner en boca de un "mago de la pirámide de Qaholon", argumentos de cabalista o de teólogo. En *El Zahir* y *El Aleph* creo notar algún influjo del cuento *The Crystal Egg* (1899) de Wells.

J. L. B.

Buenos Aires, 3 de mayo de 1949.

Posdata de 1952. Cuatro piezas he incorporado a esta reedición. *Abenjacán el Bojarí, muerto en su laberinto* no es (me aseguran) memorable a pesar de su título tremebundo. Una suerte de *Los dos reyes y los dos laberintos* que los copistas intercalaron en las 1001 Noches y que omitió el prudente Galland. De *La Espera* diré que la sugirió una crónica policial que Alfredo Doblas me leyó, hará diez años, mientras clasificábamos libros según el manual del Instituto Bibliográfico de Bruselas, código del que todo he olvidado, salvo que a Dios le corresponde la cifra 231. El sujeto de la crónica era turco; lo hice italiano para intuirlo con más facilidad. La momentánea y repetida visión de un hondo conventillo que hay a la vuelta de la calle Paraná, en Buenos Aires, me deparó la historia que se titula *El hombre en el umbral*; la situé en la India para que su inverosimilitud fuera tolerable.

J. L. B.

INDICE

El Aleph

La edición de este séptimo volumen de las *Obras Completas* de Jorge Luis Borges ha estado al cuidado de José Edmundo Clemente.

ESTA OCTAVA
IMPRESIÓN DE
"EL ALEPH"
SE ACABÓ DE IMPRIMIR
EN OFFSET
EN BUENOS AIRES
EL 15 DE AGOSTO DE 1968,
EN LOS TALLERES DE LA
COMPAÑÍA IMPRESORA
ARGENTINA, S. A.,
ALSINA 2049.

EMECÉ EDITORES, S. A.
LUZURIAGA 38 — BUENOS AIRES

OBRAS COMPLETAS
de Jorge Luis Borges

JORGE LUIS BORGES

OBRAS COMPLETAS

OTRAS INQUISICIONES

EMECÉ EDITORES

PRIMERA EDICIÓN
Junio de 1960

SEGUNDA IMPRESIÓN
Abril de 1964

TERCERA IMPRESIÓN
Mayo de 1966

CUARTA IMPRESIÓN
Setiembre de 1968

Queda hecho el depósito que previene la ley número 11.723.

A Margot Guerrero

LA MURALLA Y LOS LIBROS

He, whose long wall the wand'ring Tartar bounds..

DUNCIAD, II, 76.

Leí, días pasados, que el hombre que ordenó la edificación de la casi infinita muralla china fué aquel primer Emperador, Shih Huang Ti, que asimismo dispuso que se quemaran todos los libros anteriores a él. Que las dos vastas operaciones —las quinientas a seiscientas leguas de piedra opuestas a los bárbaros, la rigurosa abolición de la historia, es decir del pasado— procedieran de una persona y fueran de algún modo sus atributos, inexplicablemente me satisfizo y, a la vez, me inquietó. Indagar las razones de esa emoción es el fin de esta nota.

Históricamente, no hay misterio en las dos medidas. Contemporánea de las guerras de Aníbal, Shih Huang Ti, rey de Tsin, redujo a su poder los Seis Reinos y borró el sistema feudal; erigió la muralla, porque las murallas eran defensas; quemó los libros, porque la oposición los invocaba para alabar a los antiguos emperadores. Quemar libros y erigir fortificaciones es tarea común de los príncipes; lo único singular en Shih Huang Ti fué la escala en que obró. Así lo dejan entender algunos sinólogos, pero yo siento que los hechos que he referido son algo más que una exageración o una hipérbole de disposiciones triviales. Cercar un huerto o un jardín es común; no, cercar un imperio. Tampoco es baladí pretender que la más tradicional de las razas renuncie a la memoria de su pasado, mítico o verdadero. Tres mil años de cronología tenían los chinos (y en esos años, el Emperador Amarillo y Chuang Tzu y Confucio y Lao Tzu), cuando Shih Huang Ti ordenó que la historia empezara con él.

Shih Huang Ti había desterrado a su madre por libertina; en su dura justicia, los ortodoxos no vieron otra cosa que una impiedad; Shih Huang Ti, tal vez, quiso borrar los libros canónigos porque éstos lo acusaban; Shih Huang Ti, tal vez, quiso abolir todo el pasado para abolir un solo recuerdo: la infamia de su madre. (No de otra suerte un rey, en Judea, hizo matar a todos los niños para matar a uno.) Esta conjetura es atendible, pero nada nos dice de la muralla, de la segunda cara del mito. Shih Huang Ti, según los historiadores, prohibió que se mencionara la muerte y buscó el elixir de la inmortalidad y se recluyó en un palacio figurativo, que constaba de tantas habitaciones como hay días en el año; estos datos sugieren que la muralla en el espacio y el incendio en el tiempo fueron barreras mágicas destinadas a detener la muerte. Todas las cosas quieren persistir en su ser, ha escrito Baruch Spinoza; quizá el Emperador y sus magos creyeron que la inmortalidad es intrínseca y que la corrupción no puede entrar en un orbe cerrado. Quizá el Emperador quiso recrear el principio del tiempo y se llamó Primero, para ser realmente primero, y se llamó Huang Ti, para ser de algún modo Huang Ti, el legendario emperador que inventó la escritura y la brújula. Éste, según el Libro de los Ritos, dió su nombre verdadero a las cosas; parejamente Shih Huang Ti se jactó, en inscripciones que perduran, de que todas las cosas, bajo su imperio, tuvieran el nombre que les conviene. Soñó fundar una dinastía inmortal; ordenó que sus herederos se llamaran Segundo Emperador, Tercer Emperador, Cuarto Emperador, y así hasta lo infinito... He hablado de un propósito mágico; también cabría suponer que erigir la muralla y quemar los libros no fueron actos simultáneos. Esto (según el orden que eligiéramos) nos daría la imagen de un rey que empezó por destruir y luego se resignó a conservar, o la de un rey desengañado que destruyó lo que antes defendía. Ambas conjeturas son dramáticas, pero carecen, que yo sepa, de base histórica. Herbert Allen Giles cuenta que quienes ocultaron libros fueron marcados con un hierro candente y condenados a construir, hasta el día de su muerte, la desaforada muralla. Esta noticia favorece o tolera otra interpretación. Acaso la muralla fué una metáfora, acaso Shih Huang Ti condenó a quienes adoraban el pasado a una obra tan vasta como el pasado, tan torpe y tan inútil. Acaso la muralla fué un desafío y Shih Huang Ti pensó: "Los hombres aman el pasado y contra ese amor nada puedo, ni pueden mis verdugos, pero alguna vez habrá un hombre que sienta como yo, y ése destruirá mi muralla, como yo he destruído los libros, y ése borrará mi memoria y será mi sombra y mi espejo y no lo sabrá." Acaso Shih Huan Ti amuralló el imperio porque sabía que éste era deleznable y destruyó los libros por entender que eran libros sagrados, o sea libros que enseñan lo que enseña el universo entero o la conciencia de cada hombre. Acaso el incendio de las bibliotecas y la edificación de la muralla son operaciones que de un modo secreto se anulan.

La muralla tenaz que en este momento, y en todos,

proyecta sobre tierras que no veré, su sistema de sombras, es la sombra de un César que ordenó que la más reverente de las naciones quemara su pasado; es verosímil que la idea nos toque de por sí, fuera de las conjeturas que permite. (Su virtud puede estar en la oposición de construir y destruir, en enorme escala.) Generalizando el caso anterior, podríamos inferir que *todas* las formas tienen su virtud en sí mismas y no en un "contenido" conjetural. Esto concordaría con la tesis de Benedetto Croce; ya Pater, en 1877, afirmó que todas las artes aspiran a la condición de la música, que no es otra cosa que forma. La música, los estados de felicidad, la mitología, las caras trabajadas por el tiempo, ciertos crepúsculos y ciertos lugares, quieren decirnos algo, o algo dijeron que no hubiéramos debido perder, o están por decir algo; esta inminencia de una revelación, que no se produce, es, quizá, el hecho estético.

Buenos Aires, 1950.

LA ESFERA DE PASCAL

Quizá la historia universal es la historia de unas cuantas metáforas. Bosquejar un capítulo de esa historia es el fin de esta nota.

Seis siglos antes de la era cristiana, el rapsoda Jenófanes de Colofón, harto de los versos homéricos que recitaba de ciudad en ciudad, fustigó a los poetas que atribuyeron rasgos antropomórficos a los dioses y propuso a los griegos un solo Dios, que era una esfera eterna. En el *Timeo*, de Platón, se lee que la esfera es la figura más perfecta y más uniforme, porque todos los puntos de la superficie equidistan del centro; Olof Gigon (*Ursprung der griechischen Philosophie*, 183) entiende que Jenófanes habló analógicamente; el Dios era esferoide, porque esa forma es la mejor, o la menos mala, para representar la divinidad. Parménides, cuarenta años después, repitió la imagen ("el Ser es semejante a la masa de una esfera bien redondeada, cuya fuerza es constante desde el centro en cualquier dirección"); Calogero y Mondolfo razonan que intuyó una esfera infinita, o infinitamente creciente, y que las palabras que acabo de transcribir tienen un sentido dinámico (Albertelli: *Gli Eleati*, 148). Parménides enseñó en Italia; a pocos años de su muerte, el siciliano Empédocles de Agrigento urdió una laboriosa cosmogonía; hay una etapa en que las partículas de tierra, de agua, de aire y de fuego, integran una esfera sin fin, "el *Sphairos redondo*, que exulta en su soledad circular".

La historia universal continuó su curso, los dioses demasiado humanos que Jenófanes atacó fueron rebajados a ficciones poéticas o a demonios, pero se dijo que uno, Hermes Trismegisto, había dictado un número variable de libros (42, según Clemente de Alejandría; 20.000, según Jámblico; 36.525, según los sacerdotes de Thoth, que también es Hermes), en cuyas páginas estaban escritas todas las cosas. Fragmentos de esa biblioteca ilusoria, compilados o fraguados desde el siglo III, forman lo que se llama el *Corpus Hermeticum*; en alguno de ellos, o en el *Asclepio*, que también se atribuyó a Trismegisto, el teólogo francés Alain de Lille —Alanus de Insulis— descubrió a fines del siglo XII esta fórmula, que las edades venideras no olvidarían: "Dios es una esfera inteligible, cuyo centro está en todas partes y la circunferencia en ninguna." Los presocráticos hablaron de una esfera sin fin; Albertelli (como antes, Aristóteles) piensa que hablar así es cometer una *contradictio in adjecto*, porque sujeto y predicado se anulan; ello bien puede ser verdad, pero la fórmula de los libros herméticos nos deja, casi, intuir esa esfera. En el siglo XIII, la imagen reapareció en el símbólico *Romun de la Rose*, que la da como de Platón, y en la enciclopedia *Speculum Triplex*; en el XVI, el último capítulo del último libro de *Pantagruel* se refirió a "esa esfera intelectual, cuyo centro está en todas partes y la circunferencia en ninguna, que llamamos Dios". Para la mente medieval, el sentido era claro: Dios está en cada una de sus criaturas, pero ninguna Lo limita. "El cielo, el cielo de los cielos, no te contiene", dijo Salomón (I Reyes, 8, 27); la metáfora geométrica de la esfera hubo de parecer una glosa de esas palabras.

El poema de Dante ha preservado la astronomía ptolemaica, que durante mil cuatrocientos años rigió la imaginación de los hombres. La tierra ocupa el centro del universo. Es una esfera inmóvil; en torno giran nueve esferas concéntricas. Las siete primeras son los cielos planetarios (cielos de la Luna, de Mercurio, de Venus, del Sol, de Marte, de Júpiter, de Saturno); la octava, el cielo de las estrellas fijas; la novena, el cielo cristalino llamado también Primer Móvil. A éste lo rodea el Empíreo, que está hecho de luz. Todo este laborioso aparato de esferas huecas, transparentes y giratorias (algún sistema requería cincuenta y cinco), había llegado a ser una necesidad mental; *De hypothesibus motuum coelestium commentariolus* es el tímido título que Copérnico, negador de Aristóteles, puso al manuscrito que transformó nuestra visión del cosmos. Para un hombre, para Giordano Bruno, la rotura de las bóvedas estelares fué una liberación. Proclamó, en la *Cena de las cenizas*, que el mundo es el efecto infinito de una causa infinita y que la divinidad está cerca. "pues está dentro de nosotros más aun de lo que nosotros mismos estamos dentro de nosotros". Buscó palabras para declarar a los hombres el espacio copernicano y en una página famosa estampó: "Podemos afirmar con certidumbre que el universo es todo centro, o que el centro del universo está en todas partes y la circunferencia en ninguna" (*De la causa, principio ed uno, V.*).

Esto se escribió con exultación, en 1584, todavía en la luz del Renacimiento; setenta años después, no quedaba un reflejo de ese fervor y los hombres se sintieron perdidos en el tiempo y en el espacio. En el tiempo, porque si el futuro y el pasado son infinitos, no habrá realmente un cuándo; en el espacio, porque si todo ser equidista de lo infinito y de lo infinitesimal, tampoco habrá un dónde. Nadie está en algún día, en algún lugar; nadie sabe el tamaño de su cara. En el Renacimiento, la humanidad creyó haber alcanzado la edad viril, y así lo declaró por boca de Bruno, de Campanella y de Bacon. En el siglo XVII la acobardó una sensación de vejez; para justificarse, exhumó la creencia de una lenta y fatal degeneración de todas las criaturas, por obra del pecado de Adán. (En el quinto capítulo del Génesis consta que "todos los días de Matusalén fueron novecientos setenta y nueve años"; en el sexto, que "había gigantes en la tierra en aquellos días".) El primer aniversario de la elegía *Anatomy of the World*, de John Donne, lamentó la vida brevísima y la estatura mínima de los hombres contemporáneos, que son como las hadas y los pigmeos; Milton, según la biografía de Johnson, temió que ya fuera imposible en la tierra el género épico; Glanvill juzgó que Adán, "medalla de Dios", gozó de una visión telescópica y microscópica; Robert South famosamente escribió: "Un Aristóteles no fué sino los escombros de Adán, y Atenas, los rudimentos del Paraíso". En aquel siglo desanimado, el espacio absoluto que inspiró los hexámetros de Lucrecio, el espacio absoluto que había sido una liberación para Bruno, fué un laberinto y un abismo para Pascal. Éste aborrecía el universo y hubiera querido adorar a Dios, pero Dios, para él, era menos real que el aborrecido universo. Deploró que no hablara el firmamento, comparó nuestra vida con la de náufragos en una isla desierta. Sintió el peso incesante del mundo físico, sintió vértigo, miedo y soledad, y los puso en otras palabras: "La naturaleza es una esfera infinita, cuyo centro está en todas partes y la circunferencia en ninguna." Así publica Brunschvicg el texto, pero la edición crítica de Tourneur (París, 1941), que reproduce las tachaduras y vacilaciones del manuscrito, revela que Pascal empezó a escribir *effroyable*: "Una esfera espantosa, cuyo centro está en todas partes y la circunferencia en ninguna."

Quizá la historia universal es la historia de la diversa entonación de algunas metáforas.

Buenos Aires, 1951.

LA FLOR DE COLERIDGE

Hacia 1938, Paul Valéry escribió: "La Historia de la literatura no debería ser la historia de los autores y de los accidentes de su carrera o de la carrera de sus obras sino la Historia del Espíritu como productor o consumidor de literatura. Esa historia podría llevarse a término sin mencionar un solo escritor." No era la primera vez que el Espíritu formulaba esa observación; en 1844, en el pueblo de Concord, otro de sus amanuenses había anotado: "Diríase que una sola persona ha redactado cuantos libros hay en el mundo; tal unidad central hay en ellos que es innegable que son obra de un solo caballero omnisciente" (Emerson: *Essays*, 2, VIII). Veinte años antes, Shelley dictaminó que todos los poemas del pasado, del presente y del porvenir, son episodios o fragmentos de un solo poema infinito, erigido por todos los poetas del orbe (*A defence of poetry*, 1821).

Esas consideraciones (implícitas, desde luego, en el panteísmo) permitirían un inacabable debate; yo, ahora, las invoco para ejecutar un modesto propósito: la historia de la evolución de una idea, a través de los textos heterogéneos de tres autores. El primer texto es una nota de Coleridge; ignoro si éste la escribió a fines del siglo XVII, o a principios del XIX. Dice, literalmente:

"Si un hombre atravesara el Paraíso en un sueño, y le dieran una flor como prueba de que había estado allí, y si al despertar encontrara esa flor en su mano... ¿entonces, qué?"

No sé que opinará mi lector de esa imaginación; yo la juzgo perfecta. Usarla como base de otras invenciones felices, parece previamente imposible; tiene la integridad y la unidad de un *terminus ad quem*, de una meta. Claro está que lo es; en el orden de la literatura, como en los otros, no hay acto que no sea coronación de una infinita serie de causas y manantial de una infinita serie de efectos. Detrás de la invención de Coleridge está la general y antigua invención de las generaciones de amantes que pidieron como prenda una flor.

El segundo texto que alegaré es una novela que Wells bosquejó en 1887 y reescribió siete años después, en el verano de 1894. La primera versión se tituló *The chronic Argonauts* (en este título abolido, *chronic* tiene el valor etimológico de *temporal*); la definitiva, *The time machine*. Wells, en esa novela, continúa y reforma una antiquísima tradición literaria: la previsión de hechos futuros. Isaías *ve* la desolación de Babilonia y la restauración de Israel; Eneas, el destino militar de su posteridad, los romanos; la profetisa de la *Edda Saemundi*, la vuelta de los dioses que, después de la cíclica batalla en que nuestra tierra perecerá, descubrirán, tiradas en el pasto de una nueva pradera, las piezas de ajedrez con que antes jugaron... El protagonista de Wells, a diferencia de tales espectadores proféticos, viaja físicamente al porvenir. Vuelve rendido, polvoriento y maltrecho; vuelve de una remota humanidad que se ha bifurcado en especies que se odian (los ociosos *eloi*, que habitan en palacios dilapidados y en ruinosos jardines; los subterráneos y nictálopes *morlocks*, que se alimentan de los primeros); vuelve con las sienes encanecidas y trae del porvenir una flor marchita. Tal es la segunda versión de la imagen de Coleridge. Más increíble que una flor celestial o que la flor de un sueño es la flor futura, la contradictoria flor cuyos átomos ahora ocupan otros lugares y no se combinaron aún.

La tercera versión que comentaré, la más trabajada, es invención de un escritor harto más complejo que Wells, si bien menos dotado de esas agradables virtudes que es usual llamar clásicas. Me refiero al autor de *La humillación de los Northmore*, el triste y laberíntico Henry James. Éste, al morir, dejó inconclusa una novela de carácter fantástico, *The sense of the past*, que es una variación o elaboración de *The time machine*.[1] El protagonista de Wells viaja al porvenir en un inconcebible vehículo, que progresa o retrocede en el tiempo como los otros vehículos en el espacio; el de James regresa al pasado, al siglo XVIII, a fuerza de compenetrarse con esa época. (Los dos procedimientos son imposibles, pero es menos arbitrario el de James.) En *The sense of the past*, el nexo entre lo real y lo imaginativo (entre la actualidad y el pasado) no es una flor, como en las anteriores ficciones; es un retrato que data del siglo XVIII y que misteriosamente representa al protagonista. Éste, fascinado por esa tela, consigue trasladarse a la fecha en que la ejecutaron. Entre

[1] No he leído *The sense of the past*, pero conozco el suficiente análisis de Stephen Spender, en su obra *The destructive element* (páginas 105-110). James fué amigo de Wells; para su relación puede consultarse el vasto *Experiment in autobiography* de éste.

las personas que encuentra, figura, necesariamente, el pintor; éste lo pinta con temor y con aversión, pues intuye algo desacostumbrado y anómalo en esas facciones futuras... James, crea, así, un incomparable *regressus in infinitum*, ya que su héroe, Ralph Pendrel, se traslada al siglo XVIII porque lo fascina un viejo retrato, pero ese retrato requiere, para existir, que Pendrel se haya trasladado al siglo XVIII. La causa es posterior al efecto, el motivo del viaje es una de las consecuencias del viaje.

Wells, verosímilmente, desconocía el texto de Coleridge; Henry James conocía y admiraba el texto de Wells. Claro está que si es válida la doctrina de que todos los autores son un autor [1], tales hechos son insignificantes. En rigor, no es indispensable ir tan lejos; el panteísta que declara que la pluralidad de los autores es ilusoria, encuentra inesperado apoyo en el clasicista, según el cual esa pluralidad importa muy poco. Para las mentes clásicas, la literatura es lo esencial, no los individuos. George Moore y James Joyce han incorporado en sus obras, páginas y sentencias ajenas; Oscar Wilde solía regalar argumentos para que otros los ejecutaran; ambas conductas, aunque superficialmente contrarias, pueden evidenciar un mismo sentido del arte. Un sentido ecuménico, impersonal... Otro testigo de la unidad profunda del Verbo, otro negador de los límites del sujeto, fué el insigne Ben Jonson, que empeñado en la tarea de formular su testamento literario y los dictámenes propicios o adversos que sus contemporáneos le merecían, se redujo a ensamblar

[1] Al promediar el siglo XVII, el epigramatista del panteísmo Angelus Silesius dijo que todos los bienaventurados son uno (*Cherubinischer Wandersmann*, V, 7) y que todo cristiano debe ser Cristo (*op. cit.*, V, 9).

fragmentos de Séneca, de Quintiliano, de Justo Lipsio, de Vives, de Erasmo, de Maquiavelo, de Bacon y de los dos Escalígeros.

Una observación última. Quienes minuciosamente copian a un escritor, lo hacen impersonalmente, lo hacen porque confunden a ese escritor con la literatura, lo hacen porque sospechan que apartarse de él en un punto es apartarse de la razón y de la ortodoxia. Durante muchos años, yo creí que la casi infinita literatura estaba en un hombre. Ese hombre fué Carlyle, fué Johannes Becher, fué Whitman, fué Rafael Cansinos Asséns, fué De Quincey.

EL SUEÑO DE COLERIDGE

El fragmento lírico *Kubla Khan* (cincuenta y tantos versos rimados e irregulares, de prosodia exquisita) fué soñado por el poeta inglés Samuel Taylor Coleridge, en uno de los días del verano de 1797. Coleridge escribe que se había retirado a una granja en el confín de Exmoor; una indisposición lo obligó a tomar un hipnótico; el sueño lo venció momentos después de la lectura de un pasaje de Purchas, que refiere la edificación de un palacio por Kublai Khan, el emperador cuya fama occidental labró Marco Polo. En el sueño de Coleridge, el texto casualmente leído procedió a germinar y a multiplicarse; el hombre que dormía intuyó una serie de imágenes visuales y, simplemente, de palabras que las manifestaban; al cabo de unas horas se despertó, con la certidumbre de haber compuesto, o recibido, un poema de unos trescientos versos. Los recordaba con singular claridad y pudo transcribir el fragmento que perdura en sus obras. Una visita inesperada lo interrumpió y le fué imposible, después, recordar el resto. "Descubrí, con no pequeña sorpresa y mortificación —cuenta Coleridge—, que si bien retenía de un modo vago la forma general de la visión, todo lo demás, salvo unas ocho o diez líneas sueltas, había desaparecido como las imágenes en la superficie de un río en el que se arroja una piedra, pero, ay de mí, sin la ulterior restauración de estas últimas." Swinburne sintió que lo rescatado era el más alto ejemplo de la música del inglés y que el hombre capaz de analizarlo podría (la metáfora es de John Keats) destejer un arco iris. Las traducciones o resúmenes de poemas cuya virtud fundamental es la música son vanas y pueden ser perjudiciales; bástenos retener, por ahora, que a Coleridge le fué dada *en un sueño* una página de no discutido esplendor.

El caso, aunque extraordinario, no es único. En el estudio psicológico *The world of dream*, Havelock Ellis lo ha equiparado con el del violinista y compositor Giuseppe Tartini, que soñó que el Diablo (su esclavo) ejecutaba en el violín una prodigiosa sonata; el soñador, al despertar, dedujo de su imperfecto recuerdo el *Trillo del Diavolo*. Otro clásico ejemplo de cerebración inconsciente es el de Robert Louis Stevenson, a quien un sueño (según él mismo ha referido en su *Chapter on dreams*) le dió el argumento de *Olalla* y otro, en 1884, el de *Jekyll y Hide*. Tartini quiso imitar en la vigilia la música de un sueño; Stevenson recibió del sueño argumentos, es decir, formas generales; más afín a la inspiración verbal de Coleridge es la que Beda el Venerable atribuye a Caedmon (*Historia eclesiastica gentis Anglocum*, IV, 24). El caso ocurrió a fines del siglo VII, en la Inglaterra misionera y guerrera de los reinos sajones. Caedmon era un rudo pastor y ya no era joven; una noche, se escurrió de una fiesta porque previó que le pasarían el arpa, y se sabía incapaz de cantar. Se echó a dormir en el establo, entre los caballos, y en el sueño alguien lo llamó por su nombre y le ordenó que cantara. Caedmon contestó que no sabía, pero el otro le dijo: "Canta el principio de las cosas creadas." Caedmon, entonces, dijo versos que jamás había oído. No los olvidó, al despertar, y pudo repetirlos ante los monjes del cercano monasterio de Hild. No aprendió a leer, pero los monjes le explicaban pasajes de la historia sagrada y él "los rumiaba como un limpio animal y los convertía en versos dulcísimos, y de esa manera cantó la creación del mundo y del hombre y toda la historia del Génesis y el éxodo de los hijos de Israel y su entrada en la tierra de promisión, y muchas otras cosas de la Escritura, y la encarnación, pasión, resurrección y ascensión del Señor, y la venida del Espíritu Santo y la enseñanza de los apóstoles, y también el terror del Juicio Final, el horror de las penas infernales, las dulzuras del cielo y las mercedes y los juicios de Dios." Fué el primer poeta sagrado de la nación inglesa; "nadie se igualó a él —dice Beda—, porque no aprendió de los hombres sino de Dios." Años después, profetizó la hora en que iba a morir y la esperó durmiendo. Esperemos que volvió a encontrarse con su ángel.

A primera vista, el sueño de Coleridge corre el albur de parecer menos asombroso que el de su precursor. *Kubla Khan* es una composición admirable y las nueve líneas del himno soñado por Caedmon casi no presentan otra virtud que su origen onírico, pero Coleridge ya era un poeta y a Caedmon le fué revelada una vocación. Hay, sin embargo, un hecho ulterior, que magnifica hasta lo insondable la maravilla del sueño en que se engendró *Kubla Khan*. Si este hecho es verdadero, la historia del sueño de Coleridge es anterior en muchos siglos a Coleridge y no ha tocado aún a su fin.

El poeta soñó en 1797 (otros entienden que en 1798)

y publicó su relación del sueño en 1816, a manera de glosa o justificación del poema inconcluso. Veinte años después, apareció en París, fragmentariamente, la primera versión occidental de una de esas historias universales en que la literatura persa es tan rica, el *Compendio de Historias* de Rashid ed-Din, que data del siglo XIV. En una página se lee: "Al este de Shang-tu, Kublai Khan erigió un palacio, según un plano que había visto en un sueño y que guardaba en la memoria". Quien esto escribió era visir de Ghazan Mahmud, que descendía de Kublai.

Un emperador mogol, en el siglo XIII, sueña un palacio y lo edifica conforme a la visión; en el siglo XVIII, un poeta inglés que no pudo saber que esa fábrica se derivó de un sueño, sueña un poema sobre el palacio. Confrontadas con esta simetría, que trabaja con almas de hombres que duermen y abarca continentes y siglos, nada o muy poco son, me parece, las levitaciones, resurrecciones y apariciones de los libros piadosos.

¿Qué explicación preferiremos? Quienes de antemano rechazan lo sobrenatural (yo trato, siempre, de pertenecer a ese gremio) juzgarán que la historia de los dos sueños es una coincidencia, un dibujo trazado por el azar, como las formas de leones o de caballos que a veces configuran las nubes. Otros argüirán que el poeta supo de algún modo que el emperador había soñado el palacio y dijo haber soñado el poema para crear una espléndida ficción que asimismo paliara o justificara lo truncado y rapsódico de los versos.[1] Esta conjetura es verosímil, pero nos obli-

[1] A principios del siglo XIX o a fines del XVIII, juzgado por lectores de gusto clásico, *Kubla Khan* era harto más desaforado que ahora. En 1884, el primer biógrafo de Coleridge, Traill,

ga a postular, arbitrariamente, un texto no identificado por los sinólogos en el que Coleridge pudo leer, antes de 1816, el sueño de Kublai.[2] Más encantadoras son las hipótesis que trascienden lo racional. Por ejemplo, cabe suponer que el alma del emperador, destruído el palacio, penetró en el alma de Coleridge, para que éste lo reconstruyera en palabras, más duraderas que los mármoles y metales.

El primer sueño agregó a la realidad un palacio; el segundo, que se produjo cinco siglos después, un poema (o principio de poema) sugerido por el palacio; la similitud de los sueños deja entrever un plan; el período enorme revela un ejecutor sobrehumano. Indagar el propósito de ese inmortal o de ese longevo sería, tal vez, no menos atrevido que inútil, pero es lícito sospechar que no lo ha logrado. En 1691, el P. Gerbillon, de la Compañía de Jesús, comprobó que del palacio de Kublai Khan sólo quedaban ruinas; del poema nos consta que apenas se rescataron cincuenta versos. Tales hechos permiten conjeturar que la serie de sueños y de trabajos no ha tocado a su fin. Al primer soñador le fué deparada en la noche la visión del palacio y lo construyó; al segundo, que no supo del sueño del anterior, el poema sobre el palacio. Si no marra el esquema, algún lector de *Kublai Khan* soñará, en una noche de la que nos separan los siglos, un mármol o una música. Ese hombre no sabrá que otros dos soñaron quizá la serie de los sueños no tenga fin, quizá la clave esté en el último.

---

pudo aún escribir: "El extravagante poema onírico *Kubla Khan* es poco más que una curiosidad psicológica".

[2] Véase John Livingston Lowes: *The road to Xanadu*, 1927, págs, 358, 585.

Ya escrito lo anterior, entreveo o creo entrever otra explicación. Acaso un arquetipo no revelado aún a los hombres, un objeto eterno (para usar la nomenclatura de Whitehead), esté ingresando paulatinamente en el mundo; su primera manifestación fué el palacio; la segunda el poema. Quien los hubiera comparado habría visto que eran esencialmente iguales.

EL TIEMPO Y J. W. DUNNE

En el número 63 de *Sur* (diciembre de 1939) publiqué una prehistoria, una primera historia rudimental, de la regresión infinita. No todas las omisiones de ese bosquejo eran involuntarias: deliberadamente excluí la mención de J. W. Dunne, que ha derivado del interminable *regressus* una doctrina suficientemente asombrosa del sujeto y del tiempo. La discusión (la mera exposición) de su tesis hubiera rebasado los límites de esa nota. Su complejidad requería un artículo independiente: que ahora ensayaré. A su escritura me estimula el examen del último libro de Dunne —*Nothing dies* (1940, Faber and Faber)— que repite o resume los argumentos de los tres anteriores.

El argumento único, mejor dicho. Su mecanismo nada tiene de nuevo; lo casi escandaloso, lo insólito, son las inferencias del autor. Antes de comentarlas, anoto unos previos avatares de las premisas.

El séptimo de los muchos sistemas filosóficos de la India que Paul Deussen registra,[1] niega que el yo pueda ser objeto inmediato del conocimiento, "porque si fuera conocible nuestra alma, se requeriría un alma segunda

[1] *Nachvedische Philosophie der Inder*, 318.

para conocer la primera y una tercera para conocer la segunda". Los hindúes no tienen sentido histórico (es decir: perversamente prefieren el examen de las ideas al de los nombres y las fechas de los filósofos) pero nos consta que esa negación radical de la introspección cuenta unos ocho siglos. Hacia 1843, Schopenhauer la redescubre. "El sujeto conocedor", repite, "no es conocido como tal, porque sería objeto de conocimiento de otro sujeto conocedor" (*Welt als Wille und Vorstellung*, tomo segundo, capítulo diecinueve). Herbart jugó también con esa multiplicación ontológica. Antes de cumplir los veinte años había razonado que el yo es inevitablemente infinito, pues el hecho de saberse a sí mismo, postula un otro yo que se sabe también a sí mismo, y ese yo postula a su vez otro yo (Deussen: *Die neuere Philosophie*, 1920, pág. 367). Exornado de anécdotas, de parábolas, de buenas ironías y de diagramas, ese argumento es el que informa los tratados de Dunne.

Éste (*An experiment with time*, capítulo XXII) razona que un sujeto consciente no sólo es consciente de lo que observa, sino de un sujeto A que observa y, por lo tanto, de otro sujeto B que es consciente de A y, por lo tanto, de otro sujeto C consciente de B. . . No sin misterio agrega que esos innumerables sujetos íntimos no caben en las tres dimensiones del espacio pero sí en las no menos innumerables dimensiones del tiempo. Antes de aclarar esa aclaración, invito a mi lector a que repensemos lo que dice este párrafo.

Huxley, buen heredero de los nominalistas británicos, mantiene que sólo hay una diferencia verbal entre el hecho de percibir un dolor y el hecho de saber que uno lo percibe, y se burla de los metafísicos puros, que distinguen en toda sensación "un sujeto sensible, un objeto sensígeno y ese personaje imperioso: el Yo" (*Essays*, tomo sexto, página 87). Gustav Spiller (*The mind of man*, 1902) admite que la conciencia del dolor y el dolor son dos hechos distintos, pero los considera tan comprensibles como la simultánea percepción de una voz y de un rostro. Su opinión me parece válida. En cuanto a la conciencia de la conciencia, que invoca Dunne para instalar en cada individuo una vertiginosa y nebulosa jerarquía de sujetos, prefiero sospechar que se trata de estados sucesivos (o imaginarios) del sujeto inicial. "Si el espíritu —ha dicho Leibniz— tuviera que repensar lo pensado, bastaría percibir un sentimiento para pensar en él y para pensar luego en el pensamiento y luego en el pensamiento del pensamiento, y así hasta lo infinito." (*Nouveaux essais sur l'entendement humain*, libro segundo, capítulo primero.)

El procedimiento creado por Dunne para la obtención inmediata de un número infinito de tiempos es menos convincente y más ingenioso. Como Juan de Mena en su *Labyrintho*,[1] como Uspenski en el *Tertium Organum*, postula que ya existe el porvenir, con sus vicisitudes y pormenores. Hacia el porvenir preexistente (o desde el porvenir preexistente, como Bradley prefiere) fluye el río absoluto del tiempo cósmico, o los ríos mortales de nuestras vidas. Esa traslación, ese fluir, exige como todos los movimientos un tiempo determinado; tendremos pues, un tiempo segundo para que se traslade el primero; un tercero para que se traslade el segundo, y así hasta lo

[1] En este poema del siglo XV hay una visión de "muy grandes tres ruedas": la primera, inmóvil, es el pasado; la segunda, giratoria, el presente; la tercera, inmóvil, el porvenir.

infinito...[2] Tal es la máquina propuesta por Dunne. En esos tiempos hipotéticos o ilusorios tienen interminable habitación los sujetos imperceptibles que multiplica el otro *regressus.*

No sé qué opinará mi lector. No pretendo saber qué cosa es el tiempo (ni siquiera si es una "cosa") pero adivino que el curso del tiempo y el tiempo son un solo misterio y no dos. Dunne, lo sospecho, comete un error parecido al de los distraídos poetas que hablan (digamos) de la luna que muestra su rojo disco, sustituyendo así a una indivisa imagen visual un sujeto, un verbo y un complemento, que no es otro que el mismo sujeto, ligeramente enmascarado... Dunne es una víctima ilustre de esa mala costumbre intelectual que Bergson denunció: concebir el tiempo como una cuarta dimensión del espacio. Postula que ya existe el porvenir y que debemos trasladarnos a él, pero ese postulado basta para convertirlo en espacio y para requerir un tiempo segundo (que también es concebido en forma espacial, en forma de línea o de río) y después un tercero y un millonésimo. Ninguno de los cuatro libros de Dunne deja de proponer *infinitas dimensiones de tiempo,*[1] pero esas dimensiones son espaciales. El tiempo verdadero, para Dunne, es el inalcanzable término último de una serie infinita.

[2] Medio siglo antes de que la propusiera Dunne, "la absurda conjetura de un segundo tiempo, en el que fluye, rápida o lentamente, el primero", fué descubierta y rechazada por Schopenhauer, en una nota manuscrita agregada a su *Welt als Wille und Vorstellung.* La registra la pág. 829 del segundo volumen de la edición histórico-crítica de Otto Weiss.

[1] La frase es reveladora. En el capítulo XXI del libro *An experiment with time,* habla de un tiempo que es perpendicular a otro.

¿Qué razones hay para postular que ya existe el futuro? Dunne suministra dos: una, los sueños premonitorios; otra, la relativa simplicidad que otorga esa hipótesis a los inextricables diagramas que son típicos de su estilo También quiere eludir los problemas de una creación continua...

Los teólogos definen la eternidad como la simultánea y lúcida posesión de todos los instantes del tiempo y la declaran uno de los atributos divinos. Dunne, asombrosamente, supone que ya es nuestra la eternidad y que los sueños de cada noche lo corroboran. En ellos, según él, confluyen el pasado inmediato y el inmediato porvenir. En la vigilia recorremos a uniforme velocidad el tiempo sucesivo; en el sueño abarcamos una zona que puede ser vastísima. Soñar es coordinar los vistazos de esa contemplación y urdir con ellos una historia, o una serie de historias. Vemos la imagen de una esfinge y la de una botica e inventamos que una botica se convierte en esfinge. Al hombre que mañana conoceremos le ponemos la boca de una cara que nos miró anteanoche... (Ya Schopenhauer escribió que la vida y los sueños eran hojas de un mismo libro, y que leerlas en orden es vivir; hojearlas, soñar.)

Dunne asegura que en la muerte aprenderemos el manejo feliz de la eternidad. Recobraremos todos los instantes de nuestra vida y los combinaremos como nos plazca. Dios y nuestros amigos y Shakespeare colaborarán con nosotros.

Ante una tesis tan espléndida, cualquier falacia cometida por el autor, resulta baladí.

LA CREACIÓN Y P. H. GOSSE

"*The man without a Navel yet lives in me*", "*el hombre sin Ombligo perdura en mí*", curiosamente escribe Sir Thomas Browne (*Religio medici*, 1642) para significar que fué concebido en pecado, por descender de Adán. En el primer capítulo del *Ulises*, Joyce evoca asimismo el vientre inmaculado y tirante de la mujer sin madre: *Heva, naked Eve. She had no navel.* El tema (ya lo sé) corre el albur de parecer grotesco y baladí, pero el zoólogo Philip Henry Gosse lo ha vinculado al problema central de la metafísica: el problema del tiempo. Esa vinculación de 1857; ochenta años de olvido equivalen tal vez a la novedad.

Dos lugares de la Escritura (Romanos, V; I Corintios, XV) contraponen el primer hombre Adán en el que mueren todos los hombres, al postrer Adán, que es Jesús.[1] Esa contraposición, para no ser una mera blasfemia,

[1] En la poesía devota, esa conjunción es común. Quizá el ejemplo más intenso esté en la penúltima estrofa del *Hymn to God, my God, in my sickness*, March 23, *1630*, que compuso John Donne:

> *We think that* Paradise *and* Calvary,
> Christ's *Cross, and* Adam's *tree, stood in one place,*
> *Look Lord, and find both* Adams *met in me;*
> *As the first* Adam's *sweat surrounds, my face,*
> *May the last* Adam's *blood my soul embrace.*

presupone cierta enigmática paridad, que se traduce en mitos y en simetría. La *Aurea leyenda* dice que la madera de la Cruz procede de aquel Árbol prohibido que está en el Paraíso; los teólogos, que Adán fué creado por el Padre y el Hijo a la precisa edad en que murió el Hijo: a los treinta y tres años. Esta insensata precisión tiene que haber influído en la cosmogonía de Gosse.

Éste la divulgó en el libro *Omphalos* (Londres 1857), cuyo subtítulo es *Tentativa de desatar el nudo geológico*. En vano he interrogado las bibliotecas en busca de ese libro; para redactar esta nota, me serviré de los resúmenes de Edmund Gosse (*Father and son*, 1907), y de H. G. Wells (*All aboard for Ararat*, 1940). Introduce ilustraciones que no figuran en esas breves páginas, pero que juzgo compatibles con el pensamiento de Gosse.

En aquel capítulo de su *Lógica* que trata de la ley de causalidad, John Stuart Mill razona que el estado del universo en cualquier instante es una consecuencia de su estado en el instante previo y que a una inteligencia infinita le bastaría el conocimiento perfecto de un *solo instante* para saber la historia del universo, pasada y venidera. (También razona —¡oh Louis Auguste Blanqui, oh Nietzsche, oh Pitágoras!— que la repetición de cualquier estado comportaría la repetición de todos los otros y haría de la historia universal una serie cíclica.) En esa moderada versión de cierta fantasía de Laplace —éste había imaginado que el estado presente del universo es, en teoría, reducible a una fórmula, de la que Alguien podría deducir todo el porvenir y todo el pasado—. Mill no excluye la posibilidad de una futura intervención exterior que rompa la serie. Afirma que el estado *q* fatalmente producirá el estado *r*; el estado *r*, el *s*; el estado *s*, el *t*; pero admite que antes de *t*; una catástrofe divina —la *consummatio mundi*, digamos— puede haber aniquilado el planeta. El porvenir es inevitable, preciso, pero puede no acontecer. Dios acecha en los intervalos.

En 1857, una discordia preocupaba a los hombres. El Génesis atribuía seis días —seis días hebreos inequívocos, de ocaso a ocaso— a la creación divina del mundo; los paleontólogos impiadosamente exigían enormes acumulaciones de tiempo. En vano repetía De Quincey que la Escritura tiene la obligación de no instruir a los hombres en ciencia alguna, ya que las ciencias constituyen un vasto mecanismo para desarrollar y ejercitar el intelecto humano... ¿Cómo reconciliar a Dios con los fósiles, a Sir Charles Lyell con Moisés? Gosse, fortalecido por la plegaria, propuso una respuesta asombrosa.

Mill imagina un tiempo causal, infinito, que puede ser interrumpido por un acto futuro de Dios; Gosse, un tiempo rigurosamente causal, infinito, que ha sido interrumpido por un acto pretérito: la Creación. El estado *n* producirá fatalmente el estado *v*, pero antes de *v* puede ocurrir el Juicio Universal; el estado *n* presupone el estado *c*, pero *c* no ha ocurrido, porque el mundo fué creado en *f* o en *h*. El primer instante del tiempo coincide con el instante de la Creación, como dicta San Agustín, pero ese primer instante comporta no sólo un infinito porvenir sino un infinito pasado. Un pasado hipotético, claro está, pero minucioso y fatal. Surge Adán y sus dientes y su esqueleto cuentan 33 años; surge Adán (escribe Edmund Gosse) y ostenta un ombligo, aunque ningún cordón umbilical lo ha atado a una madre. El principio de razón exige que no haya un solo efecto sin causa; esas causas requieren otras causas, que regresivamente se multiplican [1]; de todas hay vestigios concretos, pero sólo han existido realmente las que son posteriores a la Creación. Perduran esqueletos de gliptodonte en la cañada de Luján, pero no hubo jamás gliptodontes. Tal es la tesis ingeniosa (y ante todo increíble) que Philip Henry Gosse propuso a la religión y a la ciencia.

Ambas la rechazaron. Los periodistas la redujeron a la doctrina de que Dios había escondido fósiles bajo tierra para probar la fe de los geólogos; Charles Kingsley desmintió que el Señor hubiera grabado en las rocas "una superflua y vasta mentira". En vano expuso Gosse la base metafísica de la tesis: lo inconcebible de un instante de tiempo sin otro instante precedente y otro ulterior, y así hasta lo infinito. No sé si conoció la antigua sentencia que figura en las páginas iniciales de la antología talmúdica de Rafael Cansinos-Asséns: *No era sino la primera noche, pero una serie de siglos la había ya precedido.*

Dos virtudes quiero reinvindicar para la olvidada tesis de Gosse. La primera: su elegancia un poco monstruosa. La segunda: su involuntaria reducción al absurdo de una *creatio ex nihilo*, su demostración indirecta de que el universo es eterno, como pensaron el Vedanta y Heráclito, Spinoza y los atomistas... Bertrand Russell la ha actualizado. En el capítulo noveno del libro *The analysis of mind* (Londres, 1921) supone que el planeta ha sido creado hace pocos minutos, provisto de una humanidad que "recuerda" un pasado ilusorio.

Buenos Aires, 1941.

[1] Cf. Spencer: *Facts and comments*, pág. 148-151, 1902.

Posdata: En 1802, Chateaubriand (*Génie du christianisme*, I, 4, 5) formuló, partiendo de razones estéticas, una tesis idéntica a la de Gosse. Denunció lo insípido, e irrisorio, de un primer día de la Creación, poblado de pichones, de larvas, de cachorros y de semillas. *San une vieillesse originaire, la nature dans son innocence eût été moins belle qu'elle ne l'est aujoud'hui dans sa corruption*, escribió.

LAS ALARMAS DEL DOCTOR AMÉRICO CASTRO [1]

La palabra *problema* puede ser una insidiosa petición de principio. Hablar del *problema judío* es postular que los judíos son un problema; es vaticinar (y recomendar) las persecuciones, la expoliación, los balazos, el degüello, el estupro y la lectura de la prosa del doctor Rosenberg, Otro demérito de los falsos problemas es el de promover soluciones que son falsas también. A Plinio (*Historia natural*, libro octavo) no le basta observar que los dragones atacan en verano a los elefantes: aventura la hipótesis de que lo hacen para beberles toda la sangre que, como nadie ignora, es muy fría. Al doctor Castro (*La peculiaridad lingüística*, etcétera) no le basta observar un "desbarajuste lingüístico en Buenos Aires": aventura la hipótesis del "lunfardismo" y de la "mística gauchofilia".

Para demostrar la primera tesis —la corrupción del idioma español en el Plata—, el doctor apela a un procedimiento que debemos calificar de sofístico, para no poner en duda su inteligencia; de candoroso, para no dudar de su probidad. Acumula retazos de Pacheco, de Vacarezza, de Lima, de *Last Reason*, de Contursi, de Enrique

[1] *La peculiaridad lingüística rioplatense y su sentido histórico* (Losada, Buenos Aires, 1941).

González Tuñón, de Palermo, de Llanderas y de Malfatti, los copia con infantil gravedad y luego los exhibe *urbi et orbi* como ejemplos de nuestro depravado lenguaje. No sospecha que tales ejercicios ("Con un feca con chele | y una ensaimada | vos te venís pal Centro | de gran bacán") son caricaturales; los declara "síntomas de una alteración grave", cuya causa remota son "las conocidas circunstancias que hicieron de los países platenses zonas hasta donde el latido del imperio hispano llegaba ya sin brío". Con igual eficacia cabría argumentar que en Madrid no quedan ya vestigios del español, según lo demuestran las coplas que Rafael Salillas transcribe (*El delincuente español: su lenguaje*, 1896):

El minche de esa rumi
dicen no tenela bales;
los he dicaito yo,
los tenela muy juncales...

El chibel barba del breje
menjindé a los burós:
apincharé ararajay
y menda la pirabó.

Ante su poderosa tiniebla es casi límpida esta pobre copla lunfarda:

El bacán le acanaló
el escracho a la minushia;
después espirajushió
por temor a la canushia.[1]

[1] La registra el vocabulario jergal de Luis Villamayor: *El lenguaje del bajo fondo* (Buenos Aires, 1915). Castro ignora este léxico, tal vez porque lo señala Arturo Costa Álvarez en un libro esencial: *El castellano en la Argentina* (La Plata, 1928). Inútil advertir que nadie pronuncia *minushia, canushia, espirajushiar.*

En la página 139, el doctor Castro nos anuncia otro libro sobre el problema de la lengua de Buenos Aires; en la 87, se jacta de haber descifrado un diálogo campero de Lynch "en el cual los personajes usan los medios más bárbaros de expresión, que sólo comprendemos enteramente los familiarizados con las jergas rioplatenses". Las jergas: *ce pluriel est bien singulier.* Salvo el lunfardo (módico esbozo carcelario que nadie sueña en parangonar con el exuberante caló de los españoles), no hay jergas en este país. No adolecemos de dialectos, aunque sí de institutos dialectológicos. Esas corporaciones viven de reprobar las sucesivas jerigonzas que inventan. Han improvisado el *gauchesco*, a base de Hernández; el *cocoliche*, a base de un payaso que trabajó con los Podestá; el *vesre*, a base de los alumnos de cuarto grado. Poseen fonógrafos; mañana transcribirán la voz de *Catita.* En esos detritus se apoyan; esas riquezas les debemos y deberemos.

No menos falsos son "los graves problemas que el habla presenta en Buenos Aires". He viajado por Cataluña, por Alicante, por Andalucía, por Castilla; he vivido un par de años en Valldemosa y uno en Madrid; tengo gratísimos recuerdos de esos lugares; no he observado jamás que los españoles hablaran mejor que nosotros. (Hablan en voz más alta, eso sí, con el aplomo de quienes ignoran la duda.) El doctor Castro nos imputa arcaísmo. Su método es curioso: descubre que las personas más cultas de San Mamed de Puga, en Orense, han olvidado tal o cual acepción de tal o cual palabra; inmediatamente resuelve que los argentinos deben olvidarla también... El hecho es que el idioma español adolece de varias imperfecciones (monótono predominio de las vocales, excesivo relieve de las palabras, ineptitud para formar palabras compuestas) pero no de la imperfección que sus torpes vindicadores le achacan: la dificultad. El español es facilísimo. Sólo los españoles lo juzgan arduo: tal vez porque los turban las atracciones del catalán, del bable, del mallorquín, del galaico, del vascuence y del valenciano; tal vez por un error de la vanidad; tal vez por cierta rudeza verbal (confunden acusativo y dativo, dicen *le mató* por *lo mató*, suelen ser incapaces de pronunciar *Atlántico* o *Madrid*, piensan que un libro puede sobrellevar este cacofónico título: *La peculiaridad lingüística rioplatense y su sentido histórico*).

El doctor Castro, en cada una de las páginas de este libro, abunda en supersticiones convencionales. Desdeña a López y venera a Ricardo Rojas; niega los tangos y alude con respeto a las jácaras, piensa que Rosas fué un caudillo de montoneras, un hombre a lo Ramírez o Artigas, y ridículamente lo llama "centauro máximo". (Con mejor estilo y juicio más lúcido, Groussac prefirió la definición: "miliciano de retaguardia".) Proscribe —entiendo que con toda razón— la palabra *cachada*, pero se resigna a *tomadura de pelo*, que no es visiblemente más lógica ni más encantadora. Ataca los idiotismos americanos, porque los idiotismos españoles le gustan más. No quiere que digamos *de arriba*; quiere que digamos *de gorra*... Este examinador "del hecho lingüístico bonaerense" anota seriamente que los porteños llaman *acridio* a la langosta; este lector inexplicable de Carlos de la Púa y de *Yacaré* nos revela que *taita*, en arrabalero, significa *padre*.

En este libro, la forma no desdice del fondo. A veces el estilo es comercial: "Las bibliotecas de Méjico poseían libros de alta calidad" (página 49); "La aduana seca...

imponía precios fabulosos" (página 52). Otras, la trivialidad continua del pensamiento no excluye el pintoresco dislate: "Surge entonces lo único posible, el tirano, condensación de la energía sin rumbo de la masa, que él no encauza, porque no es guía sino mole aplastante, ingente aparato ortopédico que mecánicamente, bestialmente, enredila al rebaño que se desbanda" (páginas 71, 72). Otras, el investigador de Vacarezza intenta el *mot juste*: "Por los mismos motivos por los que se torpedea la maravillosa gramática de A. Alonso y P. Henríquez Ureña" (página 31).

Los compadritos de *Last Reason* emiten metáforas hípicas; el doctor Castro, más versátil en el error, conjuga la radiotelefonía y el football: "El pensamiento y el arte rioplatense son antenas valiosas para cuanto en el mundo significa valía y esfuerzo, actitud intensamente receptiva que no ha de tardar en convertirse en fuerza creadora, si el destino no tuerce el rumbo de las señales propicias. La poesía, la novela y el ensayo lograron allá más de un "goal" perfecto. La ciencia y el pensar filosófico cuentan entre sus cultivadores nombres de suma distinción" (página 9).

A la errónea y mínima erudición, el doctor Castro añade el infatigable ejercicio de la zalamería, de la prosa rimada y del terrorismo.

P. S. — Leo en la página 136: "Lanzarse en serio, sin ironía, a escribir como Ascasubi, Del Campo o Hernández es asunto que da en qué pensar". Copio las últimas estrofas del *Martín Fierro*:

Cruz y Fierro de una estancia
Una tropilla se arriaron,
Por delante se la echaron
Como criollos entendidos
Y pronto, sin ser sentidos,
Por la frontera cruzaron.

Y cuando la habían pasao
Una madrugada clara,
Le dijo Cruz que mirara
Las últimas poblaciones;
Y a Fierro dos lagrimones
Le rodaron por la cara.

Y siguiendo el fiel del rumbo,
Se entraron en el desierto,
No sé si los habrán muerto
En alguna correría
Pero espero que algún día
Sabré de ellos algo cierto.

Y ya con estas noticias
Mi relación acabé,
Por ser ciertas las conté,
Todas las desgracias dichas:
Es un telar de desdichas
Cada gaucho que usté vé.

Pero ponga su esperanza
En el Dios que lo firmó,
Y aquí me despido yo
Que he relatao a mi modo,
Males que conocen todos
Pero que naides contó.

"En serio, sin ironía", pregunto: ¡Quién es más dialectal: el cantor de las límpidas estrofas que he repetido o el incoherente redactor de los aparatos ortopédicos que enredilan rebaños, de los géneros literarios que juegan al football y de las gramáticas torpedeadas?

En la página 122, el doctor Castro ha enumerado algunos escritores cuyo estilo es correcto; a pesar de la inclusión de mi nombre en ese catálogo, no me creo del todo incapacitado para hablar de estilística.

NUESTRO POBRE INDIVIDUALISMO

Las ilusiones del patriotismo no tienen término. En el primer siglo de nuestra era, Plutarco se burló de quienes declaran que la luna de Atenas es mejor que la luna de Corinto; Milton, en el XVII, notó que Dios tenía la costumbre de revelarse primero a Sus ingleses; Fichte, a principios del XIX, declaró que tener carácter y ser alemán es, evidentemente, lo mismo. Aquí, los nacionalistas pululan; los mueve, según ellos, el atendible o inocente propósito de fomentar los mejores rasgos argentinos. Ignoran, sin embargo, a los argentinos; en la polémica, prefieren definirlos en función de algún hecho externo; de los conquistadores españoles (digamos) o de una imanaria tradición católica o del "imperialismo sajón".

El argentino, a diferencia de los americanos del Norte y de casi todos los europeos, no se identifica con el Estado. Ello puede atribuirse a la circunstancia de que, en este país, los gobiernos suelen ser pésimos o al hecho general de que el Estado es una inconcebible abstracción;[1] lo cierto es que el argentino es un individuo, no un ciudadano. Aforismos como el de Hegel "El Estado

[1] El Estado es impersonal: el argentino sólo concibe una relación personal. Por eso, para él, robar dineros públicos no es un crimen. Compruebo un hecho; no lo justifico o excuso.

es la realidad de la idea moral" le parecen bromas siniestras. Los films elaborados en Hollywood repetidamente proponen a la admiración el caso de un hombre (generalmente, un periodista) que busca la amistad de un criminal para entregarlo después a la policía; el argentino, para quien la amistad es una pasión y la policía una *maffia*, siente que ese "héroe" es un incomprensible canalla. Siente con D. Quijote que "allá se lo haya cada uno con su pecado" y que "no es bien que los hombres honrados sean verdugos de los otros hombres, no yéndoles nada en ello" (*Quijote*, I, XXII). Más de una vez, ante las vanas simetrías del estilo español, he sospechado que diferimos insalvablemente de España; esas dos líneas del Quijote han bastado para convencerme de error; son como el símbolo tranquilo y secreto de nuestra afinidad. Profundamente lo confirma una noche de la literatura argentina: esa desesperada noche en la que un sargento de la policía rural gritó que no iba a consentir el delito de que se matara a un valiente y se puso a pelear contra sus soldados, junto al desertor Martín Fierro.

El mundo, para el europeo, es un cosmos, en el que cada cual íntimamente corresponde a la función que ejerce; para el argentino, es un caos. El europeo y el americano del Norte juzgan que ha de ser bueno un libro que ha merecido un premio cualquiera; el argentino admite la posibilidad de que no sea malo, a pesar del premio. En general, el argentino descree de las circunstancias. Puede ignorar la fábula de que la humanidad siempre incluye treinta y seis hombres justos —los *Lamed Wufniks*— que no se conocen entre ellos pero que secretamente sostienen el universo; si la oye, no le extrañará que esos beneméritos sean oscuros y anónimos...

Su héroe popular es el hombre solo que pelea con la partida, ya en acto (Fierro, Moreira, Hormiga Negra), ya en potencia o en el pasado (Segundo Sombra). Otras literaturas no registran hechos análogos. Consideremos, por ejemplo, dos grandes escritores europeos: Kipling y Franz Kafka. Nada, a primera vista, hay entre los dos de común, pero el tema del uno es la vindicación del orden, de un orden (la carretera en *Kim*, el puente en *The Bridge-Builders*, la muralla romana en *Puck of Pook's Hill*); el del otro, la insoportable y trágica soledad de quien carece de un lugar, siquiera humildísimo, en el orden del universo.

Se dirá que los rasgos que he señalado son meramente negativos o anárquicos; se añadirá que no son capaces de explicación política. Me atrevo a sugerir lo contrario. El más urgente de los problemas de nuestra época (ya denunciado con profética lucidez por el casi olvidado Spencer) es la gradual intromisión del Estado en los actos del individuo; en la lucha con ese mal, cuyos nombres son comunismo y nazismo, el individualismo argentino, acaso inútil o perjudicial hasta ahora, encontraría justificación y deberes.

Sin esperanza y con nostalgia, pienso en la abstracta posibilidad de un partido que tuviera alguna afinidad con los argentinos; un partido que nos prometiera (digamos) un severo mínimo de gobierno.

El nacionalismo quiere embelesarnos con la visión de un Estado infinitamente molesto; esa utopía, una vez lograda en la tierra, tendría la virtud providencial de hacer que todos anhelaran, y finalmente construyeran, su antítesis.

Buenos Aires, 1946.

QUEVEDO

Como la otra, la historia de la literatura abunda en enigmas. Ninguno de ellos me ha inquietado, y me inquieta, como la extraña gloria parcial que le ha tocado en suerte a Quevedo. En los censos de nombres universales el suyo no figura. Mucho he tratado de inquirir las razones de esa extravagante omisión; alguna vez, en una conferencia olvidada, creí encontrarlas en el hecho de que sus duras páginas no fomentan, ni siquiera toleran, el menor desahogo sentimental. ("Ser sensiblero es tener éxito", ha observado George Moore.) Para la gloria, decía yo, no es indispensable que un escritor se muestre sentimental, pero es indispensable que su obra, o alguna circunstancia biográfica, estimulen el patetismo. Ni la vida ni el arte de Quevedo, reflexioné, se prestan a esas tiernas hipérboles cuya repetición es la gloria...

Ignoro si es correcta esa explicación: yo, ahora la complementaría con ésta: virtualmente, Quevedo no es inferior a nadie, pero no ha dado con un símbolo que se apodere de la imaginación de la gente. Homero tiene a Príamo, que besa las homicidas manos de Aquiles; Sófocles tiene un rey que descifra enigmas y a quien los hados harán descifrar el horror de su propio destino; Lucrecio tiene el infinito abismo estelar y las discordias de los átomos;

Dante, los nueve círculos infernales y la Rosa paradisíaca; Shakespeare, sus orbes de violencia y de música; Cervantes, el afortunado vaivén de Sancho y de Quijote; Swift, su república de caballos virtuosos y de *yahoos* bestiales; Melville, la abominación y el amor de la Ballena Blanca; Franz Kafka, sus crecientes y sórdidos laberintos. No hay escritor de fama universal que no haya amonedado un símbolo; éste, conviene recordar, no siempre es objetivo y externo. Góngora o Mallarmé, verbigracia, perduran como tipos del escritor que laboriosamente elabora una obra secreta; Whitman, como protagonista semidivino de *Leaves of grass*. De Quevedo, en cambio, sólo perdura una imagen caricatural. "El más noble estilista español se ha transformado en un prototipo chascarrillero", observa Leopoldo Lugones (*El imperio jesuítico*, 1904, pág. 59).

Lamb dijo que Edmund Spenser era *the poets' poet*, el poeta de los poetas. De Quevedo habría que resignarse a decir que es el literato de los literatos. Para gustar de Quevedo hay que ser (en acto o en potencia) un hombre de letras; inversamente, nadie que tenga vocación literaria puede no gustar de Quevedo.

La grandeza de Quevedo es verbal. Juzgarlo un filósofo, un teólogo o (como quiere Aureliano Fernández Guerra) un hombre de estado, es un error que pueden consentir los títulos de sus obras, no el contenido. Su tratado *Providencia de Dios, padecida de los que la niegan y gozada de los que la confiesan: doctrina estudiada en los gusanos y persecuciones de Job* prefiere la intimidación al razonamiento. Como Cicerón (*De natura deorum*, II. 40-44), prueba un orden divino mediante el orden que se observa en los astros, "dilatada república de luces", y, despachada esa variación estelar del argumento cosmológico, agrega: "Pocos fueron los que absolutamente negaron que había Dios; sacaré a la vergüenza los que tuvieron menos, y son: Diágoras milesio, Protágoras abderites, discípulos de Demócrito y Theodoro (llamado Atheo vulgarmente), y Bión borysthenites, discípulo del inmundo y desatinado Theodoro", lo cual es mero terrorismo. Hay en la historia de la filosofía doctrinas, probablemente falsas, que ejercen un oscuro encanto sobre la imaginación de los hombres: la doctrina platónica y pitagórica del tránsito del alma por muchos cuerpos, la doctrina gnóstica de que el mundo es obra de un dios hostil o rudimentario. Quevedo, sólo estudioso de la verdad, es invulnerable a ese encanto. Escribe que la transmigración de las almas es "bobería bestial" y "locura bruta". Empédocles de Agrigento afirmó: "He sido un niño, una muchacha, una mata, un pájaro y un mudo pez que surge del mar"; Quevedo anota (*Providencia de Dios*): "Descubrióse por juez y legislador desta tropelía Empédocles, hombre tan desatinado, que afirmando que había sido pez, se mudó en tan contraria y opuesta naturaleza, que murió mariposa del Etna; y a vista del mar, de quien había sido pueblo, se precipitó en el fuego." A los gnósticos, Quevedo los moteja de infames, de malditos, de locos y de inventores de disparates (*Zahurdas de Plutón, in fine*).

Su *Política de Dios y gobierno de Cristo nuestro Señor* debe considerarse, según Aureliano Fernández Guerra, "como un sistema completo de gobierno, el más acertado, noble y conveniente". Para estimar ese dictamen en lo que vale, bástenos recordar que los cuarenta y siete capítulos de ese libro ignoran otro fundamento que la curiosa hipótesis de que los actos y palabras de Cristo (que fué, según es fama, *Rex Judaeorum*) son símbolos secretos a a cuya luz el político tiene que resolver sus problemas. Fiel a esa cábala, Quevedo extrae, del episodio de la samaritana, que los tributos que los reyes exigen deben ser leves; del episodio de los panes y de los peces, que los reyes deben remediar las necesidades; de la repetición de la fórmula *sequebantur*, que "el rey ha de llevar tras sí los ministros, no los ministros al rey"... El asombro vacila entre lo arbitrario del método y la trivialidad de las conclusiones. Quevedo, sin embargo, todo lo salva, o casi, con la dignidad del lenguaje.[1] El lector distraído puede juzgarse edificado por esa obra. Análoga discordia se advierte en el *Marco Bruto*, donde el pensamiento no es memorable aunque lo son las cláusulas. Logra su perfección en ese tratado el más impotente de los estilos que Quevedo ejerció. El español, en sus páginas lapidarias, parece regresar al arduo latín de Séneca, de Tácito y de Lucano, al atormentado y duro latín de la edad de plata. El ostentoso laconismo, el hipérbaton, el casi algebraico rigor, la oposición de términos, la aridez, la repetición de palabras, dan a ese texto una precisión ilusoria. Muchos períodos merecen, o exigen, el juicio de perfectos. Este, verbigracia, que copio: "Honraron con unas hojas de laurel un linaje; pagaron grandes y soberanas victorias con las aclamaciones de un triunfo; recompensaron vidas casi divinas con unas estatuas; y para que no des-

[1] Reyes certeramente observa (*Capítulos de literatura española*, 1939, pág. 133): "Las obras políticas de Quevedo no proponen una nueva interpretación de los valores políticos, ni tienen ya más que un valor retórico... O son panfletos de oportunidad, o son obras de declamación académica. La *Política de Dios*, a pesar de su ambiciosa apariencia, no es más que un alegato contra los malos ministros. Pero entre estas páginas pueden encontrarse algunos de los rasgos más propios de Quevedo."

caeciesen de prerrogativas de tesoro los ramos y las yerbas y el mármol y las voces, no las permitieron a la pretensión, sino al mérito." Otros estilos frecuentó Quevedo con no menos felicidad: el estilo aparentemente oral del *Buscón*, el estilo desaforado y orgiástico (pero no ilógico) de *La hora de todos*.

"El lenguaje —ha observado Chesterton (*G. F. Watts*, 1904, pág. 91)— no es un hecho científico, sino artístico; lo inventaron guerreros y cazadores y es muy anterior a la ciencia." Nunca lo entendió así Quevedo, para quien el lenguaje fué, esencialmente, un instrumento lógico. Las trivialidades o eternidades de la poesía —aguas equiparadas a cristales, manos equiparadas a nieve, ojos que lucen como estrellas y estrellas que miran como ojos— le incomodaban por ser fáciles, pero mucho más por ser falsas. Olvidó, al censurarlas, que la metáfora es el contacto momentáneo de dos imágenes, no la metódica asimilación de dos cosas... También abominó de los idiotismos. Con el propósito de "sacarlos a la vergüenza, urdió con ellos la rapsodia que se titula *Cuento de cuentos*; muchas generaciones, embelesadas, han preferido ver en esa reducción al absurdo un museo de primores, divinamente destinado a salvar del olvido las locuciones *zurriburi, abarrisco, cochite hervite, quitome allá esas pajas* y *a trochi-moche*.

Quevedo ha sido equiparado, más de una vez, a Luciano de Samosata. Hay una diferencia fundamental: Luciano, al combatir en el siglo II a las divinidades olímpicas, hace obra de polémica religiosa; Quevedo, al repetir ese ataque en el siglo XVII de nuestra era, se limita a observar una tradición literaria.

Examinada, siquiera brevemente, su prosa, paso a discutir su poesía, no menos múltiple.

Considerados como documentos de una pasión, los poemas eróticos de Quevedo son insatisfactorios; considerados como juegos de hipérboles, como deliberados ejercicios de petrarquismo, suelen ser admirables. Quevedo, hombre de apetitos vehementes, no dejó nunca de aspirar al ascetismo estoico; también debió de parecerle insensato depender de mujeres ("aquél es avisado, que usa de sus caricias y no se fía de éstas"); bastan esos motivos para explicar la artificialidad voluntaria de aquella Musa IV de su Parnaso, que "canta hazañas del amor y de la hermosura". El acento personal de Quevedo está en otras piezas; en las que le permiten publicar su melancolía, su coraje o su desengaño. Por ejemplo, en este soneto que envió, desde su Torre de Juan Abad, a don José de Salas (*Musa*, II, 109):

Retirado en la paz de estos desiertos,
Con pocos, pero doctos, libros juntos,
Vivo en conversación con los difuntos
Y escucho con mis ojos a los muertos.

Si no siempre entendidos, siempre abiertos,
O enmiendan o secundan mis asuntos,
Y en músicos callados contrapuntos
Al sueño de la vida hablan despiertos.

Las grandes almas que la muerte ausenta,
De injurias de los años vengadora,
Libra, oh gran don Joseph, docta la Imprenta.

En fuga irrevocable huye la hora;
Pero aquella el mejor cálculo cuenta,
Que en la lección y estudio nos mejora.

No faltan rasgos conceptistas en la pieza anterior (escuchar con los ojos, hablar despiertos al sueño de la vida) pero el soneto es eficaz a despecho de ellos, no a causa de ellos. No diré que se trata de una transcripción de la realidad, porque la realidad no es verbal, pero sí que sus palabras importan menos que la escena que evocan o que el acento varonil que parece informarlas. No siempre ocurre así; en el más ilustre soneto de este volumen —*Memoria inmortal de don Pedro Girón, duque de Osuna, muerto en la prisión*—, la espléndida eficacia del dístico

Su Tumba son de Flandes las Campañas
y su Epitaphio la sangrienta Luna

es anterior a toda interpretación y no depende de ella. Digo lo mismo de la subsiguiente expresión: *el llanto militar*, cuyo sentido no es enigmático, pero sí baladí: *el llanto de los militares*. En cuanto a la *sangrienta Luna*, mejor es ignorar que se trata del símbolo de los turcos, eclipsado por no sé qué piraterías de don Pedro Téllez Girón.

No pocas veces, el punto de partida de Quevedo es un texto clásico. Así, la memorable línea (*Musa*, IV, 31):

Polvo serán, mas polvo enamorado

es una recreación, o exaltación, de una de Propercio (*Elegías*, I, 19):

Ut meus oblito pulvis amore vacet.

Grande es el ámbito de la obra poética de Quevedo. Comprende pensativos sonetos, que de algún modo prefiguran a Wordsworth; opacas y crujientes severidades [1], bruscas magias de teólogos ("Con los doce cené: yo fuí la cena"); gongorismos intercalados para probar que también él era capaz de jugar a ese juego [2]; urbanidades y dulzuras de Italia ("humilde soledad verde y sonora"); variaciones de Persio, de Séneca, de Juvenal, de las Escrituras, de Joachim de Bellay; brevedades latinas; chocarre-

1 *Temblaron los umbrales y las puertas,*
Donde la majestad negra y oscura
Las frías desangradas sombras muertas
Oprime en ley desesperada y dura;
Las tres gargantas al ladrido abiertas,
Viendo la nueva luz divina y pura,
Enmudeció Cerbero, y de repente
Hondos suspiros dió la negra gente.

Gimió debajo de los pies el suelo,
Desiertos montes de ceniza canos,
Que no merecen ver ojos del cielo,
Y en nuestra amarillez ciegan los llanos.
Acrecentaban miedo y desconsuelo
Los roncos perros, que en los reinos vanos
Molestan el silencio y los oídos,
Confundiendo lamentos y ladridos.

(Musa IX)

Un animal a la labor nacido
Y símbolo celoso a los mortales,
Que a Jove fué disfraz, y fué vestido;
Que un tiempo endureció manos reales,
Y detrás de él los cónsules gimieron,
Y rumía luz en campos celestiales.

(Musa II)

rías [1]; burlas de curioso artificio [2]; lóbregas pompas de la aniquilación y del caos.

Harta la Toga del veneno tirio,
O ya en el oro pálido y rigente
Cubre con los thesoros del Oriente,
Mas no descansa, ¡oh Licas!, tu martirio.

Padeces un magnífico delirio,
Cuando felicidad tan delincuente
Tu horror oscuro en esplendor te miente,
Víbora en rosicler, áspid en lirio.

Competir su Palacio a Jove quieres,
Pues miente el oro Estrellas a su modo,
En el que vives, sin saber que mueres.

Y en tantas glorias tú, señor de todo,
Para quien sabe examinarte, eres
Lo solamente vil, el asco, el lodo.

Las mejores piezas de Quevedo existen más allá de la moción que las engendró y de las comunes ideas que las informan. No son oscuras; eluden el error de perturbar, o de distraer, con enigmas, a diferencia de otras de Mallarmé, de Yeats y de George. Son (para de alguna ma-

1 *La Méndez llegó chillando*
Con trasudores de aceite,
Derramando por los hombros
El columpio de las liendres.

(Musa V)

2 *Aquesto Fabio cantaba*
A los balcones y rejas
De Aminta, que aun de olvidarlo,
Le han dicho que no se acuerda.

(Musa VI)

nera decirlo) objetos verbales, puros e independientes como una espada o como un anillo de plata. Ésta, por ejemplo: *Hasta la Toga del veneno tirio.*

Trescientos años ha cumplido la muerte corporal de Quevedo, pero éste sigue siendo el primer artífice de las letras hispánicas. Como Joyce, como Goethe, como Shakespeare, como Dante, como ningún otro escritor, Francisco de Quevedo es menos un hombre que una dilatada y compleja literatura.

MAGIAS PARCIALES DEL "QUIJOTE"

Es verosímil que estas observaciones hayan sido enunciadas alguna vez y, quizá muchas veces; la discusión de su novedad me interesa menos que la de su posible verdad.

Cotejado con otros libros clásicos (la Ilíada, la Eneida, la Farsalia, la Comedia dantesca, las tragedias y comedias de Shakespeare), el Quijote es realista; este realismo, sin embargo, difiere esencialmente del que ejerció el siglo XIX. Joseph Conrad pudo escribir que excluía de su obra lo sobrenatural, porque admitirlo parecía negar que lo cotidiano fuera maravilloso: ignoro si Miguel de Cervantes compartió esa intuición, pero sé que la forma del Quijote le hizo contraponer a un mundo imaginario poético, un mundo real prosaico. Conrad y Henry James novelaron la realidad porque la juzgaban poética; para Cervantes son antinomias lo real y lo poético. A las vastas y vagas geografías del Amadis opone los polvorientos caminos y los sórdidos mesones de Castilla; imaginemos a un novelista de nuestro tiempo que destacara con sentido paródico las estaciones de aprovisionamiento de nafta. Cervantes ha creado para nosotros la poesía de la España del siglo XVII, pero ni aquel siglo ni aquella España eran poéticas para él; hombres como Unamuno o Azorín o Antonio Machado, enternecidos ante la evocación de la Mancha, le hubieran sido incomprensibles. El plan de su obra le vedaba lo maravilloso; éste, sin embargo, tenía que figurar, siquiera de manera indirecta, como los crímenes y el misterio en una parodia de la novela policial. Cervantes no podía recurrir a talismanes o a sortilegios, pero insinuó lo sobrenatural de un modo sutil, y, por ello mismo, más eficaz. Íntimamente, Cervantes amaba lo sobrenatural. Paul Groussac, en 1924, observó: "Con alguna mal fijada tintura de latín e italiano, la cosecha literaria de Cervantes provenía sobre todo de las novelas pastoriles y las novelas de caballerías, fábulas arrulladoras del cautiverio." El *Quijote* es menos un antídoto de esas ficciones que una secreta despedida nostálgica.

En la realidad, cada novela es un plano ideal; Cervantes se complace en confundir lo objetivo y lo subjetivo, el mundo del lector y el mundo del libro. En aquellos capítulos que discuten si la bacía del barbero es un yelmo y la albarda un jaez, el problema se trata de modo explícito; otros lugares, como ya anoté, lo insinúa. En el sexto capítulo de la primera parte, el cura y el barbero revisan la biblioteca de don Quijote; asombrosamente uno de los libros examinados es la *Galatea* de Cervantes, y resulta que el barbero es amigo suyo y no lo admira demasiado, y dice que es más versado en desdichas que en versos y que el libro tiene algo de buena invención, propone algo y no concluye nada. El barbero, sueño de Cervantes o forma de un sueño de Cervantes, juzga a Cervantes... También es sorprendente saber, en el principio del noveno capítulo, que la novela entera ha sido traducida del árabe y que Cervantes adquirió el manuscrito en el mercado de Toledo, y lo hizo traducir por un morisco, a quien alojó más de mes y medio en su casa, mientras concluía la tarea. Pensamos en Carlyle, que fingió que el *Sartor resartus* era versión parcial de una obra publicada en Alemania por el doctor Diógenes Teufelsdroeckh; pensamos en el rabino castellano Moisés de León, que compuso el *Zohar o Libro del Esplendor* y lo divulgó como obra de un rabino palestiniano del siglo III.

Ese juego de extrañas ambigüedades culmina en la segunda parte; los protagonistas han leído la primera, los protagonistas del *Quijote* son, asimismo, lectores del *Quijote*. Aquí e inevitable recordar el caso de Shakespeare, que incluye en el escenario de *Hamlet* otro escenario, donde se representa una tragedia, que es más o menos la de *Hamlet*; la correspondencia imperfecta de la obra principal y la secundaria aminora la eficacia de esa inclusión. Un artificio análogo al de Cervantes, y aun más asombroso, figura en el *Ramayana*, poema de Valmiki, que narra las proezas de Rama y su guerra con los demonios. En el libro final, los hijos de Rama, que no saben quién es su padre, buscan amparo en una selva, donde un asceta les enseña a leer. Ese maestro es, extrañamente, Valmiki; el libro en que estudian, el *Ramayana*. Rama ordena un sacrificio de caballos; a esa fiesta acude Valmiki con sus alumnos. Éstos acompañados por el laúd, cantan el *Ramayana*. Rama oye su propia historia, reconoce a sus hijos y luego recompensa al poeta... Algo parecido ha obrado el azar en *Las Mil y Una Noches*. Esta compilación de historias fantásticas duplica y reduplica hasta el vértigo la ramificación de un cuento central en cuentos adventicios, pero no trata de graduar sus realidades, y el efecto (que debió ser profundo) es superficial, como una alfombra persa. Es conocida la historia liminar de la serie: el desolado juramento del rey, que cada noche se desposa con una virgen que hace decapitar en el alba, y la resolución de Shahrazad, que lo distrae con fábulas, hasta que encima de los dos han girado mil y una noches y ella le muestra su hijo. La necesidad de completar mil y una secciones obligó a los copistas de la obra a interpolaciones de todas clases. Ninguna tan perturbadora como la de la noche DCII, mágica entre las noches. En esa noche, el rey oye de boca de la reina su propia historia. Oye el principio de la historia, que abarca a todas las demás, y también —de monstruoso modo—, a sí misma. ¿Intuye claramente el lector la vasta posibilidad de esa interpolación, el curioso peligro? Que la reina persista y el inmóvil rey oirá para siempre la trunca historia de *Las Mil y Una Noches*, ahora infinita y circular... Las invenciones de la filosofía no son menos fantásticas que las del arte: Josiah Royce, en el primer volumen de la obra *The world and the individual* (1899), ha formulado la siguiente: "Imaginemos que una porción del suelo de Inglaterra ha sido nivelada perfectamente y que en ella traza un cartógrafo un mapa de Inglaterra. La obra es perfecta; no hay detalle del suelo de Inglaterra, por diminuto que sea, que no esté registrado en el mapa; todo tiene ahí su correspondencia. Ese mapa, en tal caso, debe contener un mapa del mapa, que debe contener un mapa del mapa del mapa, y así hasta lo infinito."

¿Por qué nos inquieta que el mapa esté incluído en el mapa y las mil y una noches en el libro de *Las Mil y Una Noches*? ¿Por qué nos inquieta que Don Quijote sea lector del *Quijote*, y Hamlet, espectador de *Hamlet* Creo haber dado con la causa: tales inversiones sugieren que si los caracteres de una ficción pueden ser lectores o espectadores, nosotros, sus lectores o espectadores, podemos ser ficticios. En 1833, Carlyle observó que la historia universal es un infinito libro sagrado que todos los hombres escriben y leen y tratan de entender, y en el que también los escriben.

NATHANIEL HAWTHORNE [1]

Empezaré la historia de las letras americanas con la historia de una metáfora; mejor dicho, con algunos ejemplos de esa metáfora. No sé quién la inventó; es quizá un error suponer que puedan inventarse metáforas. Las verdaderas, las que formulan íntimas conexiones entre una imagen y otra, han existido siempre; las que aún podemos inventar son las falsas, las que no vale la pena inventar. Ésta que digo es la que asimila los sueños a una función de teatro. En el siglo XVII, Quevedo la formuló en el principio del *Sueño de la muerte*; Luis de Góngora, en el soneto *Varia imaginación*, donde leemos:

> *El sueño, autor de representaciones,*
> *en su teatro sobre el viento armado,*
> *sombras suele vestir de bulto bello.*

En el siglo XVIII, Addison lo dirá con más precisión. "El alma, cuando sueña —escribe Addison—, es teatro, actores y auditorio." Mucho antes, el persa Umar Khyyam había escrito que la historia del mundo es una representación que Dios, el numeroso Dios de los panteístas, planea, representa y contempla, para distraer su

[1] Este texto es el de una conferencia dictada en el Colegio Libre de Estudios Superiores, en marzo de 1949.

eternidad; mucho después, el suizo Jung, en encantadores y, sin duda, exactos volúmenes, equipara las invenciones literarias a las invenciones oníricas, la literatura a los sueños.

Si la literatura es un sueño, un sueño dirigido y deliberado, pero fundamentalmente un sueño, está bien que los versos de Góngora sirvan de epígrafe a esta historia de las letras americanas y que inauguremos con el examen de Hawthorne, el soñador. Algo anteriores en el tiempo hay otros escritores americanos —Fenimore Cooper, una suerte de Eduardo Gutiérrez infinitamente inferior a Eduardo Gutiérrez; Washington Irving, urdidor de agradables españoladas— pero podemos olvidarlos sin riesgo.

Hawthorne nació en 1804, en el puerto de Salem. Salem adolecía, ya entonces, de dos rasgos anómalos en América; era una ciudad, aunque pobre, muy vieja, era una ciudad en decadencia. En esa vieja y decaída ciudad de honesto nombre bíblico, Hawthorne vivió hasta 1836; la quiso con el triste amor que inspiran las personas que no nos quieren, los fracasos, las enfermedades, las manías; esencialmente no es mentira decir que no se alejó nunca de ella. Cincuenta años después, en Londres o en Roma, seguía en su aldea puritana de Salem; por ejemplo, cuando desaprobó que los escultores, en pleno siglo XIX, labraran estatuas desnudas...

Su padre, el capitán Nathaniel Hawthorne, murió en 1808, en las Indias Orientales, en Surinam, de fiebre amarilla; uno de sus antepasados, John Hawthorne, fué juez en los procesos de hechicería de 1692, en los que diecinueve mujeres, entre ellas una esclava, Tituba, fueron condenadas a la horca. En esos curiosos procesos (ahora el fanatismo tiene otras formas), Justice Hawthorne obró con severidad y sin duda con sinceridad. "Tan conspicuo se hizo —escribió Nathaniel, nuestro Nathaniel— en el martirio de las brujas, que es lícito pensar que la sangre de esas desventuradas dejó una mancha en él. Una mancha tan honda que debe perdurar en sus viejos huesos, en el cementerio de Charter Street, si ahora no son polvo." Hawthorne agrega, después de ese rasgo pictórico: "No sé si mis mayores se arrepintieron y suplicaron la divina misericordia; yo, ahora, lo hago por ellos y pido que cualquier maldición que haya caído sobre su raza, nos sea, desde el día de hoy, perdonada." Cuando el capitán Hawthorne murió, su viuda, la madre de Nathaniel, se recluyó en su dormitorio, en el segundo piso. En ese piso estaban los dormitorios de las hermanas, Louisa y Elizabeth; en el último, el de Nathaniel. Esas personas no comían juntas y casi no se hablaban; les dejaban la comida en una bandeja, en el corredor. Nathaniel se pasaba los días escribiendo cuentos fantásticos; a la hora del crepúsculo de la tarde salía a caminar. Ese furtivo régimen de vida duró doce años. En 1837 le escribió a Longfellow: "Me he recluído; sin el menos propósito de hacerlo, sin la menor sospecha de que eso iba a ocurrirme. Me he convertido en un prisionero, me he encerrado en un calabozo, y ahora ya no doy con la llave, y aunque estuviera abierta la puerta, casi me daría miedo salir." Hawthorne era alto, hermoso, flaco, moreno. Tenía un andar hamacado de hombre de mar. En aquel tiempo no había (sin duda felizmente para los niños) literatura infantil; Hawthorne había leído a los seis años el *Pilgrim's Progress*; el primer libro que compró con su plata fué *The Faerie Queen*;

dos alegorías. También, aunque sus biógrafos no lo digan, la Biblia; quizá la misma que el primer Hawthorne, William Hawthorne de Wilton, trajo de Inglaterra con una espada, en 1630. He pronunciado la palabra *alegorías*; esa palabra es importante, quizá imprudente o indiscreta, tratándose de la obra de Hawthorne. Es sabido que Hawthorne fué acusado de alegorizar por Edgar Allan Poe y que éste opinó que esa actividad y ese género eran indefendibles. Dos tareas nos encaran: la primera, indagar si el género alegórico es, en efecto, ilícito; la segunda, indagar si Nathaniel Hawthorne incurrió en ese género. Que yo sepa, la mejor refutación de las alegorías es la de Croce; la mejor vindicación, la de Chesterton. Croce acusa a la alegoría de ser un fatigoso pleonasmo, un juego de vanas repeticiones, que en primer término nos muestra (digamos) a Dante guiado por Virgilio y Beatriz y luego nos explica, o nos da a entender, que Dante es el alma, Virgilio la filosofía o la razón o la luz natural, y Beatriz la teología o la gracia. Según Croce, según el argumento de Croce (el ejemplo no es de él), Dante primero habría pensado: "La razón y la fe obran la salvación de las almas" o "La filosofía y la teología nos conducen al cielo" y luego, donde pensó *razón* o *filosofía* puso *Virgilio* y donde pensó *teología* o *fe* puso *Beatriz*, lo que sería una especie de mascarada. La alegoría, según esa interpretación desdeñosa, vendría a ser una adivinanza, más extensa, más lenta y mucho más incómoda que las otras. Sería un género bárbaro o infantil, una distracción de la estética. Croce formuló esa refutación en 1907; en 1904, Chesterton ya la había refutado sin que aquél lo supiera. ¡Tan incomunicada y tan vasta es la literatura! La página pertinente de Chesterton consta en una monografía sobre el pintor Watts, ilustre en Inglaterra a fines del siglo XIX y acusado, como Hawthorne, de alegorismo. Chesterton admite que Watts ha ejecutado alegorías, pero niega que ese género sea culpable. Razona que la realidad es de una interminable riqueza y que el lnguaje de los hombres no agota ese vertiginoso caudal. Escribe: "El hombre sabe que hay en el alma tintes más desconcertantes, más innumerables y más anónimos que los colores de una selva otoñal. Cree, sin embargo que esos tintes en todas sus fusiones y conversiones, son representables con precisión por un mecanismo arbitrario de gruñidos y de chillidos. Cree que del interior de un bolsista salen realmente ruidos que significan todos los misterios de la memoria y todas las agonías del anhelo..." Chesterton infiere, después, que puede haber diversos lenguajes que de algún modo correspondan a la inasible realidad; entre esos muchos, el de las alegorías y fábulas.

En otras palabras: Beatriz no es un emblema de la fe, un trabajoso y arbitrario sinónimo de la palabra *fe*; la verdad es que en el mundo hay una cosa —un sentimiento peculiar, un proceso íntimo, una serie de estados análogos— que cabe indicar por dos símbolos: uno, asaz pobre, el sonido fe; otro, Beatriz, la gloriosa Beatriz que bajó del cielo y dejó sus huellas en el Infierno para salvar a Dante. No sé si es válida la tesis de Chesterton; sé que una alegoría es tanto mejor cuanto sea menos reductible a un esquema, a un frío juego de abstracciones. Hay escritor que piensa por imágenes (Shakespeare o Donne o Víctor Hugo, digamos) y escritor que piensa por abstracciones (Benda o Bettrand Russell); *a priori*, los unos valen tanto como los otros, pero, cuando un abstracto, un razonador, quiere ser también imaginativo, o pasar por tal, ocurre lo denunciado por Croce. Notamos que un proceso lógico ha sido engalanado y disfrazado por el autor, 'para deshonra del entendimiento del lector", como dijo Wordsworth. Es, para citar un ejemplo notorio de esa dolencia, el caso de José Ortega y Gasset, cuyo buen pensamiento queda obstruído por laboriosas y adventicias metáforas; es, muchas veces, el de Hawthorne. Por lo demás, ambos escritores son antagónicos. Ortega puede razonar, bien o mal, pero no imaginar; Hawthorne era hombre de continua y curiosa imaginación, pero refractario, digámoslo así al pensamiento. No digo que era estúpido; digo que pensaba por imágenes, por intruiciones, como suelen pensar las mujeres, no por un mecanismo dialéctico. Un error estético lo dañó: el deseo puritano de hacer de cada imaginación una fábula lo inducía a agregarles moralidades y a veces a falsearlas y a deformarlas. Se han conservado los cuadernos de apuntes en que anotaba, brevemente, argumentos; en uno de ellos, de 1836, está escrito: "Una serpiente es admitida en el estómago de un hombre y es alimentada por él, desde los quince a los treinta y cinco, atormentándolo horriblemente." Basta con eso, pero Hawthorne se considera obligado a añadir: "Podría ser un emblema de la envidia o de otra malvada pasión." Otro ejemplo, de 1838 esta vez: "Que ocurran acontecimientos extraños, misteriosos y atroces, que destruyan la felicidad de una persona. Que esa persona los impute a enemigos secretos y que descubra, al fin, que él es el único culpable y la causa. Moral, la felicidad está en nosotros mismos." Otro, del mismo año: "Un hombre, en la vigilia, piensa bien de otro y confía en él, plenamente, pero lo inquietan sueños en que ese amigo obra como enemigo mortal. Se revela, al fin, que el carácter soñado era el verdadero. Los sueños tenían razón. La explicación sería la percepción instintiva de la verdad." Son mejores aquellas fantasías puras que no buscan justificación o moralidad y que parecen no tener otro fondo que un oscuro terror. Ésta, de 1838: "En medio de una multitud imaginar un hombre cuyo destino y cuya vida están en poder de otro, como si los dos estuviesen en un desierto. Ésta, que es una variación de la anterior y que Hawthorne apuntó cinco años después: "Un hombre de fuerte voluntad ordena a otro, moralmente sujeto a él, que ejecute un acto. El que ordena muere y el otro, hasta el fin de sus días, sigue ejecutando aquel acto." (No sé de qué manera Hawthorne hubiera escrito ese argumento; no sé si hubiera convenido que el acto ejecutado fuera trivial o levemente horrible o fantástico o tal vez humillante.) Éste, cuyo tema es también la esclavitud la sujeción a otro: "Un hombre rico deja en su testamento su casa a una pareja pobre. Ésta se muda ahí; encuentra un sirviente sombría que el testamento les prohibe expulsar. Éste los atormenta; se descubre, al fin, que es el hombre que les ha legado la casa." Citaré dos bosquejos más, bastante curioso, cuyo tema (no ignorado por Pirandello o por André Gide) es la coincidencia o confusión del plano estético y del plano común, de la realidad y del arte. He aquí el primero: "Dos personas esperan en la calle un acontecimiento y la aparición de los principales actores. El acontecimiento ya está ocurriendo y ellos son los actores." El otro es más complejo: "Que un hombre escriba un cuento y compruebe que éste se desarrolla contra sus intenciones; que los personajes no obren como él quería;

que ocurran hechos no previstos por él y que se acerque una catástrofe que él trate, en vano, de eludir. Ese cuento podría prefigurar su propio destino y uno de los personajes es él." Tales juegos, tales momentáneas confluencias del mundo imaginario y del mundo real —del mundo que en el curso de la lectura simulamos que es real— son, o nos parecen, modernos. Su origen, su antiguo origen, está acaso en aquel lugar de la *Ilíada* en que Elena de Troya teje su tapiz y lo que teje son batallas y desventuras de la misma guerra de Troya. Ese rasgo tiene que haber impresionado a Virgilio, pues en la *Eneida* consta que Eneas, guerrero de la guerra de Troya, arribó al puerto de Cartago y vió esculpidas en el mármol de un templo escenas de esa guerra y, entre tantas imágenes de guerreros, también su propia imagen. A Hawthorne le gustaban esos contactos de lo imaginario y lo real, son reflejos y duplicaciones del arte; también se nota, en los bosquejos que ha señalado, que propendía a la noción panteísta de que un hombre es los otros, de que un hombre es todos los hombres.

Algo más grave que las duplicaciones y el panteísmo se advierte en los bosquejos, algo más grave para un hombre que aspira a novelista, quiero decir. Se advierte que el estímulo de Hawthorne, que el punto de partida de Hawthorne eran, en general, situaciones. Situaciones, no caracteres. Hawthorne primero imaginaba, acaso involuntariamente, una situación y buscaba, después caracteres que la encarnaran. No soy un novelista, pero sospecho que ningún novelista ha procedido así: "Creo que Schomberg es real", escribió Joseph Conrad de uno de los personajes más memorables de su novela *Victory* y eso podría honestamente afirmar cualquier novelista de cualquier personaje. Las aventuras del *Quijote* no están muy bien ideadas, los lentos y antitéticos diálogos —razonamientos, creo que los llama el autor— pecan de inverosímiles, pero no cabe duda de que Cervantes conocía bien a Don Quijote y podía creer en él. Nuestra creencia en la creencia del novelista salva todas las negligencias y fallas. Qué importan hechos increíbles o torpes si nos consta que el autor los ha ideado, no para sorprender nuestra buena fe, sino para definir a sus personajes. Qué importan los pueriles escándalos y los confusos crímenes de la supuesta Corte de Dinamarca si creemos en el príncipe Hamlet. Hawthorne, en cambio, primero concebía una situación, o una serie de situaciones, y después elaboraba la gente que su plan requería. Ese método puede producir, o permitir, admirables cuentos, porque en ellos, en razón de su brevedad, la trama es más visible que los actores, pero no admirables novelas, donde la forma general (si la hay) sólo es visible al fin y donde un solo personaje mal inventado puede contaminar de irrealidad a quienes lo acompañan. De las razones anteriores podría, de antemano, inferirse que los cuentos de Hawthorne valen más que las novelas de Hawthorne. Yo entiendo que así es. Los veinticuatro capítulos que componen *La letra escarlata* abundan en pasajes memorables, redactados en buena y sensible prosa, pero ninguno de ellos me ha conmovido como la singular historia de Wakefield que está en los *Twice-Told Tales*. Hawthorne había leído en un diario, o simuló por fines literarios haber leído en un diario, el caso de un señor inglés que dejó a su mujer sin motivo alguno, se alojó a la vuelta de su casa, y ahí, sin que nadie lo sospechara, pasó oculto veinte años. Durante ese largo período, pasó todos los días frente a su casa o la miró desde la esquina, y muchas veces divisó a su mujer. Cuando lo habían dado por muerto, cuando hacía mucho tiempo que su mujer se había resignado a ser viuda, el hombre, un día, abrió la puerta de su casa y entró. Sencillamente, como si hubiera faltado unas horas. (Fué hasta el día de su muerte un esposo ejemplar.) Hawthorne leyó con inquietud el curioso caso y trató de entenderlo, de imaginarlo. Caviló sobre el tema; el cuento *Wakefield* es la historia conjetural de ese desterrado. Las interpretaciones del enigma pueden ser infinitas; veamos la de Hawthorne.

Este imagina a Wakefield un hombre sosegado, tímidamente vanidoso, egoísta, propenso a misterios pueriles, a guardar secretos insignificantes; un hombre tibio, de gran proeza imaginativa y mental, pero capaz de largas y ociosas e inconclusas y vagas meditaciones; un marido constante, defendido por la pereza. Wakefield, en el atardecer de un día de octubre, se despide de su mujer. Le ha dicho —no hay que olvidar que estamos a principios del siglo XIX— que va a tomar la diligencia y que regresará, a más tardar, dentro de unos días. La mujer, que lo sabe aficionado a misterios inofensivos, no le pregunta las razones del viaje. Wakefield está de botas, de galera, de sobretodo; lleva paraguas y valija. Wakefield— esto me parece admirable— no sabe aún lo que ocurrirá, fatalmente. Sale, con la resolución más o menos firme de inquietar o asombrar a su mujer, faltando una semana entera de casa. Sale, cierra la puerta de calle, luego la entreabre y, un momento, sonríe. Años después, la mujer recordará esa sonrisa última. Lo imaginará en un cajón con la sonrisa helada en la cara, o en el paraíso, en la gloria, sonriendo con astucia y tranquilidad. Todos creerán que ha muerto y ella recordará esa sonrisa y pensará que, acaso, no es viuda. Wakefield, al cabo de unos cuantos rodeos, llega al alojamiento que tenía listo. Se acomoda junto a la chimenea y sonríe; está a la vuelta de su casa y ha arribado al término de su viaje. Duda, se felicita, le parece increíble ya estar ahí, teme que lo hayan observado y que lo denuncien. Casi arrepentido, se acuesta; en la vasta cama desierta tiende los brazos y repite en voz alta: "No dormiré solo otra noche." Al otro día, se recuerda más temprano que de costumbre y se pregunta, con perplejidad, qué va a hacer. Sabe que tiene algún propósito, pero le cuesta definirlo. Descubre, finalmente, que su propósito es averiguar la impresión que una semana de viudez causará en la ejemplar señora de Wakefield. La curiosidad lo impulsa a la calle. Murmura: 'Espiaré de lejos mi casa." Camina, se distrae; de pronto se da cuenta que el hábito lo ha traído, alevosamente, a su propia puerta y que está por entrar. Entonces retrocede aterrado. ¿No lo habrán visto; no lo perseguirán? En una esquina se da vuelta y mira su casa; ésta le parece distinta, porque él ya es otro, porque una sola noche ha obrado en él, aunque él no lo sabe, una transformación. En su alma se ha operado el cambio moral que lo condenará a veinte años de exilio. Ahí, realmente, empieza la larga aventura. Wakefield adquiere una peluca rojiza. Cambia de hábitos; al cabo de algúntiempo ha establecido una nueva rutina. Lo aqueja la sospecha de que su ausencia no ha trastornado bastante a la señora Wakefield. Decide no volver hasta haberle dado un buen susto. Un día el boticario entra en la casa, otro día el médico. Wakefield se aflige, pero teme que su brusca reaparición pueda agravar el mal. Poseído, deja correr el tiempo; antes pensaba "Volveré en tantos días", ahora, "en tantas semanas". Y así pasan diez años. Hace ya mucho que no sabe que su conducta es rara. Con todo el tibio afecto de que su corazón es capaz, Wakefield sigue queriendo a su mujer y ella está olvidándolo. Un domingo por la mañana se cruzan los dos en la calle, entre las muchedumbres de Londres. Wakefield ha enflaquecido; camina oblicuamente, como ocultándose, como huyendo; su frente baja está como surcada de arrugas; su rostro que antes era vulgar, ahora es extraordinario, por la empresa extrardinaria que ha ejecutado. En sus ojos chicos la mirada acecha o se pierde. La mujer ha engrosado; lleva en la mano un libro de misa y toda ella parece un emblema de plácida y resignada viudez. Se ha acostumbrado a la tristeza y no la cambiaría, tal vez, por la felicidad. Cara a cara, los dos se miran en los ojos. La muchedumbre los aparta, los pierde. Wakefield huye a su alojamiento, cierra la puerta con dos vueltas de llave y se tira en la cama donde lo trabaja un sollozo. Por un instante ve la miserable singularidad de su vida. "¡Wakefield, Wakefield! ¡Estás loco!", se dice. Quizá lo está. En el centro de Londres se ha desvinculado del mundo. Sin haber muerto ha renunciado a su lugar y a sus privilegios entre los hombres vivos. Mentalmente sigue viviendo junto a su mujer en su hogar. No sabe, o casi nunca sabe, que es otro. Repite "Pronto regresaré" y no piensa que hace veinte años que está repitiendo lo mismo. En el recuerdo los veinte años de soledad le parecen un interludio, un mero paréntesis. Una tarde, una tarde igual a otras tardes, a las miles de tardes anteriores. Wakerfield mira su casa. Por los cristales ve que en el primer piso han encendido el fuego; en el moldeado cielo raso las llamas lanzan grotescamente la sombra de la señora Wakefield. Rompe a llover; Wakefield siente una racha de frío. Le parece ridículo mojarse cuando ahí tiene su casa, su hogar. Sube pesadamente la escalera y abre la puerta. En su rostro juega, espectral, la taimada sonrisa que conocemos. Wakefield ha vuelto, al fin. Hawthorne no nos refiere su destino ulterior, pero nos deja adivinar que ya estaba, en cierto modo, muerto. Copio las palabras finales: "En el desorden aparente de nuestro misterioso mundo, cada hombre está ajustado a un sistema con tan exquisito rigor —y los sistemas entre sí, y todos a todo— que el individuo que se desvía un solo momento, corre el terrible albur de perder para siempre su lugar. Corre el albur de ser, como Wakefield, el Paria del Universo".

En esta breve y ominosa parábola —que data de 1835— ya estamos en el mundo de Herman Melville, en el mundo de Kafka. Un mundo de castigos enigmáticos y de culpas indescifrables. Se dirá que ello nada tiene de singular, pues el orbe de Kafka es el judaísmo, y el de Hawthorne, las iras y los castigos del Viejo Testamento. La observación es justa, pero su alcance no rebasa la ética, y entre la horrible historia de Wakefield y muchas historias de Kafka, no sólo hay una ética común sino una retórica. Hay, por ejemplo, la honda *trivialidad* del protagonista, que contrasta con la magnitud de su perdición y que lo entrega, aun más desvalido, a las Furias. Hay el fondo borroso, contra el cual se recorta la pesadilla. Hawthorne, en otras narraciones, invoca un pasado romántico; en ésta se imita a un Londres burgués, cuyas multitudes le sirven, por lo demás, para ocultar al héroe.

Aquí, sin desmedro alguno de Hawthorne, yo desearía

intercalar una observación. La circunstancia, la extraña circunstancia, de percibir en un cuento de Hawthorne, redactado a principios del siglo XIX, el sabor mismo de los cuentos de Kafka que trabajó a principios del siglo XX, no debe hacernos olvidar que el sabor de Kafka ha sido creado, ha sido determinado, por Kafka. *Wakefield* prefigura a Franz Kafka, pero éste modifica, y afina, la lectura de *Wakefield*. La deuda es mutua; un gran escritor crea a sus precursores. Los crea y de algún modo los justifica. Así ¿qué sería de Marlowe sin Shakespeare?

El traductor y crítico Malcolm Cowley ve en *Wakefield* una alegoría de la curiosa reclusión de Nathaniel Hawthorne. Schopenhauer ha escrito, famosamente, que no hay acto, que no hay pensamiento, que no hay enfermedad que no sean voluntarios; si hay verdad en esa opinión, cabría conjeturar que Nathaniel Hawthorne se apartó muchos años de la sociedad de los hombres para que no faltara en el universo, cuyo fin es acaso la variedad, la singular historia de Wakerfield. Si Kakfa hubiera escrito esa historia, Wakefield no hubiera conseguido, jamás, volver a su casa; Hawthorne le permite volver, pero su vuelta no es menos lamentable ni menos atroz que su larga ausencia.

Una parábola de Hawthorne, que estuvo a punto de ser magistral y que no lo es, pues la ha dañado la preocupación de la ética, es la que se titula *Earth's holocaust*: el Holocausto de la Tierra. En esa ficción alegórica, Hawthorne prevé un momento en que los hombres, hartos de acumulaciones inútiles, resuelven destruir el pasado. En el atardecer se congregan, para ese fin, en uno de los vastos territorios del oeste de América. A esa llanura occidental llegan hombres de todos los confines del mundo. En el centro hacen una altísima hoguera que alimentan con todas las genealogías, con todos los diplomas, con todas las medallas, con todas las órdenes, con todas lasejecutorias, con todos los escudos, con todas las coronas, con todos los cerros, con todas las tiaras, con todas las púrpuras, con todos los doseles, con todos los troncos, con todos los alcoholes, con todas las bolsas de café, con todos los cajones de té, con todos los cigarros, con todas las las cartas de amor, con toda la artillería, con todas las espadas, con todas las banderas, con todos los tambores marciales, con todos los instrumentos de tortura, con todas las guillotinas, con todas las horcas, con todos los metales preciosos, con todo el dinero, con todos los títulos de propiedad, con todas las constituciones y códigos, con todos los libros, con todas las mitras, con todas las dalmáticas, con todas las sagradas escrituras que hoy pueblan y fatigan la Tierra. Hawthorne ve con asombro la combustión y con algún escándalo; un hombre de aire pensativo le dice que no debe alegrarse ni entristecerse, pues la vasta pirámide de fuego no ha consumido sino lo que era consumible en las cosas. Otro espectador —el demonio— observa que los empresarios del holocausto se han olvidado de arrojar lo esencial, el corazón humano, donde está la raíz de todo pecado, y que sólo han destruído unas cuantas formas. Hawthorne concluye así: "El corazón, el corazón, ésa es la breve esfera ilimitada en la que radica la culpa de la que apenas son unos símbolos el crimen y la miseria del mundo. Purifiquemos esa esfera interior, y las muchas formas del mal que entenebrecen este mundo visible huirán como fantasmas, porque si no rebasamos la inteligencia y procuramos, con ese instrumento imperfecto, discernir y corregir lo que nos aqueja, toda nuestra obra será un sueño. Un sueño tan insustancial que nada importa que la hoguera, que he descrito con tan fidelidad, sea lo que llamamos un hecho real y un fuego que chasmusque las manos o un fuego imaginado y una parábola". Hawthorne, aquí, se ha dejado arrastrar por la doctrina cristiana, y específicamente calvinista, de la depravación ingénita de los hombres y no parece haber notado que su parábola de una ilusoria destrucción de todas las cosas es capaz de un sentido filosófico y no sólo moral. En efecto, si el mundo es el sueño de Alguien, si hay Alguien que ahora está soñándonos y que sueña la historia del universo, como es doctrina de la escuela idealista, la aniquilación de las religiones y de las artes, el incendio general de las bibliotecas, no importa mucho más que la destrucción de los muebles de un sueño. La mente que una vez los soñó volverá a soñarlos; mientras la mente siga soñando, nada se habrá perdido. La convicción de esta verdad, que parece fantástica, hizo que Schopenhauer, en su libro *Parerga und Paralipomena*, comparara la historia a un calidoscopio, en el que cambian las figuras, no los pedacitos de vidrio, y a una eterna y confusa tragicomedia en la que cambian los papeles y máscaras, pero no los actores. Esa misma intuición de que el universo es una proyección de nuestra alma y de que la historia universal está en cada hombre, hizo escribir a Emerson el poema que se titula *History*.

En lo que se refiere a la fantasía de abolir el pasado, no sé si cabe recordar que ésta fué ensayada en la China, con adversa fortuna, tres siglos antes de Jesús. Escribe Herbert Allen Giles: "El ministro Li Su propuso que la historia comenzara con el nuevo monarca, que tomó el título de Primer Emperador. Para tronchar las vanas pretensiones de la antigüedad, se ordenó la confiscación y quemazón de todos los libros, salvo los que enseñaran agricultura, medicina o astrología. Quienes ocultaron sus libros, fueron marcados con un hierro candente y obligados a trabajar en la construcción de la Gran Muralla. Muchas obras valiosas perecieron; a la abnegación y al valor de oscuros o ignorados hombres de letras debe la posteridad la conservación del canon de Confucio. Tantos literatos, se dice, fueron ejecutados por desacatar las órdenes imperiales, que en invierno crecieron melones en el lugar donde los habían enterrado". En Inglaterra, al promediar el siglo XVII, ese mismo propósito resurgió, entre los puritanos, entre los antepasados de Hawthorne. "En uno de los parlamentos populares convocados por Cromwell —refiere Samuel Johnson— se propuso muy seriamente que se quemaran los archivos de la Torre de Londres, que se borrara toda memoria de las cosas pretéritas y que todo el régimen de la vida recomenzara." Es decir, el propósito de abolir el pasado ya ocurrió en el pasado y —paradójicamente— es una de las pruebas de que el pasado no se puede abolir. El pasado es indestructible; tarde o temprano vuelven todas las cosas, y una de las cosas que vuelven es el proyecto de abolir el pasado.

Como Stevenson, también hijo de puritanos, Hawthorne no dejó de sentir nunca que la tarea de escritor era frívola, o, lo que es peor, culpable. En el prólogo de la *Letra escarlata*, imagina a las sombras de sus mayores mirándolo escribir su novela. El pasaje es curioso. "*¿Qué estará haciendo?* —dice una antigua sombra a las otras—. *¡Está escribiendo un libro de cuentos! ¿Qué oficio será ése, qué manera de glorificar a Dios o de ser útil a los* *hombres, en su día y generación? Tanto le valdría a ese descastado ser violinista."* El pasaje es curioso, porque encierra una suerte de confidencia y corresponde a escrúpulos íntimos. Corresponde también al antiguo pleito de la ética y de la estética o, si se quiere, de la teología y la estética. Uno de sus primeros testimonios consta en la Sagrada Escritura y prohibe a los hombres que adoren ídolos. Otro es el de Platón, que en el décimo libro de la *República* razona de este modo: "Dios crea el Arquetipo (la idea original) de la mesa; el carpintero, un simulacro". Otro es el de Mahoma, que declaró que toda representación de una cosa viva comparecerá ante el Señor, el día del Juicio Final. Los ángeles ordenarán al artífice que la anime; éste fracasará y lo arrojarán al Infierno, durante cierto tiempo. Algunos doctores musulmanes pretenden que sólo están vedadas las imágenes capaces de proyectar una sombra (las esculturas)... De Plotino se cuenta que estaba casi avergonzado de habitar en un cuerpo y que no permitió a los escultores la perpetuación de sus rasgos. Un amigo le rogaba una vez que se dejara retratar; Plotino le dijo: "Bastante me fatiga tener que arrastrar este simulacro en que la naturaleza me ha encarcelado. ¿Consentiré además que se perpetúe la imagen de esta imagen?"

Nathaniel Hawthorne desató esa dificultad (que no es ilusoria) de la manera que sabemos; compuso moralidades y fábulas; hizo o procuró hacer del arte una función de la conciencia. Así para concretarnos a un solo ejemplo, la novela *The house of the seven gables* (*La casa de los siete tejados*) quiere mostrar que el mal cometido por una generación perdura y se prolonga en las subsiguientes, como una suerte de castigo heredado. Andrew

Lang ha confrontado esa novela con las de Emilio Zola, o con la teoría de las novelas de Emilio Zola; salvo un asombro momentáneo, no sé qué utilidad puede rendir la aproximación de esos nombres heterogéneos. Que Hawthorne persiguiera, o tolerara, propósitos de tipo moral no invalida, no puede invalidar, su obra. En el decurso de una vida consagrada menos a vivir que a leer, he verificado muchas veces que los propósitos y teorías literarias no son otra cosa que estímulos y que la obra final suele ignorarlos y hasta contradecirlos. Si en el autor hay algo, ningún propósito, por baladí o erróneo que sea, podrá afectar, de un modo irreparable, su obra. Un autor puede adolecer de prejuicios absurdos, pero su obra, si es genuina, si responde a una genuina visión, no podrá ser absurda. Hacia 1916, los novelistas de Inglaterra y de Francia creían (o creían que creían) que todos los alemanes eran demonios; en sus novelas, sin embargo, los presentaban como seres humanos. En Hawthorne, siempre la visión germinal era verdadera; lo falso, lo eventualmente falso, son las moralidades que agregaba en el último párrafo o los personajes que ideaba, que armaba, para representarla. Los personajes de la *Letra escarlata* —especialmente Hester Prynne, la heroína— son más independientes, más autónomos, que los de otras ficciones suyas; suelen asemejarse a los habitantes de la mayoría de las novelas y no son meras proyecciones de Hawthorne, ligeramente disfrazadas. Esta objetividad, esta relativa y parcial objetividad, es quizá la razón de que dos escritores tan agudos (y tan disímiles) como Henry James y Ludwig Lewisohn, juzguen que la *Letra escarlata* es la obra maestra de Hawthorne, su testimonio imprescindible. Yo me aventuro a diferir de esas autoridades. Quien anhele objetividad, quien tenga hambre y sed de objetividad, búsquela en Joseph Conrad o en Tolstoi; quien busque el peculiar sabor de Nathaniel Hawthorne, lo hallará menos en sus laboriosas novelas que en alguna página lateral o que en los leves y patéticos cuentos. No sé muy bien cómo razonar mi desvío; en las tres novelas americanas y en el *Fauno de mármol* sólo veo una serie de situaciones, urdidas con destreza profesional para conmover al lector, no una espontánea y viva actividad de la imaginación. Ésta (lo repito) ha obrado el argumento general y las digresiones, no la trabazón de los episodios y la psicología —de algún modo tenemos que llamarla— de los actores.

Johnson observa que a ningún escritor le gusta deber algo a sus contemporáneos; Hawthorne los ignoró en lo posible. Quizá obró bien; quizá nuestros contemporáneos —siempre— se parecen demasiado a nosotros, y quien busca novedades las hallará con más facilidad en los antiguos. Hawthorne, según sus biógrafos, no leyó a De Quincey, no leyó a Keats, no leyó a Víctor Hugo —que tampoco se leyeron entre ellos—. Groussac no toleraba que un americano pudiera ser original; en Hawthorne denunció "la notable influencia de Hoffmann"; dictamen que parece fundado en una equitativa ignorancia de ambos autores. La imaginación de Hawthorne es romántica; su estilo, a pesar de algunos excesos, corresponde al siglo XVIII, al débil fin del admirable siglo XVIII.

He leído varios fragmentos del diario que Hawthorne escribió para distraer su larga soledad; he referido, siquiera brevemente, dos cuentos; ahora leeré una página del *Marble faun* para que ustedes oigan a Hawthorne. El tema es aquel pozo o abismo que se abrió, según los historiadores latinos, en el centro del Foro y en cuya ciega hondura un romano se arrojó, armado y a caballo, para propiciar a los dioses. Reza el texto de Hawthorne:

"Resolvamos —dijo Kenyon— que éste es precisamente el lugar donde la caverna se abrió, en la que el héroe se lanzó con su buen caballo. Imaginemos el enorme y oscuro hueco, impenetrablemente hondo, con vagos monstruos y con caras atroces mirando desde abajo y llenando de horror a los ciudadanos que se habían asomado a los bordes. Adentro había, a no dudarlo, visiones proféticas (intimaciones de todos los infortunios de Roma), sombras de galos y de vándalos y de los soldados franceses. ¡Qué lástima que lo cerraron tan pronto! Yo daría cualquier cosa por un vistazo.

"Yo creo —dijo Miriam— que no hay persona que no eche una mirada a esa grieta, en momentos de sombra y de abatimiento, es decir, de intuición.

"Esa grieta —dijo su amigo(era sólo una boca del abismo de oscuridad que está debajo de nosotros, en todas partes. La sustancia más firme de la felicidad de los hombres es una lámina interpuesta sobre ese abismo y que mantiene nuestro mundo ilusorio. No se requiere un terremoto para romperla; basta apoyar el pie. Hay que pisar con mucho cuidado. Inevitablemente, al fin nos hundimos. Fué un tonto alarde de heroísmo el de Curcio cuando se adelantó a arrojarse a la hondura, pues Roma entera, como ven, ha caído adentro. El Palacio de los Césares ha caído, con un ruido de piedras que se derrumba. Todos los templos han caído, y luego han arrojado miles de estatuas. Todos los ejércitos y los triunfos han caído, marchando, en esa caverna, y tocaba la música marcial mientras se despeñaban..."

Hasta aquí, Hawthorne. Desde el punto de vista de la razón (de la mera razón que no debe entrometerse en las artes) el ferviente pasaje que he traducido es indefendible. La grieta que se abrió en la mitad del foro es demasiadas cosas. En el curso de un solo párrafo es la grieta de que hablan los historiadores latinos y también es la boca del Infierno "con vagos monstruos y con caras atroces", y también es el horror esencial de la vida humana, y también es el Tiempo, que devora estatuas y ejércitos, y también es la Eternidad, que encierra los tiempos. Es un símbolo múltiple, un símbolo capaz de muchos valores, acaso incompatibles. Para la razón, para el entendimiento lógico, esta variedad de valores puede constituir un escándalo, no así para los sueños que tienen su álgebra singular y secreta, y en cuyo ambiguo territorio una cosa puede ser muchas. Ese mundo de sueños es el de Hawthorne. Éste se propuso una vez escribir un sueño, "que fuera como un sueño verdadero, y que tuviera la incoherencia, las rarezas y la falta de propósito de los sueños" y se maravilló de que nadie, hasta el día de hoy, hubiera ejecutado algo semejante. En el mismo diario en que dejó escrito ese extraño proyecto —que toda nuestra literatura "moderna" trata vanamente de ejecutar, y que, tal vez, sólo ha realizado Lewis Carroll— anotó miles de impresiones triviales ,de pequeños rasgos concretos (el movimiento de una gallina, la sombra de una rama en la pared) que abarcan seis volúmenes, cuya inexplicable abundancia es la consternación de todos los biógrafos. "Parecen cartas agradables e inútiles —escribe con perplejidad Henry James— que se dirigiera a sí mismo un hombre que abrigara el temor de que las abrieran en el correo y que hubiera resuelto no decir nada comprometedor." Yo tengo para mí que Nathaniel Hawthorne registraba, a lo largo de los años, esas trivialidades para demostrarse a sí mismo que él era real, para liberarse, de algún modo, de la impresión de irrealidad, de fantasmidad, que solía visitarlo.

En uno de los días de 1840 escribió: "Aquí estoy en mi cuarto habitual, donde me parece estar siempre. Aquí he concluído muchos cuentos, muchos que después he quemado, muchos que sin duda, merecen ese ardiente destino. Esta es una pieza embrujada, porque miles y miles de visiones han poblado su ámbito, y algunas ahora son visibles al mundo. A veces creía estar en la sepultura, helado y detenido y entumecido; otras, creía ser feliz... Ahora empiezo a comprender por qué fuí prisionero tantos años en este cuarto solitario y por qué no pude romper sus rejas invisibles. Si antes hubiera conseguido evadirme, ahora sería duro y áspero y tendría el corazón cubierto de polvo terrenal... En verdad, sólo somos sombras..." En las líneas que acabo de transcribir, Hawthorne menciona "miles y miles de visiones". La cifra no es acaso una hipérbole; los doce tomos de las obras completas de Hawthorne incluyen ciento y tantos cuentos, y éstos son unos pocos de los muchísimos que abocetó en su diario. (Entre los concluídos hay uno —*Mr. Higginbotham's catastrophe* [La muerte repetida]— que prefigura el género policial que inventaría Poe.) Miss Margaret Fuller, que lo trató en la comunidad utópica de Brook Farm, escribió después: "De aquel océano sólo hemos tenido unas gotas", y Emerson, que también era amigo suyo, creía que Hawthorne no había dado jamás toda su medida. Hawthorne se casó en 1842, es decir, a los treinta y ocho años; su vida, hasta esa fecha, fué casi puramente imaginativa, mental. Trabajó en la aduana de Boston, fué cónsul de los Estados Unidos en Liverpool, vivió en Florencia, en Roma y en Londres, pero su realidad fué, siempre, el tenue mundo crepuscular, o lunar, de las imaginaciones fantásticas.

En el principio de esta clase he mencionado la doctrina del psicólogo Jung que equipara las invenciones literarias a las invenciones oníricas, la literatura a los sueños. Esta doctrina no parece aplicable a las literaturas que usan el idioma español, clientes del diccionario y de la retórica, no de la fantasía. En cambio, es adecuada a las letras de América del Norte. Éstas (como las de Inglaterra o las de Alemania) son más capaces de inventar que de transcribir, de crear que de observar. De ese rasgo, procede la curiosa veneración que tributan los norteamericanos a las obras realistas y que los mueve a postular, por ejemplo, que Maupassant es más importante que Hugo. La razón es que un escritor norteamericano tiene la posibilidad de ser Hugo; no, sin violencia, la de ser Maupassant. Comparada con la de los Estados Unidos, que ha dado varios hombres de genio, que ha influído en Inglaterra y en Francia, nuestra literatura argentina corre el albur de parecer un tanto provincial; sin embargo, en el siglo XIX, produjo algunas páginas de realismo —algunas admirables crueldades de Echeverría, de Ascasubi, de Hernández, del ignorado Eduardo Gutiérrez— que los norteamericanos no han superado (tal vez no han igualado) hasta ahora. Faulkner, se objetará, no es menos brutal que nuestros gauchescos. Lo es, ya lo sé, pero de un modo alucinatorio. De un modo infernal, no terrestre. Del modo de los sueños, del modo inaugurado por Hawthorne.

Éste murió el dieciocho de mayo de 1864, en las montañas de New Hampshire. Su muerte fué tranquila y fué misteriosa, pues ocurrió en el sueño. Nada nos veda imaginar que murió soñando y hasta podemos inventar la historia que soñaba —la última de una serie infinita— y de qué manera la coronó o la borró la muerte. Algún día, acaso, la escribiré y trataré de rescatar con un cuento aceptable esta deficiente y harto digresiva lección.

Van Wyck Brooks, en *The flowering of New England*, D. H. Lawrence en *Studies in classic American literature*, y Ludwig Lewisohn, en *The story of American literature*, analizan y juzgan la obra de Hawthorne. Hay muchas biografías. Yo he manejado la que Henry James redactó en 1879 para la serie *English men of letters*, de Morley.

Muerto Hawthorne, los demás escritores heredaron su tarea de soñar. En la próxima clase estudiaremos, si lo tolera la indulgencia de ustedes, la gloria y los tormentos de Poe, en quien el sueño se exaltó a pesadilla.

NOTA SOBRE WALT WHITMAN

> The whole of Whitman's work is deliberate.
> R. L. STEVENSON: *Familiar studies of men and books* (1882).

El ejercicio de las letras puede promover la ambición de construir un libro absoluto, un libro de los libros que incluya a todos como un arquetipo platónico, un objeto cuya virtud no aminoren los años. Quienes alimentaron esa ambición eligieron elevados asuntos: Apolonio de Rodas, la primer nave que se atrevió a los riesgos del mar; Lucano, la contienda de César y de Pompeyo, cuando las águilas guerrearon contra las águilas; Camoens, las armas lusitanas en el Oriente; Donne, el círculo de las transmigraciones de un alma, según el dogma pitagórico; Milton, la más antigua de las culpas y el Paraíso; Firdusi, los tronos de los sasánidas. Góngora, creo, fué el primero en juzgar que un libro importante puede prescindir de un tema importante; la vaga historia que refieren las *Soledades* es deliberadamente baladí, según lo señalaron y reprobaron Cascales y Gracián (*Cartas filológicas*, VIII: *El Criticón*, II, 4). A Mallarmé no le bastaron temas triviales; los buscó negativos; la ausencia de una flor o de una mujer, la blancura de la hoja de papel antes del poema. Como Pater, sintió que todas las artes propenden a la música, el arte en que la forma es el fondo; su decorosa profesión de fe *Tout aboutit à un livre* parece compendiar la sentencia homérica de que los dioses tejen desdichas para que a las futuras generaciones no les falte algo que cantar (*Odisea*, VIII, *in fine*). Yeats, hacia el año mil novecientos, buscó lo absoluto en el manejo de símbolos que despertaran la memoria genérica, o gran Memoria, que late bajo las mentes individuales; cabría comparar esos símbolos con los ulteriores arquetipos de Jung. Barbusse, en *L'enfer*, libro olvidado con injusticia, evitó (trató de evitar) las limitaciones del tiempo mediante el relato poético de los actos fundamentales del hombre; Joyce, en *Finnegans wake*, mediante la simultánea presentación de rasgos de épocas distintas. El deliberado manejo de anacronismos, para forjar una apariencia de eternidad, también ha sido practicado por Pound y por T. S. Eliot.

He recordado algunos procedimientos: ninguno más curioso que el ejercido, en 1855, por Whitman. Antes de considerarlo, quiero transcribir unas opiniones que más o menos prefiguran lo que diré. La primera es la del poeta inglés Lascelles Abercrombie. "Whitman —leemos— extrajo de su noble experiencia esa figura vívida y personal que es una de las pocas cosas grandes de la literatura moderna: la figura de él mismo." La segunda es de Sir Edmund Gosse. "No hay un Walt Whitman verdadero... Whitman es la literatura en estado de protoplasma: un organismo intelectual tan sencillo que se limita a reflejar a cuantos se aproximan a él." La tercera es mía; consta en la página 70 del libro *Discusión* (1932). "Casi todo lo escrito sobre Whitman está falseado por dos interminables errores. Uno es la sumaria identificación de Whitman, hombre de letras, con Whitman, héroe semidivino de *Leaves of grass* como don Quijote lo es de *Quijote*; otro, la insensata adopción del estilo y vocabulario de sus poemas, vale decir, del mismo sorprendente fenómeno que se quiere explicar."

Imaginemos que una biografía de Ulises (basada en testimonios de Agamenón, de Laertes, de Polifemo, de Calipso, de Penélope, de Telémaco, del porquero, de Scila y Caribdis) indicara que éste nunca salió de Itaca. La decepción que nos causaría ese libro, felizmente hipotético, es la que causan todas las biografías de Whitman. Pasar del orbe paradisíaco de sus versos a la insípida crónica de sus días es una transición melancólica. Paradójicamente, esa melancolía inevitable se agrava cuando el biógrafo quiere disimular que hay dos Whitmans: el "amistoso y elocuente salvaje" de *Leaves of grass* y el pobre literato que lo inventó.[1] Éste jamás estuvo en California o en Platte Cañón; aquél improvisa un apóstrofe en el segundo de esos lugares (*Spirit that formed this scene*) y ha sido minero en el otro (*Starting from Paumanok*, I). Éste, en 1859, estaba en Nueva York; aquél, el dos de diciembre de ese año, asistió en Virginia a la ejecución del viejo abolicionista John Brown (*Year of meteors*). Éste nació en Long Island; aquél también (*Starting from Paumanok*, I), pero asimismo en uno de los estados del Sur (*Longings for home*). Éste fué casto, reservado y más bien taciturno; aquél, efusivo y orgiástico. Multiplicar esas discordias es fácil; más importante es comprender que el mero vagabundo feliz que proponen los versos de *Leaves of grass* hubiera sido incapaz de escribirlos.

Byron y Baudelaire dramatizaron, en ilustres volúme-

[1] Reconocen muy bien esa diferencia Henry Seidel Canby (*Walt Whitman*, 1943) y Mark van Doren en la antología de la Viking Press (1945). Nadie más, que yo sepa.

nes, su desdicha: Whitman, su felicidad. Treinta años después, en Sils-Maria, Nietzsche descubriría a Zarathustra: ese pedagogo es feliz, o, en todo caso, recomienda la felicidad, pero tiene el defecto de no existir.) Otros héroes románticos —Vathek es el primero de la serie, Edmond Teste no es el último— prolijamente acentúan sus diferencias; Whitman, con impetuosa humildad, quiere parecerse a todos los hombres. *Leaves of grass*, advierte, "es el canto de un gran individuo colectivo, popular, varón o mujer" (*Complete writings*, V, 192). O, inmortalmente (*Song of myself*, 17):

Éstos son en verdad los pensamientos de todos los
hombres en todos los lugares y épocas; no son originales míos.
Si son menos tuyos que míos, son nada o casi nada.
Si no son el enigma y la solución del enigma, son nada.
Si no están cerca y lejos, son nada.

Éste es el pasto que crece donde hay tierra y hay agua,
Éste es el aire común que baña el planeta.

El panteísmo ha divulgado un tipo de frases en las que se declara que Dios es diversas cosas contradictorias o (mejor aún) misceláneas. Su prototipo es éste: "El rito soy, la ofrenda soy, la oblación a los padres soy, la hierba soy, la plegaria soy, la libación de manteca soy, el fuego soy" (*Bhagavadgita*, IX, 16). Anterior, pero ambiguo, es el fragmento 67 de Heráclito: "Dios es día y noche, invierno y verano, guerra y paz, hartura y hambre". Plotino describe a sus alumnos un cielo inconcebible, en el que "todo está en todas partes, cualquier cosa es todas las cosas, el sol es todas las estrellas, y cada estrella es todas las estrellas y el sol" (*Enneadas*, V, 8, 4). Attar, persa de siglo XII, canta la dura peregrinación de los pájaros en busca de su rey, el Simurg; muchos perecen en los mares, pero los sobrevivientes descubren que ellos son el Simurg y que el Simurg en cada uno de ellos y todos. Las posibilidades retóricas de esa extensión del principio de identidad parecen infinitas. Emerson, lector de los hindúes y de Attar, deja el poema *Brahma*; de los dieciséis versos que lo componen, quizá el más memorable es éste: *When me they fly, I am the wings* (*Si huyen de mí soy yo sus alas*). Análogo pero de voz más elemental es *Ich bin der Eine und bin Beide*, de Stefan George (*Der Stern des Bundes*). Walt Whitman renovó ese procedimiento. No lo ejerció, como otros, para definir la divinidad o para jugar con las "simpatías y diferencias" de las palabras; quiso identificarse, en una suerte de ternura feroz, con todos los hombres. Dijo (*Crossing Brooklyn Ferry*, 7):

He sido terco, vanidoso, ávido, superficial, astuto, cobarde, maligno;
El lobo, la serpiente y el cerdo no faltaban en mí...

También (*Song of myself*, 33):

Yo soy el hombre. Yo sufrí. Ahí estaba.
El desdén y la tranquilidad de los mártires;
La madre, sentenciada por bruja, quemada ante los hijos, con leña seca;
El esclavo acosado que vacila, se apoya contra el cerco, jadeante, cubierto de sudor;
Las puntadas que le atraviesan las piernas y el pescuezo, las crueles municiones y balas;
Todo eso lo siento, lo soy.

Todo eso lo sintió y lo fué Whitman, pero fundamentalmente fué —no en la mera historia; en el mito— lo que denotan estos dos versos (*Song of myself*, 24):

Walt Whitman, un cosmos, hijo de Manhattan,
Turbulento, carnal, sensual, comiendo, bebiendo, engendrando.

También fué el que sería en el porvenir, en nuestra venidera nostalgia, creada por estas profecías que la anunciaron (*Full of life, now*):

Lleno de vida, hoy, compacto, visible,
Yo, de cuarenta años de edad el año ochenta y tres de los Estados,
A ti, dentro de un siglo o de muchos siglos,
A ti, que no has nacido, te busco.
Estás leyéndome. Ahora el invisible soy yo.
Ahora eres tú, compacto, visible, el que intuye los versos y el que me busca.
Pensando lo feliz que serías si yo pudiera ser tu compañero.
Sé feliz como si yo estuviera contigo. (No tengas demasiada seguridad de que no estoy contigo.)

O (*Song of parting*, 4, 5):

¡Camarada! Éste no es un libro;
El que me toca, toca a un hombre.
(¿Es de noche? ¿Estamos solos aquí?...)
Te quiero, me despojo de esta envoltura.
Soy como algo incorpóreo, triunfante, muerto.[1]

O friend unseen, unborn, unknown,
Student of our sweet English tongue,
Read out my words at night, alone:
I was a poet, I was young.

[1] Es intrincado el mecanismo de estos apóstrofes. Nos emociona que al poeta le emocionara prever nuestra emoción. Cf. estas líneas de Flecker, dirigidas al poeta que lo leerá, después de mil años:

Walt Whitman, hombre, fué director del *Brooklyn Eagle*, y leyó sus ideas fundamentales en las páginas de Emerson, de Hegel y de Volney; Walt Whitman, personaje poético, las edujo del contacto de América, ilustrado por experiencias imaginarias en las alcobas de New Orleans y en los campos de batalla de Georgia. Ese procedimiento, bien visto, no importa falsedad. Un hecho falso puede ser esencialmente cierto. Es fama que Enrique I de Inglaterra no volvió a sonreír después de la muerte de su hijo; el hecho, quizá falso, puede ser verdadero como símbolo del abatimiento del rey. Se dijo, en 1914, que los alemanes habían torturado y mutilado a unos rehenes belgas; la especie, a no dudarlo, era falsa, pero compendiaba útilmente los infinitos y confusos horrores de la invasión. Aun más perdonable es el caso de quienes atribuyen una doctrina a experiencias vitales y no a tal biblioteca o a tal epítome. Nietzsche, en 1874, se burló de la tesis pitagórica de que la historia se repite cíclicamente. (*Vom Nutzen und Nachtheil der Historie*, 2); en 1881, en un sendero de los bosques de Silvaplana, concibió de pronto esa tesis (*Ecce homo*, 9). Lo tosco, lo bajamente policial, es hablar de plagio; Nietzsche, interrogado, replicaría que lo importante es la transformación que una idea puede obrar en nosotros, no el mero hecho de razonarla.[1] Una cosa es la abstracta proposición de la unidad divina; otra, la ráfaga que arrancó del desierto a unos pastores árabes y los impulsó a una

[1] Tanto difieren la razón y la convicción que las más graves objeciones a cualquier doctrina filosófica suelen preexistir en la obra que la proclama. Platón, en el *Parménides*, anticipa el argumento del tercer hombre que le opondrá Aristóteles, Berkeley (*Dialogues*, 3), las refutaciones de Hume.

batalla que no ha cesado y cuyos límites fueron la Aquitania y el Ganges. Whitman se propuso exhibir un demócrata ideal, no formular una teoría.

Desde que Horacio, con imagen platónica o pitagórica, predijo su celeste metamorfosis, es clásico en las letras el tema de la inmortalidad del poeta. Quienes lo frecuentaron, lo hicieron en función de la vanagloria (*Not marble, not the gilded monuments*), cuando no del soborno y de la venganza; Whitman deriva de su manejo una relación personal con cada futuro lector. Se confunde con él y dialoga con el otro, con Whitman (*Salut au monde*, 3):

¿Qué oyes, Walt Whitman?

Así se desdobló en el Whitman eterno, en ese amigo que es un viejo poeta americano de mil ochocientos y tantos y también su leyenda y también cada uno de nosotros y también la felicidad. Vasta y casi inhumana fué la tarea, pero no fué menor la victoria.

VALERY COMO SÍMBOLO

Aproximar el nombre de Whitman al de Paul Valéry es, a primera vista, una operación arbitraria y (lo que es peor) inepta. Valéry es símbolo de infinitas destrezas pero asimismo de infinitos escrúpulos; Whitman, de una casi incoherente pero titánica vocación de felicidad; Valéry ilustremente personifica los laberintos del espíritu: Whitman, las interjecciones del cuerpo. Valéry es símbolo de Europa y de su delicado crepúsculo; Whitman, de la mañana en América. El orbe entero de la literatura parece no admitir dos aplicaciones más antagónicas de la palabra *poeta.* Un hecho, sin embargo, los une: la obra de los dos es menos preciosa como poesía que como signo de un poeta ejemplar, creado por esa obra. Así, el poeta inglés Lascelles Abercrombie pudo alabar a Whitman por haber creado "de la riqueza de su noble experiencia, esa figura vívida y personal que es una de las pocas cosas realmente grandes de la poesía de nuestro tiempo: la figura de él mismo". El dictamen es vago y superlativo, pero tiene la singular virtud de no identificar a Whitman, hombre de letras y devoto de Tennyson, con Whitman, héroe semidivino de *Leaves of grass.* La distinción es válida; Whitman redactó sus rapsodias en función de un yo imaginario, formado parcialmente de él mismo, parcialmente de cada uno de sus lectores. De ahí las divergencias que han exasperado a la crítica; de ahí la costumbre de fechar sus poemas en territorios que jamás conoció; de ahí que, en tal página de su obra, naciera en los estados del sur, y en tal otra (también en la realidad) en Long Island.

Uno de los propósitos de las composiciones de Whitman es definir a un hombre posible —Walt Whitman— de ilimitada y negligente felicidad; no menos hiperbólico, no menos ilusorio, es el hombre que definen las composiciones de Valéry. Éste no magnifica, como aquél, las capacidades humanas de filantropía, de fervor y de dicha; magnífica las virtudes mentales. Valéry ha creado a Edmond Teste; ese personaje sería uno de los mitos de nuestro siglo si todos, íntimamente, no lo juzgáramos un mero *Doppelgänger* de Valéry. Para nosotros. Valéry es Edmond Teste. Es decir, Valéry es una derivación del Chevalier Dupin de Edgar Allan Poe y del inconcebible Dios de los teólogos. Lo cual, verosímilmente, no es cierto.

Yeats, Rilke y Eliot han escrito versos más memorables que los de Valéry; Joyce y Stefan George han ejecutado modificaciones más profundas en su instrumento (quizá el francés es menos modificable que el inglés y que el alemán); pero detrás de la obra de esos eminentes artífices no hay una personalidad comparable a la de Valéry. Las circunstancia de que esa personalidad sea, de algún modo, una proyección de la obra, no disminuye el hecho. Proponer a los hombres la lucidez en una era bajamente romántica, en la era melancólica del nazismo y del materialismo dialéctico, de los augures de la secta de Freud y de los comerciantes del *surréalisme*, tal es la benemerita misión que desempeñó (que sigue desempeñando) Valéry.

Paul Valéry nos deja, al morir, el símbolo de un hombre infinitamente sensible a todo hecho y para el cual todo hecho es un estímulo que puede suscitar una infinita serie de pensamientos. De un hombre que trasciende los rasgos diferenciales del yo y de quien podemos decir, como William Hazlitt de Shakespeare. *He is nothing in himself.* De un hombre cuyos admirables textos no agotan, ni siquiera definen, sus omnímodas posibilidades. De un hombre que, en un siglo que adora los caóticos ídolos de la sangre, de la tierra y de la pasión, prefirió siempre los lúcidos placeres del pensamiento y las secretas aventuras del orden.

Buenos Aires, 1945.

EL ENIGMA DE EDWARD FITZGERALD

Un hombre, Umar ben Ibrahim, nace en Persia, en el siglo XI de la era cristiana (aquel siglo fué para él el quinto de la Héjira), y aprende el Alcorán y las tradiciones con Hassán ben Sabbáh, futuro fundador de la secta de los Hashishin o Asesinos, y con Nizam ul-Mulk, que será visir de Alp Arslán, conquistador del Cáucaso. Los tres amigos, entre burlas y veras, juran que si la fortuna, algún día, da en favorecer a uno de ellos, el agraciado no se olvidará de los otros. Al cabo de los años, Nizam logra la dignidad de visir: Umar no le pide otra cosa que un rincón a la sombra de su dicha, para rezar por la prosperidad del amigo y para meditar en las matemáticas. (Hassán pide y obtiene un cargo elevado, y, finalmente, hace apuñalar al visir.) Umar recibe del tesoro de Nishapur una pensión anual de diez mil dinares y puede consagrarse al estudio. Descree de la astrología judiciaria, pero cultiva la astronomía, colabora en la reforma del calendario que promueve el sultán y compone un famoso tratado de álgebra, que da soluciones numéricas para las ecuaciones de primero y segundo grado, y geométricas, mediante intersección de cónicas, para las de tercero. Los arcanos del número y de los astros no agotan su atención; lee, en la soledad de su biblioteca, los textos de Plotino, que en el vocabulario del Islam es el Platón Egipcio o el Maestro Griego, y las cincuenta y tantas epístolas de la herética y mística Enciclopedia de los Hermanos de la Pureza, donde se razona que el universo es una emanación de la Unidad, y regresará a la Unidad... Lo dicen prosélito de Alfarabi, que entendió que las formas universales no existen fuera de las cosas, y de Avicena, que enseñó que el mundo es eterno. Alguna crónica nos refiere que cree, o que juega a creer, en las transmigraciones del alma, de cuerpo humano a cuerpo bestial, y que una vez habló con un asno como Pitágoras habló con un perro. Es ateo, pero sabe interpretar de un modo ortodoxo los más arduos pasajes del Alcorán, porque todo hombre culto es un teólogo, y para serlo no es indispensable la fe. En los intervalos de la astronomía, del algebra y de la apologética. Umar ben Ibrahim al-Khayyami labra composiciones de cuatro versos, de los cuales el primero, el segundo y el último riman entre sí; el manuscrito más copioso le atribuye quinientas de esas cuartetas, número exiguo que será desfavorable a su gloria, pues en Persia (como en la España de Lope y de Calderón) el poeta debe ser abundante. El año 517 de la Héjira, Umar está leyendo un tratado que se titula *El Uno y los Muchos*; un malestar o una premonición la interrumpe. Se levanta, marca la página que sus ojos no volverán a ver y se reconcilia con Dios, con aquel Dios que acaso existe y cuyo favor ha implorado en las páginas difíciles de su álgebra. Muere ese mismo día, a la hora de la puesta del sol. Por aquellos años, en una isla occidental y boreal que los cartógrafos del Islam desconocen, un rey sajón que ha derrotado a un rey de Noruega es derrotado por un duque normando.

Siete siglos transcurren, con sus luces y agonías y mutaciones, y en Inglaterra nace un hombre, Fitzgerald, menos intelectual que Umar, pero acaso más sensible y más triste. Fitzgerald sabe que su verdadero destino es la literatura y la ensaya con indolencia y tenacidad. Lee y relee el Quijote, que casi le parece el mejor de todos los libros (pero no quiere ser injusto con Shakespeare y con *dear old Virgil*), y su amor se extiende al diccionario en el que busca las palabras. Entiende que todo hombre en cuya alma se encierra alguna música puede versificar diez o doce veces en el curso natural de su vida, si le son propicios los astros, pero no se propone abusar de ese módico privilegio. Es amigo de personas ilustres (Tennyson, Carlyle, Dickens, Thackeray), a las que no se siente inferior, a despecho de su modestia y su cortesía. Ha publicado un diálogo decorosamente escrito, *Euphranor*, y mediocres versiones de Calderón y de los grandes trágicos griegos. Del estudio del español ha pasado al estudio del persa y ha iniciado una traducción del *Mantiq al-Tayr*, esa epopeya mística de los pájaros que buscan a su rey, el Simurg, y finalmente arriban a su palacio, que está detrás de siete mares, y descubren que ellos son el Simurg y que el Simurg es todos y cada uno. Hacia 1854 le prestan una colección manuscrita de las composiciones de Umar, hecha sin otra ley que el orden alfabético de las rimas; Fitzgerald vierte alguna al latín y entrevé la posibilidad de tejer con ellas un libro continuo y orgánico en cuyo principio estén las imágenes de la mañana, de la rosa y del ruiseñor, y al fin, las de la noche y la sepultura. A ese propósito improbable y aun inverosímil, Fitzgerald consagra su vida de hombre indolente, solitario y maniático. En 1859 publica una primera versión de

Rubaiyat, a la que siguen otras, ricas en variaciones y escrúpulos. Un milagro acontece: de la fortuita conjunción de un astrónomo persa que condescendió a la poesía, de un inglés excéntrico que recorre, tal vez sin entenderlos del todo, libros orientales e hispánicos, surge un extraordinario poeta, que no se parece a los dos. Swinburne escribe que Fitzgerald "ha dado a Omar Khayyán un sitio perpetuo entre los mayores poetas de Inglaterra", y Chesterton, sensible a lo romántico y a lo clásico de ese libro sin par, observa que a la vez hay en él "una melodía que se escapa y una inscripción que dura". Algunos críticos entienden que el *Omar* de Fitzgerald es, de hecho, un poema inglés con alusiones persas; Fitzgerald interpeló, afinó e inventó, pero sus *Rubaiya*t parecen exigir de nosotros que las leamos como persas y antiguas.

El caso invita a conjeturas de índole metafísica. Umar profesó (lo sabemos) la doctrina platónica y pitagórica del tránsito del alma por muchos cuerpos; al cabo de los siglos, la suya acaso reencarnó en Inglaterra para cumplir en un lejano idioma germánico veteado de latín el destino literario que en Nishapur reprimieron las matemáticas. Isaac Luria el León enseñó que el alma de un muerto puede entrar en un alma desventurada para sostenerla o instruirla; quizá el alma de Umar se hospedó, hacia 1857, en la de Fitzgerald. En las *Rubaiyat* se lee que la historia universal es un espectáculo que Dios concibe, representa y contempla; esta especulación (cuyo nombre técnico es panteísmo) nos dejaría pensar que el inglés pudo recrear al persa, porque ambos eran, esencialmente, Dios o caras momentáneas de Dios. Más verosímil y no menos maravillosa que estas conjeturas de tipo sobrenatural es la suposición de un azar benéfico. Las nubes configuran, a veces, formas de montañas o leones; análogamente la tristeza de Edward Fitzgerald y un manuscrito de papel amarillo y de letras purpúreas, olvidado en un anaquel de la Bodleiana de Oxford, configuraron, para nuestro bien, el poema.

Toda colaboración es misteriosa. Ésta del inglés y del persa lo fué más que ninguna, porque eran muy distintos los dos y acaso en vida no hubieran trabado amistad y la muerte y las visicitudes y el tiempo sirvieron para que uno supiera del otro y fueran un solo poeta.

SOBRE OSCAR WILDE

Mencionar el nombre de Wilde es mencionar a un *dandy* que fuera también un poeta, es evocar la imagen de un caballero dedicado al pobre propósito de asombrar con corbatas y con metáforas. También es evocar la noción del arte como un juego selecto o secreto —a la manera del tapiz de Hugh Vereker y del tapiz de Stefan George— y del poeta como un laborioso *monstrorum artifex* (Plinio, XXVIII, 2). Es evocar el fatigado crepúsculo del siglo XIX y esa opresiva pompa de invernáculo o de baile de máscaras. Ninguna de estas evocaciones es falsa, pero todas corresponden. lo afirmo, a verdades parciales y contradicen, o descuidan, hechos notorios.

Consideremos, por ejemplo, la noción de que Wilde fué una especie de simbolista. Un cúmulo de circunstancias la apoya: Wilde, hacia 1881, dirigió a los estetas y diez años después a los decadentes; Rebeca West pérfidamente lo acusa (*Henry James*, III) de imponer a la última de estas sectas "el sello de la clase media"; el vocabulario del poema *The Sphinx* es estudiosamente magnífico; Wilde fué amigo de Schwob y de Mallarmé. La refuta un hecho capital: en verso o en prosa, la sintaxis de Wilde es siempre simplísima. De los muchos escritores británicos, ninguno es tan accesible a los extranjeros. Lectores incapaces de descrifrar un párrafo de Kipling o una estrofa de William Morris empiezan y concluyen la misma tarde *Lady Windermere's Fan*. La métrica de Wilde es espontánea o quiere parecer espontánea; su obra no encierra un solo verso experimental, como este duro y sabio alejandrino de Lionel Johnson: *Alone with Christ, desolate else, left by mankind.*

La insignificancia *técnica* de Wilde puede ser un argumento a favor de su grandeza intrínseca. Si la obra de Wilde correspondiera a la índole de su fama, la integrarían meros artificios del tipo de *Les Palais Nomades* o de *Los Crepúsculos del Jardín*. En la obra de Wilde esos artificios abundan)recordemos el undécimo capítulo de *Dorian Gray* o *The Harlot's House* o *Symphony in Yellow*— pero su índole adjetiva es notoria. Wilde puede prescindir de esos *purple patches* (retazos de púrpura); frase cuya invención le atribuyen Ricketts y Hesketh Pearson, pero que ya registra el exordio de la epístola a los Pisones. Esa atribución prueba el hábito de vincular al nombre de Wilde la noción de pasajes decorativos.

Leyendo y releyendo, a lo largo de los años, a Wilde, noto un hecho que sus panegiristas no parecen haber sospechado siquiera: el hecho comprobable y elemental de que Wilde, casi siempre, tiene razón. *The Soul of Man under Socialism* no sólo es elocuente; también es justo. Las notas misceláneas que prodigó en la *Pall Mall Gazette* y en el *Speaker* abundan en perspicuas observaciones que exceden las mejores posibilidades de Leslie Stephen o de Saintsbury. Wilde ha sido acusado de ejercer una suerte de arte combinatoria, a lo Raimundo Lulio; ello es aplicable, tal vez, a alguna de sus bromas ("uno de esos rostros británicos que, vistos una vez, siempre se olvidan"), pero no al dictamen de que la música nos revela un pasado desconocido y acaso real (*The Critic as Artist*) o aquel de que todos los hombres matan la cosa que aman (*The Ballad of Reading Gaol*) o a aquel otro de que arrepentirse de un acto es modificar el pasado (*De Profundis*) *o a aquel*[1], no indigno de León Bloy o de Swedenborg, de que no hay hombre que no sea, en cada momento, lo que ha sido y lo que será (*ibidem*). No transcribo estas líneas para veneración del lector; las alego como indicio de una mentalidad muy diversa de la que, en general, se atribuye a Wilde. Éste, si no me engaño, fué mucho más que un Moréas irlandés; fué un hombre del siglo XVIII, que alguna vez condescendió a los juegos del simbolismo. Como Gibbon, como Johnson, como Voltaire fué un ingenioso que tenía razón además. Fué, "para de una vez decir palabras fatales, clásico en suma".[2] Dió al siglo lo que el siglo exigía —*comédies larmoyantes* para los más y arabescos verbales para los menos— y ejecutó esas cosas disímiles con una suerte de negligente felicidad. Lo ha perjudicado la perfección; su obra es tan armoniosa que puede parecer inevitable y aun baladí. Nos cuesta imaginar el universo sin los epigramas de Wilde; esa dificultad no los hace menos plausibles.

[1] Cf. la curiosa tesis de Leibniz, que tanto escándalo produjo en Arnauld: *La noción de cada individuo encierra* a priori *todos los hechos que a éste le ocurrirán*. Según ese fatalismo dialéctico, el hecho de que Alejandro el Grande moriría en Babilonia es una cualidad de ese rey, como la soberbia.

[2] La sentencia es de Reyes, que la aplica al hombre mejicano (*Reloj de Sol*, pág. 158).

Una observación lateral. El nombre de Oscar Wilde está vinculado a las ciudades de la llanura; su gloria, a la condena y la cárcel. Sin embargo (esto lo ha sentido muy bien Hesketh Pearson) el sabor fundamental de su obra es la felicidad. En cambio, la valerosa obra de Chesterton, prototipo de la sanidad física y moral, siempre está a punto de convertirse en una pesadilla. La acechan lo diabólico y el horror; puede asumir, en la página más inocua, las formas del espanto. Chesterton es un hombre que quiere recuperar la niñez; Wilde, un hombre que guarda, pese a los hábitos del mal y de la desdicha una invulnerable inocencia.

Como Chesterton, como Lang, como Boswell, Wilde es de aquellos venturosos que pueden prescindir de la aprobación de la crítica y aun, a veces, de la aprobación del lector, pues el agrado que nos proporciona su trato es irresistible y constante.

1946.

SOBRE CHESTERTON

Because He does not take away
The terror from the tree...
CHESTERTON: *A second childhood.*

Edgard Allan Poe escribió cuentos de puro horror fantástico o de pura *bizarrerie*; Edgard Allan Poe fué inventor del cuento policial. Ello no es menos indudable que el hecho de que no combinó los dos géneros. No impuso al caballero Auguste Dupin la tarea de fijar el antiguo crimen del Hombre de las Multitudes o de explicar el simulacro que fulminó, en la cámara negra y escarlata, al enmascarado príncipe Próspero. En cambio, Chesterton prodigo con pasión y felicidad esos *tours de force*. Cada una de las piezas de la Saga del Padre Brown presenta un misterio, propone explicaciones de tipo demoníaco o mágico y las reemplaza, al fin, con otras que son de este mundo. La maestría no agota la virtud de esas breves ficciones; en ellas creo percibir una cifra de la historia de Chesterton, un símbolo o espejo de Chesterton. La repetición de su esquema a través de los años y de los libros *(The man who knew too much, The poet and the lunatics, The paradoxes of Mr. Pond)* parece confirmar que se trata de una forma esencial, no de un artificio retórico. Estos apuntes quieren interpretar esa forma.

Antes, conviene reconsiderar unos hechos de excesiva notoriedad. Chesterton fué católico, Chesterton creyó en la Edad Media de los prerrafaelistas *(Of London, small and white, and clean)*, Chesterton pensó, como Whitman, que el mero hecho de ser es tan prodigioso que ninguna desventura debe eximirnos de una suerte de cómica gratitud. Tales creencias pueden ser justas, pero el interés que promueven es limitado; suponer que agotan a Chesterton es olvidar que un credo es el último término de una serie de procesos mentales y emocionales y que un hombre es toda la serie. En este país, los católicos exaltan a Chesterton, los librepensadores lo niegan. Como todo escritor que profesa un credo, Chesterton es juzgado por él, es reprobado o aclamado por él. Su caso es parecido al de Kipling, a quien siempre lo juzgan en función del Imperio Británico.

Poe y Baudelaire se propusieron, como el atormentado Urizen de Blake, la creación de un mundo de espanto; es natural que su obra sea pródiga de formas del horror. Chesterton, me parece, no hubiera tolerado la imputación de ser un tejedor de pesadillas, un *monstrorum artifex* (Plinio, XXVIII, 2), pero invenciblemente suele incurrir en atisbos atroces. Pregunta si acaso un hombre tiene tres ojos, o un pájaro tres alas; habla, contra los panteístas, de un muerto que descubre en el paraíso que los espíritus de los coros angélicos tienen sin fin su misma cara [1]; habla de una cárcel de espejos; habla de un laberinto sin centro; habla de un hombre devorado por autómatas de metal; habla de un árbol que devora a los pájaros

[1] Amplificando un pensamiento de Attar ("En todas partes sólo vemos Tu cara"), Jalal-uddin Rumi compuso unos versos que ha traducido Rückert (*Werke*, IV, 222), donde se dice que en los cielos, en el mar y en los sueños hay Uno Solo y donde se alaba a ese Único por haber reducido a unidad los cuatro briosos animales que tiran del carro de los mundos: la tierra, el fuego, el aire y el agua.

y que en lugar de hojas da plumas; imagina (*The man who was Thursday*, VI) que en los confines orientales del mundo acaso existe un árbol que ya es más, y menos, que un árbol, y en los occidentales, algo, una torre, cuya sola arquitectura es malvada. Define lo cercano por lo lejano, y aun por lo atroz; si habla de sus ojos, los llama con palabras de Ezequiel (1:22) *un terrible cristal*, si de la noche, perfecciona un antiguo horror (Apocalipsis, 4:6) y la llama *un monstruo hecho de ojos*. No menos ilustrativa es la narración *How I found the Superman*, Chesterton habla con los padres del Superhombre; interrogados sobre la hermosura del hijo, que no sale de un cuarto oscuro, éstos le recuerdan que el Superhombre crea su propio canon y debe ser medido por él ("En ese plano es más bello que Apolo. Desde nuestro plano inferior, por supuesto..."); después admiten que no es fácil estrecharle la mano ("Usted comprende; la estructura es muy otra"); después, son incapaces de precisar si tiene pelo o plumas. Una corriente de aire lo mata y unos hombres retiran un ataúd que no es de forma humana. Chesterton refiere en como de burla esa fantasía teratológica.

Tales ejemplos, que sería fácil multiplicar, prueban que Chesterton se defendió de ser Edgar Allan Poe o Franz Kafka, pero que algo en el barro de su yo propendía a la pesadilla, algo secreto, y ciego y central. No en vano dedicó sus primeras obras a la justificación de dos grandes artífices góticos, Browning y Dickens; no en vano repitió que el mejor libro salido de Alemania era el de los cuentos de Grimm. Denigró a Ibsen y defendió (acaso indefendiblemente), a Rostand, pero los Trolls y el Fundidor de *Peer Gynt* eran de la madera de sus sueños, *the stuff his dreams were made of*. Esa discordia, esa precaria sujeción de una voluntad demoníaca, definen la naturaleza de Chesterton. Emblemas de esa guerra son para mí las aventuras del Padre Brown, cada una de las cuales quiere explicar, mediante la sola razón, un hecho inexplicable.[1] Por eso dije, en el párrafo inicial de esta nota, que esas ficciones eran cifras de la historia de Chesterton, símbolos y espejos de Chesterton. Eso es todo, salvo que la "razón" a la que Chesterton supeditó sus imaginaciones no era precisamente la razón sino la fe católica o sea un conjunto de imaginaciones hebreas supeditadas a Platón y a Aristóteles.

Recuerdo dos parábolas que se oponen. La primera consta en el primer tomo de las obras de Kafka. Es la historia del hombre que pide ser admitido a la ley. El guardián de la primera puerta le dice, que adentro hay muchas otras [1] y que no hay sala que no esté custodiada por un guardián, cada uno más fuerte que el anterior. El hombre se sienta a esperar. Pasan los días y los años, y el hombre muere. En la agonía pregunta: "¿Será posible que en los años que espero nadie haya querido entrar sino yo?" El guardián le responde: "Nadie ha querido entrar porque a ti sólo estaba destinada esta puerta. Ahora voy a cerrarla." (Kafka comenta esta parábola, complicándola aun más, en el noveno capítulo de *El proceso.*) La otra parábola está en el *Pilgrim's Progress*, de Bunyan. La gente mira codiciosa un castillo que custodian

[1] No la explicación de lo inexplicable sino de lo confuso es la tarea que se imponen, por lo común, los novelistas policiales.

[1] La noción de puertas detrás de puertas, que se interponen entre el pecador y la gloria, está en el Zohar. Véase Glatzer: *In Time and Eternity*, 30; también Martin Buber: *Tales of the Hasidim*, 92.

muchos guerreros; en la puerta hay un guardián con un libro para escribir el nombre de aquel que sea digno de entrar. Un hombre intrépido se allega a ese guardián y le dice: "Anote mi nombre, señor." Luego saca la espada y se arroja sobre los guerreros y recibe y devuelve heridas sangrientas, hasta abrirse camino entre el fragor y entrar en el castillo.

Chesterton dedicó su vida a escribir la segunda de las parábolas, pero algo en él propendió siempre a escribir la primera.

EL PRIMER WELLS

Harris refiere que Oscar Wilde, interrogado acerca de Wells, respondió:

—Un Julio Verne científico.

El dictamen es de 1899; se adivina que Wilde pensó menos en definir a Wells, o en aniquilarlo, que en pasar a otro tema, H. G. Wells y Julio Verne son, ahora nombres incompatibles. Todos lo sentimos así, pero el examen de las intrincadas razones en que nuestro sentimiento se funda puede no ser inútil.

La más notoria de esas razones es de orden técnico. Wells (antes de resignarse a especulador sociológico) fué un admirable narrador, un heredero de las brevedades de Swift y de Edgar Allan Poe; Verne, un jornalero laborioso y risueño. Verne escribió para adolescentes; Wells, para todas las edades del hombre. Hay otra diferencia, ya denunciada alguna vez por el propio Wells: las ficciones de Verne trafican en cosas probables (un buque submarino, un buque más extenso que los de 1872, el descubrimiento del Polo Sur, la fotografía parlante, la travesía de África en globo, los cráteres de un volcán apagado que dan al centro de la tierra); las de Wells en meras posibilidades (un hombre invisible, una flor que devora a un hombre, un huevo de cristal que refleja los acontecimientos de Marte), cuando no en cosas imposibles: un hombre que regresa del porvenir con una flor futura, un hombre que regresa de la otra vida con el corazón a la derecha, porque lo han invertido íntegramente, igual que en un espejo. He leído que Verne, escandalizado por las licencias que se permite *The first men in the moon*, dijo con indignación: *Il invente!*

Las razones que acabo de indicar me parecen válidas, pero no explican por qué Wells es infinitamente superior al autor de *Héctor Servadac*, así como también a Rosney, a Lytton, a Robert Paltock, a Cyrano o a cualquier otro precursor de sus métodos.[1] La mayor felicidad de sus argumentos no basta a resolver el problema. En libros no muy breves, el argumento no puede ser más que un pretexto, o un punto de partida. Es importante para la ejecución de la obra, no para los goces de la lectura. Ello puede observarse en *todos* los géneros; las mejores novelas policiales no son las de mejor argumento. (Si lo fueran todo los argumentos, no existiría el *Quijote* y Shaw valdría menos que O'Neill.) En mi opinión, la precelencía de las primeras novelas de Wells —*The Island of Dr. Moreau*, verbigracia, o *The Invisible Man*— se debe a una razón más profunda. No sólo es ingenioso lo que refieren; es también simbólico de procesos que de algún modo son inherentes a todos los destinos humanos. El acosado hombre invisible que tiene que dormir como con los ojos abiertos porque sus párpados no excluyen la luz es nuestra soledad y nuestro terror; el conventículo de monstruos sentados que gangosean en su noche un credo servil es el Vaticano y es Lhasa. La obra que perdura

[1] Wells, en *The Outline of History* (1931), exalta la obra de otros dos precursores: Francis Bacon y Luciano de Samosata.

es siempre capaz de una infinita y plástica ambigüedad; es todo para todos, como el Apóstol; es un espejo que declara los rasgos del lector y es también un mapa del mundo. Ello debe ocurrir, además, de un modo evanescente y modesto, casi a despecho del autor; éste debe aparecer ignorante de todo simbolismo. Con esa lúcida inocencia obró Wells en sus primeros ejercicios fantásticos, que son, a mi entender, lo más admirable que comprende su obra admirable.

Quienes dicen que el arte no debe propagar doctrinas, suelen referirse a doctrinas contrarias a las suyas. Desde luego, tal no es mi caso; agradezco y profeso casi todas las doctrinas de Wells, pero deploro que éste las intercalara en sus narraciones. Buen heredero de los nominalistas británicos, Wells reprueba nuestra costumbre de hablar de la tenacidad de "Inglaterra" o de las maquinaciones de "Prusia"; los argumentos contra esa mitología perjudicial me parecen irreprochables, no así la circunstancia de interpolarlos en la historia del sueño del señor Parham. Mientras un autor se limita a referir sucesos o a trazar los tenues desvíos de una conciencia, podemos suponerlo omnisciente, podemos confundirlo con el universo o con Dios; en cuanto se rebaja a razonar, lo sabemos falible. La realidad procede por hechos, no por razonamientos; a Dios le toleramos que afirme (Éxodo, 3, 14) Soy El Que Soy, no que declare y analice, como Hegel o Anselmo, el *argumentum ontologicum*. Dios no debe teologizar; el escritor no debe invalidar con razones humanas la momentánea fe que exige de nosotros el arte. Hay otro motivo; el autor que muestra aversión a un personaje parece no acabar de entenderlo, parece confesar que éste no es inevitable para él. Desconfiamos de su inteligencia, como desconfiaríamos de la inteligencia de un Dios que mantuviera cielos e infiernos. Dios, ha escrito Spinoza (*Etica*, 5, 17), no aborrece a nadie y no quiere a nadie.

Como Quevedo, como Voltaire, como Goethe, como algún otro más, Wells es menos un literato que una literatura. Escribió libros gárrulos en los que de algún modo resurge la gigantesca felicidad de Charles Dickens, prodigó parábolas sociológicas, erigió enciclopedias, dilató las posibilidades de la novela, reescribió para nuestro tiempo el Libro de Job, *esa gran imitación hebrea del diálogo platónico*, redactó sin soberbia y sin humildad una autobiografía gratísima, combatió el comunismo, el nazismo y el cristianismo, polemizó (cortés y mortalmente) con Belloc, historió el pasado, historió el porvenir, registró vidas reales e imaginarias. De la vasta y diversa biblioteca que nos dejó, nada me gusta más que su narración de algunos milagros atroces: *The Time Machine, The Island of Dr. Moreau, The Plattner Story, The First Men in the Moon*. Son los primeros libros que yo leí; tal vez serán los últimos... Pienso que habrán de incorporarse, como la fórmula de Teseo o la de Ahasverus, a la memoria general de la especie y que se multiplicarán en su ámbito, más allá de los términos de la gloria de quien los escribió, más allá de la muerte del idioma en que fueron escritos.

EL "BIATHANATOS"

A De Quincey (con quien es tan vasta mi deuda que especificar una parte parece repudiar o callar las otras) debo mi primer noticia del *Biathanatos*. Este tratado fué compuesto a principios del siglo XVII por el gran poeta John Donne [1], que dejó el manuscrito a Sir Robert Carr, sin otra prohibición que la de darlo "a la prensa o al fuego". Donne murió en 1631; en 1642 estalló la guerra civil; en 1644, el hijo primogénito del poeta dió el viejo manuscrito a la prensa, "para defenderlo del fuego". El *Biathanatos* abarca unas doscientas páginas; De Quincey (*Writings*, VIII, 336) las compendia así: El suicidio es una de las formas del homicidio; los canonistas distinguen el homicidio voluntario del homicidio justificable; en buena lógica, también cabe aplicar al suicidio esa distinción. De igual manera que no todo homicida es un asesino, no todo suicida es culpable de pecado mortal. En efecto, tal es la tesis aparente del *Biathanatos*; la de-

[1] Que de veras fué un gran poeta pueden demostrarlo estos versos:

> *Licence my roving hands and let them go*
> *Before, behind, between, above, below.*
> *O my America! my new-found-land...*
>
> (*Elegies*, XIX.)

clara el subtítulo *(That Self-homicide is not so naturally Sin that it may never be otherwise)* y la ilustra, o la agobia, un docto catálogo de ejemplos fabulosos o auténticos, desde Homero [1], "que había escrito mil cosas que no pudo entender otro alguno y de quien dicen que se ahorcó por no haber entendido la adivinanza de los pescadores", hasta el pelícano, símbolo de amor paternal, y las abejas, que, según consta en el *Hexamerón* de Ambrosio, "se dan muerte cuando han contravenido a las leyes de su rey". Tres páginas ocupan el catálogo y en ellas he notado esta vanidad: la inclusión de ejemplos oscuros ("Festo, favorito de Domiciano, que se mató para disimular los estragos de una enfermedad de la piel"), la omisión de otros de virtud persuasiva —Séneca, Temístocles, Catón—, que podrían parecer demasiado fáciles.

Epicteto ("Recuerda lo esencial: la puerta está abierta") y Schopenhauer ("¿Es el monólogo de Hamlet la meditación de un criminal?") han vindicado con acopio de páginas el suicidio; la previa certidumbre de que esos defensores tienen razón hace que los leamos con negligencia. Ello me aconteció con el *Biathanatos* hasta que percibí, o creí percibir, un argumento implícito o esotérico bajo el argumento notorio.

No sabremos nunca si Donne redactó el *Biathanatos* con el deliberado fin de insinuar ese oculto argumento o si una previsión de ese argumento, siquiera momentánea o crepuscular, lo llamó a la tarea. Más verosímil me parece lo último; la hipótesis de un libro que para decir A dice B, a la manera de un criptograma, es artificial, no así la de un trabajo impulsado por una intuición

[1] Cf. el epigrama sepulcral de Alceo de Mesena (*Antología Griega*, VII, 1).

imperfecta. Hugh Fausset ha sugerido que Donne pensaba coronar con el suicidio su vindicación del suicidio; que Donne haya jugado con esa idea es posible o probable; que ella baste a explicar el *Biathanatos* es, naturalmente, ridículo.

Donne, en la tercera parte del *Biathanatos*, considera las muertes voluntarias que las Escrituras refieren; a ninguna dedica tantas páginas como a la de Sansón. Empieza por establecer que ese "hombre ejemplar" es emblema de Cristo y que parece haber servido a los griegos como arquetipo de Hércules. Francisco de Vitoria y el jesuíta Gregorio de Valencia no quisieron incluirlo entre los suicidas; Donne, para refutarlos copia las últimas palabras que dijo, antes de cumplir su venganza: *Muera yo con los filisteos* (Jueces, 16: 30). Asimismo rechaza la conjetura de San Agustín, que afirma que Sansón, rompiendo los pilares del templo, no fué culpable de las muertes ajenas ni de la propia, sino que obedeció a una inspiración del Espíritu Santo, "como la espada que dirige sus filos por disposición del que la usa" (*La Ciudad de Dios*, I, 20). Donne, tras de probar que esa conjetura es gratuita, cierra el capítulo con una sentencia de Benito Pererio, que dice que Sansón, no menos en su muerte que en otros actos, fué símbolo de Cristo.

Invirtiendo la tesis agustiniana, los quietistas creyeron que Sansón "por violencia del demonio se mató juntamente con los filisteos" (*Heterodoxos españoles*, V, I, 8); Milton (*Samson Agonistes, in fine*) lo vindicó de la atribución de suicidio; Donne, lo sospecho, no vió en ese problema casuístico sino una suerte de metáfora o simulacro. No le importaba el caso de Sansón —¿y por qué había de importarle?— o solamente le importaba, diremos, como "emblema de Cristo". En el Antiguo Testamento no hay héroe que no haya sido promovido a esa autoridad: para San Pablo, Adán es figura del que había de venir; para San Agustín, Abel representa la muerte del Salvador, y su hermano Seth, la resurrección; para Quevedo, "prodigioso diseño fué Job de Cristo". Donne incurrió en esa analogía trivial para que su lector comprendiera: *Lo anterior, dicho de Sansón, bien puede ser falso; no lo es, dicho de Cristo.*

El capítulo que directamente habla de Cristo no es efu sivo. Se limita a invocar dos lugares de la Escritura: la frase "doy mi vida por las ovejas" (Juan, 10:15) y la curiosa locución" dió el espíritu", que usan los cuatro evangelistas para decir "murió". De esos lugares, que confirma el versículo "Nadie me quita la vida, yo la doy" (Juan, 10:18), infiere que el suplicio de la cruz no mató a Jesucristo y que éste, en verdad, se dió muerte con una prodigiosa y voluntaria emisión de su alma. Donne escribió esa conjetura en 1608: en 1631 la incluyó en un sermón que predicó, casi agonizante, en la capilla del palacio de Whitehall.

El declarado fin del *Biathanatos* es paliar el suicidio; el fundamental, indicar que Cristo se suicidó.[1] Que, para manifestar esta tesis, Donne se viera reducido a un versículo de San Juan y a la repetición del verbo *expirar* es cosa inverosímil y aun increíble; sin duda prefirió no insistir sobre un tema blasfematorio. Para el cristiano, la vida y la muerte de Cristo son el acontecimiento central de la historia del mundo; los siglos anteriores lo prepararon, los subsiguientes lo reflejan. Antes que Adán fuera

[1] Cf. De Quincey: *Writings*, VIII, 398; Kant: *Religión innehalb der Grenzen der Vernunft*, II, 2.

formado del polvo de la tierra, antes que el firmamento separara las aguas de las aguas, el Padre ya sabía que el Hijo había de morir en la cruz y, para teatro de esa muerte futura, creó la tierra y los cielos. Cristo murió de muerte voluntaria, sugiere Donne, y ello quiere decir que los elementos y el orbe y las generaciones de los hombres y Egipto y Roma y Babilonia y Judá fueron sacados de la nada para destruirlo. Quizá el hierro fué creado para los clavos y las espinas para la corona de escarnio y la sangre y el agua para la herida. Esa idea barroca se entrevé detrás del *Biathanatos*. La de un dios que fabrica el universo para fabricar su patíbulo.

Al releer esta nota,, pienso en aquel trágico Philipp Batz, que se llama en la historia de la filosofía Philipp Mainländer. Fué, como yo, lector apasionado de Schopenhauer. Bajo su influjo (y quizá bajo el de los gnósticos) imaginó que somos fragmentos de un Dios, que en el principio de los tiempos se destruyó, ávido de no ser. La historia universal es la oscura agonía de esos fragmentos, Mainländer nació en 1841; en 1876 publicó su libro, *Filosofía de la redención*. Ese mismo año se dió muerte.

PASCAL

Mis amigos me dicen que los pensamientos de Pascal les sirven para pensar. Ciertamente, no hay nada en el universo que no sirva de estímulo al pensamiento; en cuanto a mí, jamás he visto en esas memorables fracciones una contribución a los problemas, ilusorios o verdaderos, que encaran. Las he visto más bien como predicados del sujeto Pascal, como rasgos o epítetos de Pascal. Así como la definición *quintessence of dust* no nos ayuda a comprender a los hombres sino al príncipe Hamlet, la definición *roseau pensant* no nos ayuda a comprender a los hombres pero sí a un hombre, Pascal.

Valéry, creo, acusa a Pascal de una dramatización voluntaria; el hecho es que su libro no proyecta la imagen de una doctrina o de un procedimiento dialéctico sino de un poeta perdido en el tiempo y en el espacio. En el tiempo, porque si el futuro y el pasado son infinitos, no habrá realmente un cuándo; en el espacio, porque si todo ser equidista de lo infinito y de lo infinitesimal, tampoco habrá un dónde. Pascal menciona con desdén "la opinión de Copérnico", pero su obra refleja para nosotros el vértigo de un teólogo, desterrado del orbe del Almagesto y extraviado en el universo copernicano de Kepler y de Bruno. El mundo de Pascal es el de Lucrecio (y también el de Spencer), pero la infinitud que embriagó al romano acobarda al francés. Bien es verdad que éste busca a Dios y que aquél se propone libertarnos del temor de los dioses.

Pascal, nos dicen, halló a Dios, pero su manifestación de esa dicha es menos elocuente que su manifestación de la soledad. Fué incomparable en ésta; básteme recordar, aquí, el famoso fragmento 207 de la edición de Brunschvieg (*Combien de royaumes nous ignorent!*) y aquel otro, inmediato, en que habla de "la infinita inmensidad de espacios que ignoro *y que me ignoran*". En el primero, la vasta palabra *royaumes* y el desdeñoso verbo final impresionan físicamente; alguna vez pensé que esa exclamación era de origen bíblico. Recorrí, lo recuerdo, las Escrituras; no di con el lugar que buscaba, y que tal vez no existe, pero sí con su perfecto reverso, con las palabras temblorosas de un hombre que se sabe desnudo hasta la entraña bajo la vigilancia de Dios. Dice el Apóstol (1 Corintios, XIII:12): "Vemos ahora por espejo, en oscuridad; después veremos cara a cara: ahora conozco en parte; pero después conoceré *como ahora soy conocido.*"

No menos ejemplar es el caso del fragmento 72. En el segundo párrafo, Pascal afirma que la naturaleza (el espacio) es "una esfera infinita cuyo centro está en todas partes y la circunferencia en ninguna". Pascal pudo encontrar esa esfera en Rabelais (III, 13), que la atribuye a Hermes Trismegisto, o en el simbólico *Roman de la Rose*, que la da como de Platón. Ello no importa; lo significativo es que la metáfora que usa Pascal para definir el espacio es empleada por quiènes lo precedieron (y por Sir Thomas Browne en *Religio Medici*) para definir la divinidad.[1] No la grandeza del Creador sino la grandeza de la Creación afecta a Pascal.

Éste, declarando en palabras incorruptibles el desorden y la miseria (*on mourra seul*), es uno de los hombres más patéticos de la historia de Europa; aplicando a las artes apologéticas el cálculo de probabilidades, uno de los más vanos y frívolos. No es un místico; pertenece a aquellos cristianos denunciados por Swedenborg, que suponen que el cielo es un galardón y el infierno un castigo y que, habituados a la meditación melancólica, no saben hablar con los ángeles.[1] Menos le importa Dios que la refutación de quienes lo niegan.

Esta edición [2], quiere reproducir, mediante un complejo sistema de signos tipográficos, el aspecto "inacabado, hirsuto y confuso" del manuscrito; es evidente que ha logrado ese fin. Las notas, en cambio, son pobres. Así, en la página 71 del primer tomo, se publica un fragmento

[1] Que yo recuerde, la historia no registra dioses cónicos, cúbicos o piramidales, aunque sí ídolos. En cambio, la forma de la esfera es perfecta y conviene a la divinidad (Cicerón: *De natura deorum*, II, 17). Esférico fué Dios para Jenófanes y para el poeta Parménides. En opinión de algunos historiadores, Empédocles (fragmento 28) y Meliso lo concibieron como esfera infinita. Orígenes entendió que los muertos resucitarán en forma de esferas; *Fechner* (*Vergleichende Anatomie der Engel*) atribuyó esa forma, que es la del órgano visual, a los ángeles.

Antes que Pascal, el insigne panteísta Giordano Bruno (*De la causa,* V) aplicó al universo material la sentencia de Trismegisto.

[1] *De coelo et inferno*, 535. Para Swedenborg, como para Boehme (*Sex puncta theosophica*, 9, 34), el cielo y el infierno son estados que con libertad busca el hombre, no un establecimiento penal y un establecimiento piadoso. Cf. también Bernard Shaw: *Man and Superman*, III.

[2] La de Zacharie Tourneur (París, 1942).

que desarrolla en siete renglones la conocida prueba cosmológica de Santo Tomás y de Leibniz; el editor no la reconoce y observa: "Tal vez Pascal hace hablar aquí a un incrédulo".

Al pie de algunos textos, el editor cita pasajes congéneres de Montaigne o de la Sagrada Escritura; ese trabajo podría ampliarse. Para ilustración del *Pari*, cabría citar los textos de Arnobio, de Sirmond y de Algazel que indicó Asín Palacios (*Huellas del Islam*, Madrid, 1941); para ilustración del fragmento contra la pintura, aquel pasaje del décimo libro de *La República*, donde se nos dice que Dios crea el Arquetipo de la mesa, el carpintero, un simulagro del Arquetipo, y el pintor, un simulacro del simulacro; para ilustración del fragmento 72 (*Je lui veux peindre l'immensité... dans l'enceinte de ce raccourci d'atome...*), su prefiguración en el concepto del microcosmo, su reaparición en Leibniz (*Monadología*, 67), y en Hugo (*La chauve-souris*):

Le moindre grain de sable est un globe qui roule
Traînant comme la terre une lugubre foule
Qui s'abhorre et s'acharne...

Demócrito pensó que en el infinito se dan mundos iguales, en los que hombres iguales cumplen sin una variación destinos iguales; Pascal (en quien también pudieron influir las antiguas palabras de Anaxágoras de que todo está en cada cosa) incluyó a esos mundos parejos unos adentro de otros, de suerte que no hay átomo en el espacio que no encierre universos ni universo que no sea también un átomo. Es lógico pensar (aunque no lo dijo) que se vió multiplicado en ellos sin fin.

EL IDIOMA ANALÍTICO DE JOHN WILKINS

He comprobado que la décimocuarta edición de la *Encyclopaedia Britannica* suprime el artículo sobre John Wilkins. Esa omisión es justa, si recordamos la trivialidad del artículo (veinte renglones de meras circunstancias biográficas: Wilkins nació en 1614, Wilkins murió en 1672, Wilkins fué capellán de Carlos Luis, príncipe palatino; Wilkins fué nombrado rector de uno de los colegios de Oxford, Wilkins fué el primer secretario de la Real Sociedad de Londres, etc.); es culpable, si consideramos la obra especulativa de Wilkins. Éste abundó en felices curiosidades: le interesaron la teología, la criptografía, la música, la fabricación de colmenas transparentes, el curso de un planeta invisible, la posibilidad de un viaje a la luna, la posibilidad y los principios de un lenguaje mundial. A este último problema dedicó el libro *An Essay towards a Real Character and a Philosophical Language* (600 páginas en cuarto mayor, 1668). No hay ejemplares de ese libro en nuestra Biblioteca Nacional; he interrogado, para redactar esta nota, *The life and times of John Wilkins* (1910), de P. A. Wright Henderson; el *Woerterbuch der Philosophie* (1924), de Fritz Mauthner; *Delphos* (1935), de E. Sylvia Pankhurst; *Dangerous Thoughts* (1939), de Lancelot Hogben.

Todos, alguna vez, hemos padecido esos debates inapelables en que una dama, con acopio de interjecciones y de anacolutos, jura que la palabra *luna* es más (o menos) expresiva que la palabra *moon*. Fuera de la evidente observación de que el monosílabo *moon* es tal vez más apto para representar un objeto muy simple que la palabra bisilábica *luna*, nada es posible contribuir a tales debates; descontadas las palabras compuestas y las derivaciones, todos los idiomas del mundo (sin excluir el *volapük* de Johann Martin Schleyer y la románica *interlingua* de Peano) son igualmente inexpresivos. No hay edición de la Gramática de la Real Academia que no pondere "el envidiado tesoro de voces pintorescas, felices y expresivas de la riquísima lengua española", pero se trata de una mera jactancia, sin corroboración. Por lo pronto, esa misma Real Academia elabora cada tantos años un diccionario, que define las voces del español... En el idioma universal que ideó Wilkins al promediar el siglo XVII, cada palabra se define a sí misma. Descartes, en una epístola fechada en noviembre de 1629, ya había anotado que mediante el sistema decimal de numeración, podemos aprender en un solo día a nombrar todas las cantidades hasta el infinito y a escribirlas en un idioma nuevo que es el de los guarismos [1]; también había propuesto la formación de un idioma análogo, general, que

[1] Teóricamente, el número de sistemas de numeración es ilimitado. El más complejo (para uso de las divinidades y de los ángeles) registraría un número infinito de símbolos, uno para cada número entero; el más simple sólo requiere dos. Cero se escribe 0, uno 1, dos 10, tres 11, cuatro 100, cinco 101, seis 110, siete 111, ocho 1000... Es invención de Leibniz ,a quien estimularon (parece) los hexagramas enigmáticos del I King.

organizara y abarcara todos los pensamientos humanos. John Wilkins, hacia 1664, acometió esa empresa.

Dividió el universo en cuarenta categorías o géneros, subdivisibles luego en diferencias, subdivisibles a su vez en especies. Asignó a cada género un monosílabo de dos letras; a cada diferencia, una consonante; a cada especie, una vocal. Por ejemplo: *de*, quiede decir elemento; *deb*, el primero de los elementos, el fuego; *deba*, una porción del elemento del fuego, una llama. En el idioma análogo de Letellier (1850), *a*, quiere decir animal; *ab*, mamífero; *abo*, carnívoro; *aboj*, felino; *aboje*, gato; *abi*, herbívoro; *abiv*, equino; etc. En el de Bonifacio Sotos Ochando (1845), *imaba*, quiere decir edificio; *imaca*, serrallo; *imafe*, hospital; *imafo*, lazareto; *imari*, casa; *imaru*, quinta; *imedo*, poste; *imede*, pilar; *imego*, suelo; *imela*, techo; *imogo*, ventana; *bire*, encuadernador; *birer*, encuadernar. (Debo este último censo a un libro impreso en Buenos Aires en 1886: el *Curso de lengua universal*, del doctor Pedro Mata.)

Las palabras del idioma analítico de John Wilkins no son torpes símbolos arbitrarios; cada una de las letras que las integran es significativa, como lo fueron las de la Sagrada Escritura para los cabalistas. Mauthner observa que los niños podrían aprender ese idioma sin saber que es artificioso; después en el colegio, descubrirían que es también una clave universal y una enciclopedia secreta.

Ya definido el procedimiento de Wilkins, falta examinar un problema de imposible o difícil postergación: el valor de la tabla cuadragesimal que es base del idioma. Consideremos la octava categoría, la de las piedras. Wilkins las divide en comunes (pedernal, cascajo, pizarra), módicas (mármol, ámbar, coral), preciosas (perla, ópalo), transparentes (amatista, zafiro) e insolubles (hulla, freda y arsénico). Casi tan alarmante como la octava, es la novena categoría. Ésta nos revela que los metales pueden ser imperfectos (bermellón, azogue), artificiales (bronce, latón), recrementicios (limaduras, herrumbre) y naturales (oro, estaño, cobre). La belleza figura en la categoría décimosexta; es un pez vivíparo, oblongo. Esas ambigüedades, redundancias y deficiencias recuerdan las que el doctor Franz Kuhn atribuye a cierta enciclopedia china que se titula *Emporio celestial de conocimientos benévolos*. En sus remotas páginas está escrito que los animales se dividen en (a) pertenecientes al Emperador, (b) embalsamados, (c) amaestrados, (d) lechones, (e) sirenas, (f) fabulosos, (g) perros sueltos, (h) incluídos en esta clasificación, (i) que se agitan como locos, (j) innumerables, (k) dibujados con un pincel finísimo de pelo de camello, (l) etcétera, (m) que acaban de romper el jarrón, (n) que de lejos parecen moscas. El Instituto Bibliográfico de Bruselas también ejerce el caos: ha parcelado el universo en 1000 subdivisiones, de los cuales de 262 corresponde al Papa; la 282, a la Iglesia Católica Romano; la 263, al Día del Señor; la 268, a las escuelas dominicales; la 298, al mormonismo, y la 294, al brahmanismo, budismo, shintoísmo y taoísmo. No rehusa las subdivisiones heterogéneas, verbigracia, la 179: "Crueldad con los animales. Protección de los animales. El duelo y el suicidio desde el punto de vista de la moral. Vicios y defectos varios. Virtudes y cualidades varias."

He registrado las arbitrariedades de Wilkins, del desconocido (o apócrifo) enciclopedista chino y del Instituto Bibliográfico de Bruselas; notoriamente no hay clasificación del universo que no sea arbitraria y conjetural. La razón es muy simple: no sabemos qué cosa es el universo. "El mundo —escribe David Hume— es tal vez el bosquejo rudimentario de algún dios infantil, que lo abandonó a medio hacer, avergonzado de su ejecución deficiente; es obra de un dios subalterno, de quien los dioses superiores se burlan; es la confusa producción de una divinidad decrépita y jubilada, que ya se ha muerto" (*Dialogues concerning natural religion*, V. 1779). Cabe ir más lejos; cabe sospechar que no hay universo en el sentido orgánico, unificador, que tiene esa ambiciosa palabra. Si lo hay, falta conjeturar su propósito; falta conjeturar las palabras, las definiciones, las etimologías, las sinonimias, del secreto diccionario de Dios.

La imposibilidad de penetrar el esquema divino del universo no puede, sin embargo, disuadirnos de planear esquemas humanos, aunque nos conste que éstos son provisorios. El idioma analítico de Wilkins no es el menos admirable de esos esquemas. Los géneros y especies que lo componen son contradictorios y vagos; el artificio de que las letras de las palabras indiquen subdivisiones y divisiones es, sin duda, ingenioso. La palabra *salmón* no nos dice nada; *zana*, la voz correspondiente, define (para el hombre versado en las cuarenta categorías y en los géneros de esas categorías) un pez escamoso, fluvial, de carne rojiza. (Teóricamente, no es inconcebible un idioma donde el nombre de cada ser indicara todos los pormenores de su destino, pasado y venidero.)

Esperanzas y utopías aparte, acaso lo más lúcido que sobre el lenguaje se ha escrito son estas palabras de Chesterton: "El hombre sabe que hay en el alma tintes más desconcertantes, más innumerables y más anónimos que los colores de una selva otoñal... Cree, sin embargo, que esos tintes, en todas sus fusiones y conversiones, son representables con precisión por un mecanismo arbitrario de gruñidos y de chillidos. Cree que del interior de un bolsista salen realmente ruidos que significan todos los misterios de la memoria y todas las agonías del anhelo" (*G. F. Watts*, p. 88, 1904).

KAFKA Y SUS PRECURSORES

Yo premedité alguna vez un examen de los precursores de Kafka. A éste, al principio, lo pensé tan singular como el fénix de las alabanzas retóricas; a poco de frecuentarlo, creí reconocer su voz, o sus hábitos, en textos de diversas literaturas y de diversas épocas. Registraré unos pocos aquí, en orden cronológico.

El primero es la paradoja de Zenón contra el movimiento. Un móvil que está en A (declara Aristóteles) no podrá alcanzar el punto B, porque antes deberá recorrer la mitad del camino entre los dos, y antes, la mitad de la mitad, y antes, la mitad de la mitad de la mitad, y así hasta lo infinito; la forma de este ilustre problema es, exactamente, la de *El Castillo*, y el móvil y la flecha y Aquiles son los primeros personajes kafkianos de la literatura. En el segundo texto que el azar de los libros me deparó, la afinidad no está en la forma sino en el tono. Se trata de un apólogo de Han Yu, prosista del siglo IX, y consta en la admirable *Anthologie raisonée de la littérature chinoise* (1948) de Margouliès. Éste es el párrafo que marqué, misterioso y tranquilo: "Universalmente se admite que el unicornio es un ser sobrenatural y de buen agüero; así lo declaran las odas, los anales, las biografías de varones ilustres y otros textos cuya autoridad es indiscutible. Hasta los párvulos y las mujeres del pueblo saben que el unicornio constituye un presagio favorable. Pero este animal no figura entre los animales domésticos, no siempre es fácil encontrarlo, no se presta a una clasificación. No es como el caballo o el toro, el lobo o el ciervo. En tales condiciones, podríamos estar frente al unicornio y no sabríamos con seguridad que lo es. Sabemos que tal animal con crin es caballo y que tal animal con cuernos es toro. No sabemos cómo es el unicornio".[1]

El tercer texto procede de una fuente más previsible; los escritos de Kierkegaard. La afinidad mental de ambos escritores es cosa de nadie ignorada; lo que no se ha destacado aún, que yo sepa, es el hecho de que Kierkegaard, como Kafka, abundó en parábolas religiosas de tema contemporáneo y burgués. Lowrie, en su *Kierkegaard* (Oxford University Press, 1938), transcribe dos. Una es la historia de un falsificador que revisa, vigilado incesantemente, los billetes del Banco de Inglaterra; Dios, de igual modo, desconfiaría de Kierkegaard y le habría encomendado una misión, justamente por saberlo avezado al mal. El sujeto de otra son las expediciones al Polo Norte. Los párrocos daneses habrían declarado desde los púlpitos que participar en tales expediciones conviene a la salud eterna del alma. Habrían admitido, sin embargo, que llegar al Polo es difícil y tal vez imposible y que no todos pueden acometer la aventura. Finalmente,

[1] El desconocimiento del animal sagrado y su muerte oprobiosa o casual a manos del vulgo son temas tradicionales de la literatura china. Véase el último capítulo de *Psychologie und Alchemie* (Zürich, 1944), de Jung, que encierra dos curiosas ilustraciones.

anunciarían que cualquier viaje —de Dinamarca a Londres, digamos, en el vapor de la carrera—, o un paseo dominical en coche de plaza, son, bien mirados, verdaderas expediciones al Polo Norte, La cuarta de las prefiguraciones que hallé en el poema *Fears and scruples* de Browning, publicado en 1876. Un hombre tiene, o cree tener, un amigo famoso. Nunca lo ha visto y el hecho es que éste no ha podido, hasta el día de hoy, ayudarlo, pero se cuentan rasgos suyos muy nobles, y circulan cartas auténticas. Hay quien pone en duda los rasgos, y los grafólogos afirman la apocrifidad de las cartas. El hombre, en el último verso, pregunta: "¿Y si este amigo fuera... Dios?"

Mis notas registran asimismo dos cuentos. Uno pertenece a las *Histoires désobligeantes* de León Bloy y refiere el caso de unas personas que abundan en globos terráqueos, en atlas, en guías de ferrocarril y en baúles, y que mueren sin haber logrado salir de su pueblo natal. El otro se titula *Carcassonne* y es obra de Lord Dunsay. Un invencible ejército de guerreros parte de un castillo infinito, sojuzga reinos y ve monstruos y fatiga los desiertos y las montañas, pero nunca llegan a Carcasona, aunque alguna vez la divisan. (Este cuento es, como fácilmente se advertirá, el estricto reverso del anterior; en el primero, nunca se sale de una ciudad; en el último, no se llega.)

Si no me equivoco, las heterogéneas piezas que he enumerado se parecen a Kafka; si no me equivoco, no todas se parecen entre sí. Este último hecho es el más significativo. En cada uno de esos textos está la idiosincrasia de Kafka, en grado mayor o menor, pero si Kafka no hubiera escrito, no la percibiríamos; vale decir, no existiría. El poema *Fears and scruples* de Robert Browning profetiza la obra de Kafka, pero nuestra lectura de Kafka afina y desvía sensiblemente nuestra lectura del poema. Browning no lo leía como ahora nosotros lo leemos. En el vocabulario crítico, la palabra *precursor* es indispensable, pero habría que tratar de purificarla de toda connotación de polémica o de rivalidad. El hecho es que cada escritor *crea* a sus precursores. Su labor modifica nuestra concepción del pasado, como ha de modificar el futuro.[1] En esta correlación nada importa la identidad o la pluralidad de los hombres. El primer Kafka de *Betrachtung* es menos precursor del Kafka de los mitos sombríos y de las instituciones atroces que Browning o Lord Dunsany.

Buenos Aires, 1951.

1 Véase T. S. Eliot: *Points of view* (1941), págs. 25-26.

AVATARES DE LA TORTUGA

Hay un concepto que es el corruptor y el desatinador de los otros. No hablo del Mal cuyo limitado imperio es la ética; hablo del infinito. Yo anhelé compilar alguna vez su móvil historia. La numerosa Hidra (monstruo palustre que viene a ser una prefiguración o un emblema de las progresiones geométricas) daría conveniente horror a su pórtico: la coronarían las sórdidas pesadillas de Kafka y sus capítulos centrales no desconocerían las conjeturas de ese remoto cardenal alemán —Nicolás de Krebs, Nicolás de Cusa— que en la circunferencia vió un polígono de un número infinito de ángulos y dejó escrito que una línea infinita sería una recta, sería un triángulo, sería un círculo y sería una esfera (*De docta ignorantia*, I, 13). Cinco, siete años de aprendizaje metafísico, teológico, matemático, me capacitarían (tal vez) para planear decorosamente ese libro. Inútil agregar que la vida me prohibe esa esperanza, y aun ese adverbio.

A esa ilusoria *Biografía del infinito* pertenecen de alguna manera estas páginas. Su propósito es registrar ciertos avatares de la segunda paradoja de Zenón.

Recordemos, ahora, esa paradoja.

Aquiles corre diez veces más ligero que la tortuga y le da una ventaja de diez metros. Aquiles corre esos diez metros, la tortuga corre uno; Aquiles corre ese metro, la tortuga corre un decímetro; Aquiles corre ese decímetro, la tortuga corre un centímetro; Aquiles corre ese centímetro, la tortuga un milímetro; Aquiles Piesligeros el milímetro, la tortuga un decímetro de milímetro y así infinitamente, sin alcanzarla... Tal es la versión habitual. Wilhelm Capelle (*Die Vorsokratiker*, 1935, página 178) traduce el texto original de Aristóteles: "El segundo argumento de Zenón es el llamado Aquiles. Razona que el más lento no será alcanzado por el más veloz, pues el perseguidor tiene que pasar por el sitio que el perseguido acaba de evacuar, de suerte que el más lento siempre le lleva una determinada ventaja." El problema no cambia, como se ve; pero me gustaría conocer el nombre del poeta que lo dotó de un héroe y de una tortuga. A esos competidores mágicos y a la serie

$$10 + 1 + \frac{1}{10} + \frac{1}{100} + \frac{1}{1000} + \frac{1}{10.000} + \dots$$

debe el argumento su difusión. Casi nadie recuerda el que lo antecede —el de la pista—, aunque su mecanismo es idéntico. El movimiento es imposible (arguye Zenón) pues el móvil debe atravesar el medio para llegar al fin, y antes el medio del medio, y antes el medio del medio del mdio, y antes [1]...

Debemos a la pluma de Aristóteles la comunicación y la primera refutación de esos argumentos. Los refuta con una brevedad quizá desdeñosa, pero su recuerdo le ins-

[1] Un siglo después, el sofista chino Hui Tzu razonó que un bastón, al que cercenan la mitad cada día, es interminable (H. A. Giles: *Chuang Tzu*, 1889, pág. 453).

pira el famoso argumento del tercer hombre contra la doctrina platónica. Esa doctrina quiere demostrar que dos individuos que tienen atributos comunes (por ejemplo, dos hombres) son meras apariencias temporales de un arquetipo eterno. Aristóteles interroga si los muchos hombres y el Hombre —los individuos temporales y el Arquetipo— tienen atributos comunes. Es notorio que sí: tienen los atributos generales de la humanidad. En ese caso, afirma Aristóteles, habrá que postular *otro* arquetipo que los abarque a todos y después un cuarto... Patricio de Azcárate, en una nota de su traducción de la Metafísica, atribuye a un discípulo de Aristóteles esta presentación: "Si lo que se afirma de muchas cosas a la vez es un ser aparte, distinto de las cosas de que se afirma (y esto es lo que pretenden los Platonianos), es preciso que haya un tercer hombre. *Hombre* es una denominación que se aplica a los individuos y a la idea. Hay, pues, un tercer hombre distinto de los hombres particulares y de la idea. Hay al mismo tiempo un cuarto que estará en la misma relación con éste y con la idea y los hombres particulares; después un quinto y así hasta el infinito." Postulemos dos individuos, a y b, que integran el género c. Tendremos entonces:

$$a + b = c$$

Pero también, según Aristóteles:

$$a + b + c = d$$
$$a + b + c + d = e$$
$$a + b + c + d + e = f \ldots$$

En rigor no se requieren dos individuos: bastan el individuo y el género para determinar el *tercer hombre* que denuncia Aristóteles. Zenón de Elea recurre a la infinita regresión contra el movimiento y el número; su refutador, contra las formas universales.[1]

El próximo avatar de Zenón que mis desordenadas notas registran es Agripa, el escéptico. Éste niega que algo pueda probarse, pues toda prueba requiere una prueba anterior (*Hypotyposes*, I, 166). Sexto Empírico arguye parejamente que las definiciones son vanas, pues habría que definir cada una de las voces que se usan y, luego, definir la definición (*Hypotyposes*, II, 207). Mil seiscientos años después, Byron, en la dedicatoria de *Don Juan*, escribirá de Coleridge: "I wish he would explain his Explanation."

Hasta aquí, el *regressus in infinitum* ha servido para

[1] En el *Parménides* —cuyo carácter zenoniano es irrecusable— Platón discurre un argumento muy parecido para demostrar que el uno es realmente muchos. Si el uno existe, participa del ser; por consiguiente, hay dos partes en él, que son el ser y el uno, pero cada una de esas partes es una y es, de modo que encierra otras dos, que encierran también otras dos: infinitamente. Russell (*Introduction to mathematical philosophy,* 1919, pág. 138), sustituye a la progresión geométrica de Platón una progresión aritmética. Si el uno existe, el uno participa del ser; pero como son diferentes el ser y el uno, existe el dos; pero como son diferentes el ser y el dos, existe el tres, etc. Chuang Tzu (Waley: *Three ways of thought in ancients China*, pág 25) recurre al mismo interminable *regressus* contra los monistas que declaraban que las Diez Mil Cosas (el Universo) son una sola. Por lo pronto —arguye— la unidad cósmica y la declaración de esa unidad ya son dos cosas: esas dos y la declaración de su dualidad ya son tres; esas tres y la declaración de su trinidad ya son cuatro... Russell opina que la vaguedad del término *ser* basta para invalidar el razonamiento. Agrega que los números no existen, que son meras ficciones lógicas.

negar; Santo Tomás de Aquino recurre a él (*Suma teológica*, 1, 2, 3) para afirmar que hay Dios. Advierte que no hay cosa en el universo que no tenga una causa eficiente y que esa causa, claro está, es el efecto de otra causa anterior. El mundo es un interminablue encadenamiento de causas y cada causa es un efecto. Cada estado proviene del anterior y determina el subsiguiente, pero la serie general pudo no haber sido, pues los términos que la forman son condicionales, es decir, aleatorios. Sin embargo, el mundo *es*; de ello podemos inferior una no contingente causa primera, que será la divinidad. Tal es la prueba cosmológica; la prefiguran Aristóteles y Platón; Leibniz la redescubre.[1]

Hermann Lotze apela al *regressus* para no comprender que una alteración del objeto A pueda producir una alteración del objeto B. Razona que si A y B son independientes, postular un influjo de A sobre B es postular un tercer elemento C, un elemento que para operar sobre B requerirá un cuarto elemento D, que no podrá operar sin E, que no podrá operar sin F... Para eludir esa multiplicación de quimeras, resuelve que en el mundo hay un solo objeto: una infinita y absoluta sustancia, equiparable al Dios de Spinoza. Las causas transitivas se reducen a causas inmanentes; los hechos, a manifestaciones o modos de sustancia cósmica.[1]

Análogo, pero todavía más alarmante, es el caso de

[1] Un eco de esa prueba, ahora muerta, retumba en el primer verso del *Paradiso*:

La gloria di Colui che tutto move.

[1] Sigo la exposición de James (A *pluralistic universe*, 1909, págs. 55-60). Cf. Wentscher: *Fechner und Lotze*, 1924, páginas 166-171.

F. H. Bradley. Este razonador (*Appearance and reality*, 1897, páginas 19-34) no se limita a combatir la relación causal; niega todas las relaciones. Pregunta si una relación está relacionada con sus términos. Le responden que sí e infiere que ello es admitir la existencia de otras dos relaciones, y luego de otras dos. En el axioma *la parte es menor que el todo* no percibe dos términos y la relación *menor que*; percibe tres *(parte, menor que, todo)* cuya vinculación implica otras dos relaciones, y así hasta lo infinito. En el juicio *Juan es mortal*, percibe tres conceptos inconjugables (el tercero es la cópula) que no acabaremos de unir. Transforma todos los conceptos en objetos incomunicados, durísimos. Refutarlo es contaminarse de irrealidad.

Lotze interpone los abismos periódicos de Zenón entre la causa y el efecto; Bradley, entre el sujeto y el predicado, cuando no entre el sujeto y los atributos; Lewis Carroll (*Mind*, volumen cuarto, página 278) entre la segunda premisa del silogismo y la conclusión. Refiere un diálogo sin fin, cuyos interlocutores son Aquiles y la tortuga. Alcanzado ya el término de su interminable carrera, los dos atletas conversan apaciblemente de geometría. Estudian este claro razonamiento:

a) Dos cosas iguales a una tercera son iguales entre sí.
b) Los dos lados de este triángulo son iguales a MN.
z) Los dos lados de este triángulo son iguales entre sí.

La tortuga acepta las premisas *a* y *b*, pero niega que justifiquen la conclusión. Logra que Aquiles interpole una proposición hipotética.

a) Dos cosas iguales a una tercera son iguales entre sí.
b) Los dos lados de este triángulo son iguales a MN.
c) Si *a* y *b* son válidas, *z* es válida.

z) Los dos lados de este triángulo son iguales entre sí.

Hecha esa breve aclaración, la tortuga acepta la validez de *a*, *b* y *c*, pero no de *z*. Aquiles, indignado, interpola:

d) Si *a*, *b* y *c* son válidas, *z* es válida.

Y luego, ya con cierta resignación:

e) Si *a*, *b*, *c* y *d* son válidas, *z* es válida.

Caroll observa que la paradoja del griego comporta una infinita serie de distancias que disminuyen y que en la propuesta por él crecen las distancias.

Un ejemplo final, quizá el más elegante de todos, pero también el que menos difiere de Zenón. William James (*Some problems of philosophy*, 1911, pág. 182) niega que puedan transcurrir catorce minutos, porque antes es obligatorio que hayan pasado siete, y antes de siete, tres minutos y medio, y antes de tres y medio, un minuto y tres cuartos, y así hasta el fin, hasta el invisible fin, por tenues laberintos de tiempo.

Descartes, Hobbes, Leibniz, Renouvier, Georg Cantor, Gomperz, Russell y Bergson han formulado explicaciones — no siempre inexplicables y vanas— de la paradoja de la tortuga. (Yo he registrado algunas en *Discusión*, 1932, págs. 151-161.) Abundan asimismo, como ha verificado el lector, sus aplicaciones. Las históricas no la agotan: el vertiginoso *regressus in infinitum* es acaso aplicable a todos los temas. A la estética: tal verso nos conmueve por tal motivo, tal motivo por tal otro motivo... Al problema del conocimiento: conocer es reconocer, pero es preciso haber conocido para reconocer, pero conocer es reconocer... ¿Cómo juzgar esa dialéctica? ¿Es un legítimo instrumento de indagación o apenas una mala costumbre?

Es aventurado pensar que una coordinación de palabras (otra cosa no son las filosofías) puede parecerse mucho al universo. También es aventurado pensar que de esas coordinaciones ilustres, alguna —siquiera de modo infinitesimal— no se parece un poco más que otras. He examinado las que gozan de cierto crédito; me atrevo a asegurar que sólo en la que formuló Schopenhauer he reconocido algún rasgo del universo. Según esa doctrina, el mundo es una fábrica de la voluntad. El arte —siempre —requiere irrealidades visibles. Básteme citar una: la dicción metafórica o numerosa o cuidadosamente casual de los interlocutores de un drama... Admitamos lo que todos los idealistas admiten: el carácter alucinatorio del mundo. Hagamos lo que ningún idealista ha hecho: busquemos irrealidades que confirmen ese carácter. Las hallaremos, creo, en las antinomias de Kant y en la dialéctica de Zenón.

"*El mayor hechicero* (escribe memorablemente Novalis) *sería el que se hechizara hasta el punto de tomar sus propias fantasmagorías por apariciones autónomas. ¿No sería ése nuestro caso,*" Yo conjeturo que así es. Nosotros (la indivisa divinidad que opera en nosotros) hemos soñado el mundo. Lo hemos soñado resistente, misterioso, visible, ubicuo en el espacio y firme en el tiempo; pero hemos consentido en su arquitectura tenues y eternos intersticios de sinrazón para saber que es falso.

1939.

DEL CULTO DE LOS LIBROS

En el octavo libro de la *Odisea* se lee que los dioses tejen desdichas para que a las futuras generaciones no les falte algo que cantar; la declaración de Mallarmé: *El mundo existe para llegar a un libro*, parece repetir, unos treinta siglos después, el mismo concepto de una justificación estética de los males. Las dos teleologías, sin embargo, no coinciden íntegramente; la del griego corresponde a la época de la palabra oral, y la del francés, a una época de la palabra escrita. En una se habla de cantar y en otra de libros. Un libro, cualquier libro, es para nosotros un objeto sagrado; ya Cervantes, que tal vez no escuchaba todo lo que decía la gente, leía hasta "los papeles rotos de las calles". El fuego, en una de las comedias de Bernard Shaw, amenaza la biblioteca de Alejandría; alguien exclama que arderá la memoria de la humanidad, y César le dice: *Déjala arder. Es una memoria de infamias*. El César histórico, en mi opinión, aprobaría o condenaría el dictamen que el autor le atribuye, pero no lo juzgaría, como nosotros, una broma sacrílega. La razón es clara: para los antiguos la palabra escrita no era otra cosa que un sucedáneo de la palabra oral.

Es fama que Pitágoras no escribió; Gomperz (*Griechische Denker*, I, 3) defiende que obró así por tener más fe en la virtud de la instrucción hablada. De mayor fuerza que la mera abstención de Pitágoras es el testimonio inequívoco de Platón. Éste, en el *Timeo*, afirmó: "Es dura tarea descubrir al hacedor y padre de este universo, y, una vez descubierto, es imposible declararlo a todos los hombres", y en el *Fedro* narró una fábula egipcia contra la escritura (cuyo hábito hace que la gente descuide el ejercicio de la memoria y dependa de símbolos), y dijo que los libros son como las figuras pintadas, "que parecen vivas, pero no contestan una palabra a las preguntas que les hacen". Para atenuar o eliminar este inconveniente imaginó el diálogo filosófico. El maestro elige al discípulo, pero el libro no elige a sus lectores, que pueden ser malvados o estúpidos; este recelo platónico perdura en las palabras de Clemente de Alejandría, hombre de cultura pagana: "Lo más prudente es no escribir sino aprender y enseñar de viva voz, porque lo escrito queda" *(Stromateis)*, y en éstas del mismo tratado: "Escribir en un libro todas las cosas es dejar una espada en manos de un niño", que derivan también de las evangélicas: "No deis lo santo a los perros ni echéis vuestras perlas delante de los puercos, porque no las huellen con los pies, y vuelvan y os despedacen." Esta sentencia es de Jesús, el mayor de los maestros orales, que una sola vez escribió unas palabras en la tierra y no las leyó ningún hombre (Juan, 8:6).

Clemente Alejandrino escribió su recelo de la escritura a fines del siglo II; a fines del siglo IV se inició el proceso mental que, a la vuelta de muchas generaciones, culminaría en el predominio de la palabra escrita sobre la hablada, de la pluma sobre la voz. Un admirable azar ha querido que un escritor fijara el instante(apenas exagero al llamado instante) en que tuvo principio el vasto proceso. Cuenta San Agustín, en el libro seis de las *Confesiones*: "Cuando Ambrosio leía, pasaba la vista sobre las páginas penetrando su alma, en el sentido, sin proferir una palabra ni mover la lengua. Muchas veces —pues a nadie se le prohibía entrar, ni había costumbre de avisarle quién venía—, lo vimos leer calladamente y nunca de otro modo, y al cabo de un tiempo nos íbamos, conjeturando que aquel breve intervalo que se le concedía para reparar su espíritu, libre del tumulto de los negocios ajenos, no quería que se lo ocupasen en otra cosa, tal vez receloso de que un oyente, atento a las dificultades del texto, le pidiera la explicación de un pasaje oscuro o quisiera discutirlo con él, con lo que no pudiera leer tantos volúmenes como deseaba. Yo entiendo que leía de ese modo por conservar la voz, que se le tomaba con facilidad. En todo caso, cualquiera que fuese el propósito de tal hombre, ciertamente era bueno." San Agustín fué discípulo de San Ambrosio, obispo de Milán, hacia el año 384; trece años después, en Numidia, redactó sus *Confesiones* y aún lo inquietaba aquel singular espectáculo: un hombre en una habitación, con un libro, leyendo sin articular las palabras.[1]

Aquel hombre pasaba directamente del signo de escritura a la intuición, omitiendo el signo sonoro; el extraño arte que iniciaba, el arte de leer en voz baja, conduciría

[1] Los comentadores advierten que, en aquel tiempo, era costumbre leer en voz alta, para penetrar mejor el sentido, porque no había signos de puntuación, ni siquiera división de palabras, y leer en común, para moderar o salvar los inconvenientes de la escasez de códices. El diálogo de Luciano de Samosata, *Contra un ignorante comprador de libros*, encierra un testimonio de esa costumbre en el siglo II.

a consecuencias maravillosas. Conduciría, cumplidos muchos años, al concepto del libro como fin, no como instrumento de un fin. (Este concepto místico, trasladado a la literatura profana, daría los singulares destinos de Flaubert y de Mallarmé, de Henry James y de James Joyce.) A la noción de un Dios que habla con los hombres para ordenarles algo o prohibirles algo, se superpone la del Libro Absoluto, la de una Escritura Sagrada. Para los musulmanes, el "Alcorán" (también llamado El Libro, *Al Kitab*), no es una mera obra de Dios, como las almas de los hombres o el universo; es uno de los atributos de Dios como Su eternidad o Su ira. En el capítulo XIII, leemos que el texto original, *La Madre del Libro*, está depositado en el Cielo Muhammad-al-Ghazali, el Algazel de los escolásticos, declaró: "el *Alcorán* se copia en un libro, se pronuncia con la lengua, se recuerda en el corazón y, sin embargo sigue perdurando en el centro de Dios y no lo altera su pasaje por las hojas escritas y por los entendimientos humanos". George Sale observa que ese increado Alcorán no es otra cosa que su idea o arquetipo platónico; es verosímil que Algazel recurriera a los arquetipos, comunicados al Islam por la Enciclopedia de los Hermanos de la Pureza y por Avicena, para justificar la noción de la Madre del Libro.

Aun más extravagantes que los musulmanes fueron los judíos. En el primer capítulo de su Biblia se halla la sentencia famosa: "Y Dios dijo; sea la luz; y fué la luz"; los cabalistas razonaron que la virtud de esa orden del Señor procedió de las letras de las palabras. El tratado *Sefer Yetsirah* (Libro de la Formación), redactado en Siria o en Palestina hacia el siglo VI, revela que Jehová de los Ejércitos, Dios de Israel y Dios Todopoderoso, creó el universo mediante los números cardinales que van del uno al diez y las veintidós letras del alfabeto. Que los números sean instrumentos o elementos de la Creación es dogma de Pitágoras y de Jámblico; que las letras lo sean es claro indicio del nuevo culto de la escritura. El segundo párrafo del segundo capítulo reza: "Veintidós letras fundamentales: Dios las dibujó, las grabó, las combinó, las pesó, las permutó, y con ellas produjo todo lo que es y todo lo que será." Luego se revela qué letra tiene poder sobre el aire, y cuál sobre el agua, y cuál sobre el fuego, y cuál sobre la sabiduría, y cuál, sobre la paz y cuál sobre la gracia, y cuál sobre el sueño, y cuál sobre la cólera, y cómo (por ejemplo) la letra *kaf*, que tiene poder sobre la vida, sirvió para formar el sol en el mundo, el miércoles en el año y la oreja izquierda en el cuerpo.

Más lejos fueron los cristianos. El pensamiento de que la divinidad había escrito un libro los movió a imaginar que había escrito dos y que el otro era el universo. A principios del siglo XVII, Francis Bacon declaró en su *Advancement of Learning* que Dios nos ofrecía dos libros, para que no incidiéramos en error: el primero, el volumen de las Escrituras, que revela Su voluntad; el segundo, el volumen de las criaturas, que revela Su poderío y que éste era la llave de aquél. Bacon se proponía mucho más que hacer una metáfora; opinaba que el mundo era reducible a formas esenciales (temperaturas, densidades, pesos, colores), que integraban, en número limitado, un *abecedarium naturae* o serie de las letras con que se escribe el texto universal.[1] Sir Thomas Browne, hacia 1642,

[1] En las obras de Galileo abunda el concepto del universo como libro. La segunda sección de la antología de Favaro (*Ga-*

confirmó: "Dos son los libros en que suelo aprender teología: La Sagrada Escritura y aquel universal y público manuscrito que está patente a todos los ojos. Quienes nunca Lo vieron en el primero, Lo descubrieron en el otro" (*Religio Medici*, I, 16). En el mismo párrafo se lee: "Todas las cosas son artificiales, porque la Naturaleza es el Arte de Dios." Doscientos años transcurrieron y el escocés Carlyle, en diversos lugares de su labor y particularmente en el ensayo sobre Cagliostro, superó la conjetura de Bacon; estampó que la historia universal es una Escritura Sagrada que desciframos y escribimos inciertamente, y en la que también nos escriben. Después, León Bloy escribió: "No hay en la tierra un ser humano capaz de declarar quién es. Nadie sabe qué ha venido a hacer a este mundo, a qué corresponden sus actos, sus sentimientos, sus ideas, ni cuál es su *nombre* verdadero, su imperecedero Nombre en el registro de la Luz... La historia es un inmenso texto litúrgico, donde las iotas y los puntos no valen menos que los versículos o capítulos íntegros, pero la importancia de unos y de otros es indeterminable y está profundamente escondida" (*L'Ame de Napoleón*, 1912). El mundo, según Mallarmé, existe para un libro; según Bloy, somos versículos o palabras

---

lileo Galilei: Pensieri, motti e sentenze, Firenze, 1949) se titula *Il libro della Natura*. Copio el siguiente párrafo: "La filosofía está escrita en aquel grandísimo libro que continuamente está abierto ante nuestros ojos (quiero decir, el universo), pero que no se entiende si antes no se estudia la lengua y se conocen los caracteres en que está escrito. La lengua de ese libro es matemática y los caracteres son triángulos, círculos y otras figuras geométricas".

o letras de un libro mágico, y ese libro incesante es la única cosa que hay en el mundo: es, mejor dicho, el mundo.

Buenos Aires, 1951.

EL RUISEÑOR DE KEATS

Quienes han frecuenta la poesía lírica de Inglaterra no olvidarán la *Oda a un ruiseñor* que John Keats, tísico, pobre y acaso infortunado en amor, compuso en un jardín de Hampstead, a la edad de veintitrés años, en una de las noches del mes de abril de 1819. Keats, en el jardín suburbano, oyó al eterno ruiseñor de Ovidio y de Shakespeare y sintió su propia mortalidad y la contrastó con la tenue voz imperecedera del invisible pájaro. Keats había escrito que el poeta debe dar poesías naturalmente, como el árbol da hojas; dos o tres horas le bastaron para producir esa página de inagotable e insaciable hermosura, que apenas limaría después; su virtud, que yo sepa, no ha sido discutida por nadie, pero sí la interpretación. El nudo del problema está en la penúltima estrofa. El hombre circunstancial y mortal se dirige al pájaro, "que no huellan las hambrientas generaciones" y cuya voz, ahora, es la que en campos de Israel, una antigua tarde, oyó Ruth la moabita.

En su monografía sobre Keats, publicada en 1887, Sidney Colvin (corresponsal y amigo de Stevenson) percibió o inventó una dificultad en la estrofa de que hablo. Copio su curiosa declaración: "Con un error de lógica, que a mi parecer, es también una falla poética, Keats opone a la fugacidad de la vida humana, por la que entiende la vida del individuo, la permanencia de la vida del pájaro, por la que entiende la vida de la especie." En 1895, Bridges repitió la denuncia; F. R. Leavis la aprobó en 1936 y le agregó el escolio: "Naturalmente, la falacia incluída en este concepto prueba la intensidad del sentimiento que lo prohijó." Keats, en la primera estrofa de su poema, había llamado *dríade* al ruiseñor; otro crítico, Garrod, seriamente alegó ese epíteto para dictaminar que en la séptima, el ave es inmortal porque es una dríade, una divinidad de los bosques. Amy Lowell escribió con mejor acierto: "El lector que tenga una chispa de sentido imaginativo o poético intuirá inmediatamente que Keats no se refiere al ruiseñor que cantaba en ese momento, sino a la especie."

Cinco dictámenes de cinco críticos actuales y pasados he recogido; entiendo que de todos el menos vano es el de la norteamericana Amy Lowell, pero niego la oposición que en él se postula entre el fímero ruiseñor de esa noche y el ruiseñor genérico. La clave, la exacta clave de la estrofa, está, lo sospecho, en un párrafo metafísico de Schopenhauer, que no la leyó nunca.

La *Oda a un ruiseñor* data de 1819; en 1844 apareció el segundo volumen de *El mundo como voluntad y representación*. En el capítulo 41 se lee: "Preguntémonos con sinceridad si la golondrina de este verano es otra que la del primero y si realmente entre las dos el milagro de sacar algo de la nada ha ocurrido millones de veces para ser burlado otras tantas por la aniquilación absoluta. Quien me oiga asegurar que ese gato que está jugando ahí es el mismo que brincaba y que traveseaba en ese lugar hace trescientos años pensará de mí lo que quiera, pero locura más extraña es imaginar que fundamentalmente es otro." Es decir, el individuo es de algún modo la especie, y el ruiseñor de Keats es también el ruiseñor de Ruth.

Keats, que, sin exagerada injusticia, pudo escribir: "No sé nada, no he leído nada", adivinó a través de las páginas de algún diccionario escolar el espíritu griego; sutilísima prueba de esa adivinación o recreación es haber intuído en el oscuro ruiseñor de una noche el ruiseñor platónico. Keats, acaso incapaz de definir la palabra *arquetipo*, se anticipó en un cuarto de siglo a una tesis de Schopenhauer.

Aclarada así la dificultad, queda por aclarar una segunda, de muy diversa índole. ¿Cómo no dieron con esta interpretación evidente Garrod y Leavis y los otros? [1]. Leavis es profesor de uno de los colegios de Cambridge; —la ciudad que, en el siglo XVII, congregó y dió nombre a los *Cambridge Platonists*—; Bridges escribió un poema platónico titulado *The fourth dimension*; la mera enumeración de estos hechos parece agravar el enigma. Si no me equivoco, su razón deriva de algo esencial en la mente británica.

Observa Coleridge que todos los hombres nacen aristotélicos o platónicos. Los últimos sienten que las clases, los órdenes y los géneros son realidades; los primeros, que son generalizaciones; para éstos, el lenguaje no es otra cosa que un aproximativo juego de símbolos; para

[1] A los que habría que agregar el genial poeta William Butler Yeats que, en la primera estrofa de *Sailing to Byzantium*, habla de las "murientes generaciones" de pájaros, con alusión deliberada o involuntaria a la Oda. Véase T. R. Henn: *The lonely tower*, 1950, pág. 211.

aquéllos es el mapa del universo. El platónico sabe que el universo es de algún modo un cosmos, un orden; ese orden, para el aristotélico, puede ser un error o una ficción de nuestro conocimiento parcial. A través de las latitudes y de las épocas, los dos antagonistas inmortales cambian de dialecto y de nombre: uno es Parménides, Platón, Spinoza, Kant, Francis Bradley; el otro, Heráclito, Aristóteles, Locke, Hume, Wiliam James. En las arduas escuelas de la Edad Media, todos invocan a Aristóteles, maestro de la humana razón (*Convivio*, IV, 2), pero los nominalistas son Aristóteles; los realistas, Platón. El nominalismo inglés del siglo XIV resurge en el escrupuloso idealismo inglés del siglo XVIII; la economía de la fórmula de Occam, *entia non sunt multiplicanda praeter necessitatem* permite o prefigura el no menos taxativo *esse est percipi*. Los hombres, dijo Coleridge, nacen aristotélicos o platónicos; de la mente inglesa cabe afirmar que nació aristotélica. Lo real, para esa mente, no son los conceptos abstractos, sino los individuos; no el ruiseñor genérico, sino los ruiseñores concretos. Es natural, es acaso inevitable, que en Inglaterra no sea comprendida rectamente la *Oda a un ruiseñor*.

Que nadie lea una reprobación o un desdén en las anteriores palabras. El inglés rechaza lo genérico porque siente que lo individual es irreductible, inasimilable e impar. Un escrúpulo ético, no una incapacidad especulativa, le impide traficar en abstracciones, como los alemanes. No entiende la *Oda a un ruiseñor*; esa valiosa incomprensión le permite ser Locke, ser Berkeley y ser Hume, y redactar, hará setenta años, las no escuchadas y proféticas advertencias del *Individuo contra el Estado*.

El ruiseñor, en todas las lenguas del orbe, goza de

nombres melodiosos *(nightingale, nachtigall, usignolo)*, como si los hombres instintivamente hubieran querido que éstos no desmerecieran del canto que los maravilló. Tanto lo han exaltado los poetas que ahora es un poco irreal; menos afín a la calandria que al ángel. Desde los enigmas sajones del Libro de Exeter ("yo, antiguo cantor de la tarde, traigo a los nobles alegría en las villas") hasta la trágica *Atalanta* de Swinburne, el infinito ruiseñor ha cantado en la literatura británica; Chaucer y Shakespeare lo celebran, Milton y Matthew Arnold, pero a John Keats unimos fatalmente su imagen como a Blake la del tigre.

EL ESPEJO DE LOS ENIGMAS

El pensamiento de que la Sagrada Escritura tiene (además de su valor literal) un valor simbólico no es irracional y es antiguo: está en Filón de Alejandría, en los cabalistas, en Swedenborg. Como los hechos referidos por la Escritura son verdaderos (Dios es la Verdad, la Verdad no puede mentir, etcétera), debemos admitir que los hombres, al ejecutarlos, representaron ciegamente un drama secreto, determinado y premeditado por Dios. De ahí a pesar que la historia del universo —y en ella nuestras vidas y el más tenue detalle de nuestras vidas— tiene un valor inconjeturable, simbólico, no hay un trecho infinito. Muchos deben haberlo recorrido; nadie, tan asombrosamente como Léon Bloy. (En los fragmentos psicológicos de Novalis y en aquel tomo de la autobiografía de Machen que se llama *The London Adventure*, hay una hipótesis afín: la de que el mundo externo —las formas, las temperaturas, la luna— es un lenguaje que hemos olvidado los hombres, o que deletreamos apenas... También la declara De Quincey [1]: "Hasta los sonidos irracionales del globo deben ser otras tantas álgebras y lenguajes que de algún modo tienen sus llaves corres-

[1] *Writings*, 1896, volumen primero, página 129.

pondientes, su severa gramática y su sintaxis, y así las mínimas cosas del universo pueden ser espejos secretos de los mayores.")

Un versículo de San Pablo (I, Corintios, XIII, 12) inspiró a Léon Bloy. *Videmus nunc per speculum in aenigmate: tunc autem facie ad faciem. Nunc cognosco ex parte: tunc autem cognoscam sicut et cognitus sum.* Torres Amat miserablemente traduce: "Al presente no vemos a *Dios* sino como en un espejo, y bajo imágenes oscuras: pero entonces *le* veremos cara a cara. Yo no *le* conozco ahora sino imperfectamente: mas entonces *le* conoceré *con una visión clara*, a la manera que soy yo conocido." 44 voces hacen el oficio de 22; imposible ser más palabrero y más lánguido. Cipriano de Valera es más fiel: "Ahora vemos por espejo, en oscuridad; mas entonces *veremos* cara a cara. Ahora conozco en parte; mas entonces conoceré como soy conocido." Torres Amat opina que el versículo se refiere a nuestra visión de la divinidad; Cipriano de Valera (y Léon Bloy) a nuestra visión general.

Que yo sepa, Bloy no imprimió a su conjetura una forma definitiva. A lo largo de su obra fragmentaria (en la que abundan, como nadie lo ignora, la quejumbre y la afrenta) hay versiones o facetas distintas. He aquí unas cuantas, que he rescatado de las páginas clamorosas de *Le mendiant ingrat*, de *Le Vieux de la Montagne* y de *L'invendable*. No creo haberlas agotado: espero que algún especialista en Léon Bluy (yo no lo soy) las complete y las rectifique.

La primera es de junio de 1894. La traduzco así: "La sentencia de San Pablo: *Videmus nunc per speculum in aenigmate* sería una claraboya para sumergirse en el Abismo verdadero, que es el alma del hombre. La aterradora inmensidad de los abismos del firmamento es una ilusión, un reflejo exterior de *nuestros abismos*, percibidos "en un espejo". Debemos invertir nuestros ojos y ejercer una astronomía sublime en el infinito de nuestros corazones, por los que Dios quiso morir... Si vemos la Vía Láctea, es porque existe *verdaderamente* en nuestra alma."

La segunda es de noviembre del mismo año. "Recuerdo una de mis ideas más antiguas. El Zar es el jefe y el padre espiritual de ciento cincuenta millones de hombres. Atroz responsabilidad que sólo es aparente. Quizá no es responsable, ante Dios, sino de unos pocos seres humanos. Si los pobres de su imperio están oprimidos durante su reinado, si de ese reinado resultan catástrofes inmensas ¿quién sabe si el sirviente encargado de lustrarle las botas no es el verdadero y solo culpable? En las disposiciones misteriosas de la Profundidad ¿quién es de veras Zar, quién es rey, quién puede jactarse de ser un mero sirviente?"

La tercera es de una carta escrita en diciembre. "Todo es símbolo, hasta el dolor más desgarrador. Somos durmientes que gritan en el sueño. No sabemos si tal cosa que nos aflige no es el principio secreto de nuestra alegría ulterior. Vemos ahora, afirma San Pablo, *per speculum in aenigmate*, literalmente: "en enigma por medio de un espejo" y no veremos de otro modo hasta el advenimiento de Aquel que está todo en llamas y que debe enseñarnos todas las cosas".

La cuarta es de mayo de 1904. "*Per speculum in aenigmate*, dice San Pablo. Vemos todas las cosas al revés. Cuando creemos dar, recibimos, etc. Entonces (me dice una querida alma angustiada) nosotros estamos en el cielo y Dios sufre en la tierra."

La quinta es de mayo de 1908. "Aterradora idea de Juana, acerca del texto *Per speculum*. Los goces de este mundo serían los tormentos del infierno, vistos *al revés*, en un espejo."

La sexta es de 1912. En cada una de las páginas de *L'Ame de Napoleón*, libro cuyo propósito es descifrar el símbolo *Napoleón*, considerado como precursor de otro héroe —hombre y simbólico también— que está oculto en el porvenir. Básteme citar dos pasajes: Uno: "Cada hombre está en la tierra para simbolizar algo que ignora y para realizar una partícula, o una montaña, de los materiales invisibles que servirán para edificar la Ciudad de Dios." Otro: "No hay en la tierra un ser humano capaz de declarar quién es, con certidumbre. Nadie sabe qué ha venido a hacer a este mundo, a qué corresponden sus actos, sus sentimientos, sus ideas, ni cuál es su *nombre* verdadero, su imperecedero Nombre en el registro de la Luz... La historia es un inmenso texto litúrgico donde las iotas y los puntos no valen menos que los versículos o capítulos íntegros, pero la importancia de unos y de otros es indeterminable y está profundamente escondida."

Los anteriores párrafos tal vez parecerán al lector meras gratitudes de Bloy. Que yo sepa, no se cuidó nunca de razonarlos. Yo me atrevo a juzgarlos verosímiles, y acaso inevitables dentro de la doctrina cristiana. Bloy (lo repito) no hizo otra cosa que aplicar a la Creación entera el método que los cabalistas judíos aplicaron a la Escritura. Éstos pensaron que una obra dictada por el Espíritu Santo era un texto absoluto: vale decir un texto donde la colaboración del azar es calculable en cero. Esa premisa portentosa de un libro impenetrable a la contingencia, de un libro que es un mecanismo de propósitos infinitos, les movió a permutar las palabras escriturales, a sumar el valor numérico de las letras, a tener en cuenta su forma, a observar las minúsculas y mayúsculas, a buscar acrósticos y anagramas y a otros rigores exegéticos de los que no es difícil burlarse. Su apología es que nada puede ser contingente en la obra de una inteligencia infinita.[1] Léon Bloy postula ese carácter jeroglífico —ese carácter de escritura divina, de criptografía de los ángeles— en todos los instantes y en todos los seres del mundo. El supersticioso cree penetrar esa escritura orgánica: trece comensales articulan el símbolo de la muerte; un ópalo amarillo, el de la desgracia...

Es dudoso que el mundo tenga sentido; es más dudoso aun que tenga doble y triple sentido, observará el incrédulo. Yo entiendo que así es; pero entiendo que el mundo jeroglífico postulado por Bloy es el que más conviene a la dignidad del Dios intelectual de los teólogos.

Ningún hombre sabe quién es, afirmó Léon Bloy. Nadie como él para ilustrar esa ignorancia íntima. Se creía un católico riguroso y fué un continuador de las cabalistas, un hermano secreto de Swedenborg y de Blake: heresiarcas.

[1] ¿Qué es una inteligencia infinita?, indagará tal vez el lector. No hay teólogo que no la defina; yo prefiero un ejemplo. Los pasos que da un hombre, desde el día de su nacimiento hasta el de su muerte, dibujan en el tiempo una inconcebible figura. La Inteligencia Divina intuye esa figura inmediatamente, como la de los hombres un triángulo. Esa figura (acaso) tiene su determinada función en la economía del universo.

DOS LIBROS

El último libro de Wells —*Guide to the New World. A Handbook of Constructive World Revolution*— corre el albur de parecer, a primera vista, una mera enciclopedia de injurias. Sus muy legibles páginas denuncian al Fuehrer, "que chilla como un conejo estrujado"; a Goering, "aniquilador de ciudades que, al día siguiente, barren los vidrios rotos y retoman las tareas de la víspera"; a Eden, "el inconsolable viudo quintaesencial de la Liga de las Naciones"; a José Stalin, que en un dialecto irreal sigue vindicando la dictadura del proletariado, "aunque nadie sabe qué es el proletariado, ni cómo y dónde dicta"; al "absurdo Ironside"; a los generales del ejército francés, "derrotados por la conciencia de la ineptitud, por tanques fabricados en Checoeslovaquia, por voces y rumores radiotelefónicos v por algunos mandaderos en bicicleta"; a la "evidente voluntad de derrota" *(will for defeat)* de la aristocracia británica; al "rencoroso conventillo" Irlanda del Sur; al Ministerio de Relaciones Exteriores inglés, "que parece no ahorrar el menor esfuerzo para que Alemania gane la guerra que ya ha perdido"; a Sir Samuel Hoare, "mental y moralmente tonto"; a los norteamericanos e ingleses "que traicionaron la causa liberal en España"; a los que opinan que esta guerra "es una guerra de ideologías" y no una fórmula criminal "del desorden presente"; a los ingenuos que suponen que basta exorcizar o destruir a los demonios Goering y Hitler para que el mundo sea paradisíaco.

He congregado algunas invectivas de Wells: no son literariamente memorables; algunas me parecen injustas, pero demuestran la imparcialidad de sus odios o de su indignación. Demuestran asimismo la libertad de que gozan los escritores en Inglaterra, en las horas centrales de una batalla. Más importante que esos malhumores epigramáticos (de los que apenas he citado unos pocos y que sería muy fácil triplicar o cuadruplicar) es la doctrina de este manual revolucionario. Esa doctrina es resumible en esta disyuntiva precisa: o Inglaterra identifica su causa con la de una revolución general (con la de un mundo federado), o la victoria en inaccesible e inútil. El capítulo XII (páginas 48-54) fija los fundamentos del mundo nuevo. Los tres capítulos finales discuten algunos problemas menores.

Wells, increíblemente, no es nazi. Increíblemente, pues casi todos mis contemporáneos lo son, aunque lo nieguen o lo ignoren. Desde 1925, no hay publicista que no opine que el hecho inevitable y trivial de haber nacido en un determinado país y de pertenecer a tal raza (o a tal buena mixtura de razas) no sea un privilegio singular y un talismán suficiente. Vindicadores de la democracia, que se creen muy diversos de Goebbels, instan a sus lectores, en el dialecto mismo del enemigo, a escuchar los latidos de un corazón que recoge los íntimos mandatos de la sangre y de la tierra. Recuerdo, durante la guerra civil española, ciertas discusiones indescifrables. Unos se declaraban republicanos; otros, nacionalistas; otros, marxistas;

todos, en un léxico de *Gauleiter*, hablaban de la Raza y del Pueblo. Hasta los hombres de la hoz y el martillo resultàban racistas... También recuerdo con algún estupor cierta asamblea que se convocó para confundir el antisemitismo. Varias razones hay para que yo no sea un antisemita; la principal en ésta; la diferencia entre judíos y no-judíos me parece, en general, insignificante; a veces, ilusoria o imperceptible. Nadie, aquel día, quiso compartir mi opinión; todos juraron que un judío alemán difiere vastamente de un alemán. Vanamente les recordé que no otra cosa dice Adolfo Hitler; vanamente insinué que una asamblea contra el racismo no debe tolerar la doctrina de una Raza Elegida; vanamente alegué la sabia declaración de Mark Twain: "Yo no pregunto de qué raza es un hombre; basta que sea un ser humano; nadie puede ser nada peor" (*The man that corrupted Hadleyburg*, página 204).

En este libro, como en otros —*The fate of homo sapiens*, 1939; *The common sense of war and peace*, 1940—, Wells nos exhorta a recordar nuestra humanidad esencial y a refrenar nuestros miserables rasgos diferenciales, por patéticos o pintorescos que sean. En verdad, esa represión no es exorbitante: se limita a exigir de los estados, para su mejor convivencia, lo que una cortesía elemental exige de los individuos. "Nadie en su recto juicio —declara Wells— piensa que los hombres de Gran Bretaña son un pueblo elegido, una más noble especie de nazis, que disputan la hegemonía del mundo a los alemanes. Son el frente de batalla de la humanidad. Si no son ese frente, no son nada. Ese deber es un privilegio."

Let the People Think es el título de una selección de

los ensayos de Bertrand Russell. Wells, en la obra cuyo comentario he esbozado, nos insta a repensar la historia del mundo sin preferencias de carácter geográfico, económico o étnico; Russell también dispensa consejos de universalidad. En el tercer artículo —*Free thought and official propaganda*— propone que las escuelas primarias enseñen el arte de leer con incredulidad los periódicos. Entiendo que esa disciplina socrática no sería inútil. De las personas que conozco, muy pocas la deletrean siquiera. Se dejan embaucar por artificios tipográficos o sintácticos; piensan que un hecho ha acontecido porque está impreso en grandes letras negras; confunden la verdad con el cuerpo doce; no quieren entender que la afirmación: *Todas las tentativas del agresor para avanzar más allá de B han fracasado de manera sangrienta*, es un mero eufemismo para admitir la pérdida de B. Peor aun: ejercen una especie de magia, piensan que formular un temor es colaborar con el enemigo... Russell propone que el Estado trate de inmunizar a los hombres contra esas agüerías, y esos sofismas. Por ejemplo sugiere que los alumnos estudien las últimas derrotas de Napoleón, a través de los boletines del *Moniteur*, ostensiblemente triunfales. Planea deberes como éste: una vez estudiada en textos ingleses la historia de las guerras con Francia, reescribir esa historia, desde el punto de vista francés. Nuestros "nacionalistas" ya ejercen ese método paradójico: enseñan la historia argentina desde un punto de vista español, cuando no quichua o querandí.

De los otros artículos, no es el menos certero el que se titula *Genealogía del fascismo*. El autor empieza por observar que los hechos políticos proceden de especulaciones muy anteriores y que suele mediar mucho tiempo entre la divulgación de una doctrina y su aplicación. Así es: la "actualidad candente", que nos exaspera o exalta y que con alguna frecuencia nos aniquila, no es otra cosa que una reverbación imperfecta de viejas discusiones. Hitler, horrendo en públicos ejércitos y en secretos espías, es un pleonasmo de Carlyle (1795-1881) y aun de J. G. Fichte (1762-1814); Lenin, una transcripción de Karl Marx. De ahí que el verdadero intelectual rehuya los debates contemporáneos: la realidad es siempre anacrónica.

Russel imputa la teoría del fascismo a Fichte y a Carlyle. El primero, en la cuarta y quinta de las famosas *Reden an die deutsche Nation*, funda la superioridad de los alemanes en la no interrumpida posesión de un idioma puro. Esa razón es casi inagotablemente falaz; podemos conjeturar que no hay en la tierra un idioma puro (aunque lo fueran las palabras, no lo son las representaciones; aunque los puristas digan *deporte*, se representan *sport*); podemos recordar que el alemán es menos "puro" que el vascuence o el hotentote; podemos interrogar por qué es preferible un idioma sin mezcla... Más compleja y más elocuente es la contribución de Carlyle. Éste, en 1843, escribió que la democracia es la desesperación de no encontrar héroes que nos dirijan. En 1870 aclamó la victoria de la "paciente, noble, profunda, sólida y piadosa Alemania" sobre la "fanfarrona, vanagloriosa, gesticulante, pendenciera, intranquila, hipersensible Francia" (*Miscellanies*, tomo séptimo, página 251). Alabó la Edad Media, condenó las bolsas de viento parlamentarias, vindicó la memoria del dios Thor, de Guillermo el Bastardo, de Knox, de Cromwell, de Federico II, del taciturno Doctor Francia y de Napoleón, anheló un mundo que no fuera "el caos provisto de urnas electorales", abominó de la abolición de la esclavitud, propuso la conversión de las estatuas —"horrendos solecismos de bronce"— en útiles bañaderas de bronce, ponderó la pena de muerte, se alegró de que en toda población hubiera un cuartel, aduló, e inventó, la Raza Teutónica. Quienes anhelen otras imprecaciones o apoteosis, pueden interrogar *Past and Present* (1843) y los *Latter-day Pamphlets*, que son de 1850.

Bertrand Russell concluye: "En cierto modo, es lícito afirmar que el ambiente de principios del siglo XVIII era racional y el de nuestro tiempo, antirracional". Yo eliminaría el tímido adverbio que encabeza la frase.

ANOTACIÓN AL 23 DE AGOSTO DE 1944

Esa jornada populosa me deparó tres heterogéneos asombros: el grado *físico* de mi felicidad cuando me dijeron la liberación de París; el descubrimiento de que una emoción colectiva puede no ser innoble; el enigmático y notorio entusiasmo de muchos partidarios de Hitler. Sé que indagar ese entusiasmo es correr el albur de parecerme a los vanos hidrógrafos que indagaban por qué basta un solo rubí para detener el curso de un río; muchos me acusarán de investigar un hecho quimérico. Éste, sin embargo, ocurrió y miles de personas en Buenos Aires pueden atestiguarlo.

Desde el principio, comprendí que era inútil interrogar a los mismos protagonistas. Esos versátiles, a fuerza de ejercer la incohencia, han perdido toda noción de que ésta debe justificarse: veneran la raza germánica, pero abominan de la América "sajona"; condenan los artículos de Versalles, pero aplaudieron los prodigios del *Blitzkrieg*; son antisemitas, pero profesan una religión de origen hebreo; bendicen la guerra submarina, pero reprueban con vigor las piraterías británicas; denuncian el imperialismo, pero vindican y promulgan la tesis del espacio vital; idolatran a San Martín, pero opinan que la independencia de América fué un error; aplican a los actos de Inglaterra el canon de Jesús, pero a los de Alemania el de Zarathustra.

Reflexioné, también, que toda incertidumbre era preferible a la de un diálogo con esos consanguíneos del caos, a quienes la infinita repetición de la interesante fórmula *soy argentino* exime del honor y de la piedad. Además ¿no ha razonado Freud y no ha presentido Walt Whitman que los hombres gozan de poca información acerca de los móviles profundos de su conducta? Quizá, me dije, la magia de los símbolos *París* y *liberación* es tan poderosa que los partidarios de Hitler han olvidado que significan una derrota de sus armas. Cansado, opté por suponer que la novelería y el temor y la simple adhesión a la realidad eran explicaciones verosímiles del problema.

Noches después, un libro y un recuerdo me iluminaron. El libro fué el *Man and Superman* de Shaw; el pasaje a que me refiero es aquel del sueño metafísico de John Tanner, donde se afirma que el horror del Infierno es su irrealidad; esa doctrina puede parangonarse con la de otro irlandés, Juan Escoto Erigena, que negó la existéncia sustantiva del pecado y del mal y declaró que todas las criaturas, incluso el Diablo, regresarán a Dios. El recuerdo fué de aquel día que es perfecto y detestado reverso del 23 de agosto: el 14 de junio de 1940. Un germanófilo, de cuyo nombre no quiero acordarme, entró ese día en mi casa; de pie, desde la puerta, anunció la vasta noticia: los ejércitos nazis habían ocupado a París. Sentí una mezcla de tristeza, de asco, de malestar. Algo que no entendí me detuvo: la insolencia del júbilo no explicaba ni la estentórea voz ni la brusca proclamación. Agregó que muy pronto esos ejércitos entrarían en Londres. Toda oposición era inútil, nada podría detener su victoria. Entonces comprendí que él también estaba aterrado.

Ignoro si los hechos que he referido requieren elucidación. Creo poder interpretarlos así: Para los europeos y americanos, hay un orden —un solo orden— posible: el que antes llevó el nombre de Roma y que ahora es la cultura del Occidente. Ser nazi (jugar a la barbarie enérgica, jugar a ser un viking, un tártaro, un conquistador del siglo XVI, un gaucho, un piel roja) es, a la larga, una imposibilidad mental y moral. El nazismo adolece de irrealidad, como los infiernos de Erígena. Es inhabitable; los hombres sólo pueden morir por él, mentir por él, matar y ensangrentar por él. Nadie, en la soledad central de su yo, puede anhelar que triunfe. Arriesgo esta conjetura: *Hitler quiere ser derrotado.* Hitler de un modo ciego, colabora con los inevitables ejércitos que lo aniquilarán, como los buitres de metal y el dragón (que no debieron de ignorar que eran monstruos) colaboraban, misteriosamente, con Hércules.

SOBRE EL "VATHEK" DE WILLIAM BECKFORD

Wilde atribuye la siguiente broma a Carlyle: una biografía de Miguel Ángel que omitiera toda mención de las obras de Miguel Ángel. Tan compleja es la realidad, tan fragmentaria y tan simplificada la historia, que un observador omnisciente podría redactar un número indefinido, y casi infinito, de biografías de un hombre, que destacaran hechos independientes y de las que tendríamos que leer muchas antes de comprender que el protagonista es el mismo. Simplifiquemos desaforadamente una vida: imaginemos que la integran trece mil hechos. Una de las hipotéticas biografías registraría la serie 11, 22, 33...; otra, la serie 9, 13, 17, 21...; otra, la serie 3, 12, 21, 30, 39... No es inconcebible una historia de los sueños de un hombre; otra, de los órganos de su cuerpo; otra, de las falacias cometidas por él; otra, de todos los momentos en que se imaginó las pirámides; otra, de su comercio con la noche y con las auroras. Lo anterior puede parecer meramente quimérico; desgraciadamente, no lo es. Nadie se resigna a escribir la biografía literaria de un escritor, la biografía militar de un soldado; todos prefieren la biografía genealógica, la biografía económica, la biografía psiquiátrica, la biografía quirúrgica, la biografía tipográfica. Setecientas páginas en octavo comprende cierta vida de Poe; el autor, fascinado por los cambios de domicilio, apenas logra rescatar un paréntesis para el Maelstrom y para la cosmogonía de *Eureka*. Otro ejemplo: esta curiosa revelación del prólogo de una biografía de Bolívar: "En este libro se habla tan escasamente de batallas como en el que el mismo autor escribió sobre Napoleón". La broma de Carlyle predecía nuestra literatura contemporánea: en 1943 lo paradójico es una biografía de Miguel Ángel que tolere alguna mención de las obras de Miguel Ángel.

El examen de una reciente biografía de William Beckford (1760-1844) me dicta las anteriores observaciones. William Beckford, de Fonthill, encarnó un tipo suficientemente trivial de millonario, gran señor, viajero, bibliófilo, constructor de palacios y libertino; Chapman, su biógrafo, desentraña (o procura desentrañar) su vida laberíntica, pero prescinde de un análisis de *Vathek*, novela a cuyas últimas diez páginas William Beckford debe su gloria.

He confrontado varias críticas de *Vathek*. El prólogo que Mallarmé redactó para su reimpresión de 1876, abunda en observaciones felices (ejemplo: hace notar que la novela principia en la azotea de una torre desde la que se lee el firmamento, para concluir en un subterráneo encantado), pero está escrito en un dialecto etimológico del francés, de ingrata o imposible lectura. Belloc (*A conversation with an angel*, 1928) opina sobre Beckford sin condescender a razones; equipara su prosa a la de Voltaire y lo juzga uno de los hombres más viles de su época, *one of the vilest men of his time*. Quizá el juicio más lúcido es el deSneintsbury, en el undécimo volumen de la *Cambridge History of English Literature*.

SOBRE EL "VATHEK" DE WILLIAM BECKFORD

Esencialmente la fábula de *Vathek* no es compleja. Vathek (Harún Benalmotásim Vatiq Bilá, noveno califa abbasida) erige una torre babilónica para descifrar los planetas. Éstos le auguran una sucesión de prodigios, cuyo instrumento será un hombre sin par, que vendrá de una tierra desconocida. Un mercader llega a la capital del imperio; su cara es tan atroz que los guardias que lo conducen ante el califa avanzan con los ojos cerrados. El mercader vende una cimitarra al califa; luego desaparece. Grabados en la hoja hay misteriosos caracteres cambiantes que burlan la curiosidad de Vathek. Un hombre (que luego desaparece también) los descifra; un día significan: *Soy la menor maravilla de una región donde todo es maravilloso y digno del mayor príncipe de la tierra*; otro: *Ay de quien temerariamente aspira a saber lo que debería ignorar.* El califa se entrega a las artes mágicas; la voz del mercader, en la oscuridad, le propone abjurar la fe musulmana y adorar los poderes de las tinieblas. Si lo hace, le será franqueado el Alcázar del Fuego Subterráneo. Bajo sus bóvedas podrá contemplar los tesoros que los astros le prometieron, los talismanes que sojuzgan el mundo, las diademas de los sultanes preadamitas y de Suleimán Bendaúd. El ávido califa se rinde; el mercader le exige cuarenta sacrificios humanos. Transcurren muchos años sangrientos; Vathek, negra de abominaciones el alma, llega a una montaña desierta. La tierra se abre; con terror y con esperanza. Vathek baja hasta el fondo del mundo. Una silenciosa y pálida muchedumbre de personas que no se miran erra por las soberbias galerías de un palacio infinito. No le ha mentido el mercader: el Alcázar del Fuego Subterráneo abunda en esplendores y en talismanes, pero también es el

Infierno. (En la congénere historia del doctor Fausto, y en las muchas leyendas medievales que la prefiguraron, el Infierno es el castigo del pecador que pacta con los dioses del Mal; en ésta es el castigo y la tentación.)

Saintsbury y Andrew Lang declaran o sugieren que la invención del Alcázar del Fuego Subterráneo es la mayor gloria de Beckford. Yo afirmo que se trata del primer Infierno realmente atroz de la literatura.[1] Arriesgo esta paradoja: el más ilustre de los avernos literarios, el *dolente regno* de la *Comedia*, no es un lugar atroz; es un lugar en el que ocurren hechos atroces. La distinción es válida.

Stevenson *(A chapter on dreams)* refiere que en los sueños de la niñez lo perseguía un matiz abominable del color pardo; Chesterton (*The man who was Thursday*, VI) imagina que en los confines occidentales del mundo acaso existe un árbol que ya es más, y menos, que un árbol, y en los confines orientales, algo, una torre, cuya sola arquitectura es malvada. Poe, en el *Manuscrito encontrado en una botella*, habla de un mar austral donde crece el volumen de la nave como el cuerpo viviente del marinero; Melville dedica muchas páginas de *Moby Dick* a dilucidar el horror de la blancura insoportable de la ballena... He prodigado ejemplos; quizá hubiera bastado observar que el Infierno dantesco magnifica la noción de una cárcel; el de Beckford, los túneles de una pesadilla. *La Divina Comedia* es el libro más justificable

[1] De la literatura, he dicho, no de la mística: el electivo Infierno de Swedenborg —*De coelo et inferno*, 545, 554— es de fecha anterior.

y más firme de todas las literaturas: *Vathek* es una mera curiosidad, *the perfume and suppliance of a minute*; creo, sin embargo, que *Vathek* pronostica, siquiera de un modo rudimentario, los satánicos esplendores de Thomas de Quincey y de Poe, de Charles Baudelaire y de Huysmans. Hay un intraducible epíteto inglés, el epíteto *uncanny*, para denotar el horror sobrenatural; ese epíteto (*unheimlich* en alemán) es aplicable a ciertas páginas de *Vathek*; que yo recuerde, a ningún otro libro anterior.

Chapman indica algunos libros que influyeron en Beckford: la *Bibliothèque Orientale*, de Barthélemy d'Herbelot; los *Quatre Facardins*, de Hamilton; *La princesa de Babylone*, de Voltaire; las siempre denigradas y admirables *Mille et une Nuits*, de Galland. Yo complementaría esa lista con las *Carceri d'invenzione*, de Piranesi; aguafuertes alabadas por Beckford, que representan poderosos palacios, que son también laberintos inextricables. Beckford, en el primer capítulo de *Vathek*, enumera cinco palacios dedicados a los cinco sentidos; Marino, en el *Adone*, ya había descrito cinco jardines análogos.

Sólo tres días y dos noches del invierno de 1782 requirió William Beckford para redactar la trágica historia de su califa. La escribió en idioma francés; Henley la tradujo al inglés en 1785. El original es infiel a la traducción; Saintsbury observa que el francés del siglo XVIII es menos apto que el inglés para comunicar los "indefinidos horrores" (la frase es de Beckford) de la singularísima historia.

La versión inglesa de Henley figura en el volumen 856 de la *Everyman's Library*; la editorial Perrin, de

París, ha publicado el texto original, revisado y prologado por Mallarmé. Es raro que la laboriosa bibliografía de Chapman ignore esa revisión y ese prólogo .

Buenos Aires, 1943.

SOBRE "THE PURPLE LAND"

Esta novela primigenia de Hudson es reducible a una fórmula tan antigua que casi puede comprender la *Odisea*; tan elemental que sutilmente la difama y la desvirtúa el nombre de fórmula. El héroe se echa a andar y le salen al paso sus aventuras. A ese género nómada y azaroso pertenecen el *Asno de Oro* y los fragmentos del *Satiricón;Pickwick* y el *Don Quijote; Kim* de Lahore y *Segundo Sombra* de Areco. Llamar novelas picarescas a esas ficciones me parece injustificado; en primer término, por la connotación mezquina de la palabra; en segundo, por sus limitaciones locales y temporales (siglo XVI español, siglo XVII). El género es complejo, por lo demás. El desorden, la incoherencia y la variedad no son inaccesibles, pero es indispensable que los gobierne un orden secreto, que gradualmente se descubra. He recordado algunos ejemplos ilustres; quizá no haya uno que no exhiba defectos evidentes. Cervantes moviliza dos tipos: un hidalgo "seco de carnes", alto, ascético, loco y altisonante;; un villano carnoso, bajo, comilón, cuerdo y dicharachero: esa discordia tan simétrica y persistente acaba por quitarles realidad, por disminuirlos a figuras de circo. (En el séptimo capítulo de *El Payador*, nuestro Lugones ya insinuó ese reproche). Kipling inventa un

Amiguito del Mundo Entero, el libérrimo Kim: a los pocos capítulos, urgido por no sé qué patriótica perversión, le da el horrible oficio de espía. (En su autobiografía literaria, redactada unos treinta y cinco años después. Kipling se muestra impenitente y aun inconsciente.) Anoto sin animadversión esas lacras; lo hago para juzgar *The Purple Land* con pareja sinceridad.

Del género de novelas que considero, las más rudimentarias buscan la mera sucesión de aventuras, la mera variedad; los siete viajes de Simbad el Marino suministran quizá el ejemplo más puro. El héroe, en ellas, es un mero sujeto, tan impersonal y pasivo como el lector. En otras (apenas más complejas) los hechos cumplen la función de mostrar el carácter del héroe, cuando no sus absurdidades y manías; tal es el caso de la primera parte del *Don Quijote*. En otras (que corresponden a una etapa ulterior) el movimiento es doble, recíproco: el héroe modifica las circunstancias, la circunstancias modifican el carácter del héroe. Tal es el caso de la parte segunda del *Quijote*, del *Huckleberry Finn* de Mark Twain, de *The Purple Land*. Esta ficción, en realidad, tiene dos argumentos. El primero, visible: las aventuras del muchacho inglés Richard Lamb en la Banda Oriental. El segundo, íntimo, invisible; el venturoso acriollamiento de Lamb, su conversión gradual a una moralidad cimarrona que recuerda un poco a Rousseau y prevé un poco a Nietzsche. Sus *Wanderjahre* son *Lehrjahre* también. En carne propia, Hudson conoció los rigores de una vida semibárbara, pastoril; Rousseau y Nietzsche, sólo a través de los sedentarios volúmenes de la *Histoire Générale des Voyages* y de las epopeyas homéricas. Lo anterior no quiere decir que *The Purple Land* sea intachable. Adolece de un error evidente, que es lógico imputar a los azares de la improvisación: la vana y fatigosa complejidad de ciertas aventuras. Pienso en las del final: son lo bastante complicadas para fatigar la atención, pero no para interesarla. En esos onerosos capítulos, Hudson parece no entender que el libro es sucesivo (casi tan puramente susesivo como el *Satiricón* o como el *Buscón*) y lo entorpece de artificios inútiles. Se trata de un error harto difundido: Dickens, en todas sus novelas, incurre en prolijidades análogas.

Quizá ninguna de las obras de la literatura gauchesca aventaje a *The Purple Land*. Sería deplorable que alguna distracción topográfica y tres o cuatro errores o erratas (*Camelones* por *Canelones, Aria* por *Arias. Gumesinda* por *Gumersinda*) nos escamotearan esa verdad... *The Purple Land* es fundamentalmente criolla. La circunstancia de que el narrador sea un inglés justifica ciertas aclaraciones y ciertos énfasis que requiere el lector y que resultarían anómalos en un gaucho, habituado a esas cosas. En el número 31 de *Sur*, afirma Ezequiel Martínez Estrada: "Nuestras cosas no han tenido poeta, pintor ni intérprete semejante a Hudson, ni lo tendrán nunca. Hernández es una parcela de ese cosmorama de la vida argentina que Hudson cantó, describió y comentó... En las últimas páginas de *The Purple Land*, por ejemplo, hay contenida la máxima filosofía y la suprema justificación de América frente a la civilización occidental y a los valores de la cultura de cátedra". Martínez Estrada, como se ve, no ha vacilado en preferir la obra total de Hudson al más insigne de los libros canónicos de nuestra literatura gauchesca. Por lo pronto, el ámbito que abarca *The Purple Land* es incomparablemente mayor. El *Martín* Fierro (pese al proyecto de canonización de Lugones) es menos la epopeya de nuestros orígenes —¡en 1872!— que la autobiografía de un cuchillero, falseada por bravatas y por quejumbres que casi profetizan el tango. En Ascasubi hay rasgos más vívidos, más felicidad, más coraje, pero todo ello está fragmentario y secreto en tres tomos incidentales, de cuatrocientas páginas cada uno. *Don Segundo Sombra*, pese a la veracidad de los diálogos, está maleado por el afán de magnificar las tareas más inocentes. Nadie ignora que su narrador es un gaucho; de ahí lo doblemente injustificado de ese gigantismo teatral, que hace de un arreo de novillos una función de guerra. Güiraldes ahueca la voz para referir los trabajos cotidianos del campo; Hudson (como Ascasubi, como Hernández, como Eduardo Gutiérrez) narra con toda naturalidad hechos acaso atroces.

Alguien observará que en *The Purple Land* el gaucho no figura sino de modo lateral, secundario. Tanto mejor para la veracidad del retrato, cabe responder. El gaucho es hombre taciturno, el gaucho desconoce, o desdeña, las complejas delicias de la memoria y de la introspección; mostrarlo autobiográfico y efusivo, ya es deformarlo.

Otro acierto de Hudson, es el geográfico. Nacido en la provincia de Buenos Aires, en el círculo mágico de la pampa, elige, sin embargo, la tierra cárdena donde la montonera fatigó sus primeras y últimas lanzas: el Estado Oriental. En la literatura argentina privan los gauchos de la provincia de Buenos Aires; la paradójica razón de esa primacía es la existencia de una gran ciudad, Buenos Aires, madre de insignes literatos "gauchescos". Si en vez de interrogar la literatura, nos atenemos a la historia, comprobaremos que ese glorificado gauchaje ha influído poco en los destinos de su provincia, nada en los del país. El organismo típico de la guerra gaucha, la montonera, sólo aparece en Buenos Aires de manera esporádica. Manda la ciudad, mandan los caudillos de la ciudad. Apenas si algún individuo —Hormiga Negra en los documentos judiciales, Martín Fierro en las letras— logra, con una rebelión de matrero, cierta notoriedad policial.

Hudson, he dicho, elige para las correrías de su héroe las cuchillas de la otra banda. Esta elección propicia le permite enriquecer el destino de Richard Lamb con el azar y con la variedad de la guerra —azar que favorece las ocasiones del amor vagabundo—. Macaulay, en el artículo sobre Bunyan, se maravilla de que las imaginaciones de un hombre sean con el tiempo recuerdo personales de muchos otros. Las de Hudson perduran en la memoria; los balazos británicos retumbando en la noche de Paysandú: el gaucho ensimismado que pita con fruición el tabaco negro, antes de la batalla; la muchacha que se da a un forastero, en la secreta margen de un río.

Mejorando hasta la perfección una frase divulgada por Boswell, Hudson refiere que muchas veces en la vida emprendió el estudio de la metafísica, pero que siempre lo interrumpió la felicidad. La frase (una de las más memorables que el trato de las letras me ha deparado) es típica del hombre y del libro. Pese a la brusca sangre derramada y a las separaciones, *The Purple Land* es de los muy pocos libros felices que hay en la tierra. (Otro, también americano, también de sabor casi paradisíaco, es el *Huckleberry Finn*, de Mark Twain.) No pienso en el debate caótico de pesimistas y optimistas; no pienso en la felicidad doctrinaria que inexorablemente se impuso el patético Whitman; pienso en el temple venturoso de Richard Lamb, en su hospitalidad para recibir todas las vicisitudes del ser, amigas o aciagas.

Una observación última. Percibir o no los matices criollos es quizá baladí, pero el hecho es que de todos los extranjeros (sin excluir, por cierto, a los españoles) nadie los percibe sino el inglés. Miller, Robertson, Burton, Cunninghame Graham, Hudson.

Buenos Aires, 1941.

DE ALGUIEN A NADIE

En el principio, Dios es los Dioses (Elohim), plural que algunos llaman de majestad y otros de plenitud y en el que se ha creído notar un eco de anteriores politeísmos o una premonición de la doctrina, declarada en Nicea, de que Dios es Uno y es Tres. Elohim rige verbos en singular; el primer versículo de la Ley dice literalmente: *En el principio hizo los Dioses el cielo y la tierra.* Pese a la vaguedad que el plural sugiere. Elohim es concreto; se llama Jehová Dios y leemos que se paseaba en el huerto al aire del día o, como dicen las versiones inglesas, *in the cool of the day.* Lo definen rasgos humanos; en un lugar de la Escritura se lee *Arrepentióse Jehová de haber hecho hombre en la tierra y pesóle en su corazón* y en otro, *Porque yo Jehová tu Dios soy un Dios celoso* y en otro, *He hablado en el fuego de mi ira.* El sujeto de tales locuciones es indiscutiblemente Alguien, un Alguien corporal que los siglos irán agigantando y desdibujando. Sus títulos varían: Fuerte de Jacob, Piedra de Israel, Soy El Que Soy, Dios de los Ejércitos, Rey de Reyes. El último, que sin duda inspiró por oposición el Siervo de los Siervos de Dios, de Gregorio Magno, es en el texto original un superlativo de rey: "propiedad es de la lengua hebrea —dice Fray Luis de León— doblar ansí unas mismas palabras, cuando quiere encarecer alguna cosa, o en bien o en mal. Ansí que decir *Cantar de cantares* es lo mismo que solemos decir en castellano *Cantar entre cantares, hombre entre hombres*, esto es, señalado y eminente entre todos y más excelente que otros muchos". En los primeros siglos de nuestra era, los teólogos habilitan el prefijo *omni*, antes reservado a los adjetivos de la naturaleza o de Júpiter; cunden las palabras *omnipotente, omnipresente, omniscio*, que hacen de Dios un respetuoso caos de superlativos no imaginables. Esa nomenclatura, como las otras, parece limitar la divinidad: a fines del siglo V, el escondido autor del *Corpus Dionysiacum* declara que ningún predicado afirmativo conviene a Dios. Nada se debe afirmar de Él, todo puede negarse. Schopenhauer anota secamente: "Esa teología es la única verdadera, pero no tiene contenido". Redactados en griego, los tratados y las cartas que forman el *Corpus Dionysiacum* dan en el siglo IX con un lector que los vierte al latín: Johannes Eriugena o Scotus, es deicr Juan el Irlandés, cuyo nombre en la historia es Escoto Erígena o sea Irlandés Irlandés. Éste formula una doctrina de índole panteísta: las cosas particulares son teofanías (revelaciones o apariciones de lo divino) y detrás está Dios, que es lo único real, "pero que no sabe qué es, porque no es un qué, y es incomprensible a sí mismo y a toda inteligencia". No es sapiente, es más que sapiente; no es bueno, es más que bueno; inescrutablemente excede y rechaza todos los atributos. Juan el Irlandés, para definirlo, acude a la palabra *nihilum*, que es la nada; Dios es la nada primordial de la *creatio ex nihilo*, el abismo en que se engendraron los arquetipos y luego los seres concretos. Es Nada y

Nadie; quienes lo concibieron así obraron con el sentimiento de que ello es más que ser un Quién o un Qué. Análogamente, Samkara enseña que los hombres, en el sueño profundo, son el universo, son Dios.

El proceso que acabo de ilustrar no es, por cierto, aleatorio. La magnificación hasta la nada sucede o tiende a suceder en todos los cultos; inequívocamente la observamos en el caso de Shakespeare. Su contemporáneo Ben Jonson lo quiere sin llegar a la idolatría, *on this side Idolatry*; Dryden lo declara el Homero de los poetas dramáticos de Inglaterra, pero admite que suele ser insípido y ampuloso; el discursivo siglo XVIII procura aquilatar sus virtudes y reprender sus faltas; Maurice Morgan, en 1774, afirma que el rey Lear y Falstaff no son otra cosa que modificaciones de la mente de su inventor; a principios del siglo XIX, ese dictamen es recreado por Coleridge, para quien Shakespeare ya no es un hombre sino una variación literaria del infinito Dios de Spinoza. "La persona Shakespeare —escribe— fué una *natura naturata*, un efecto, pero lo universal, que está potencialmente en lo particular, le fué revelado, no como abstraído de la observación de una pluralidad de casos sino como la substancia capaz de infinitas modificaciones, de las que su existencia personal era sólo una". Hazlitt corrobora o confirma: "Shakespeare se parecía a todos los hombres, salvo en lo de parecerse a todos los hombres. Intimamente no era nada, pero era todo lo que son los demás, o lo que pueden ser". Hugo, después, lo equipara con el océano, que es un almácigo de formas posibles.[1]

[1] En el budismo se repite el dibujo. Los primeros textos narran que el Buddha, al pie de la higuera, intuye la infinita concatenación de todos los efectos y causas del universo, las pa-

Ser una cosa es inexorablemente no ser todas las otras cosas; la intuición confusa de esa verdad ha inducido a los hombres a imaginar que no ser es más que ser algo y que, de alguna manera, es ser todo. Esta falacia está en las palabras de aquel rey legendario del Indostán, que renuncia al poder y sale a pedir limosna en las calles: "Desde ahora no tengo reino o mi reino es ilimitado, desde ahora no me pertenece mi cuerpo o me pertenece toda la tierra". Schopenhauer ha escrito que la historia es un interminable y perplejo sueño de las generaciones humanas; en el sueño hay formas que se repiten, quizá no hay otra cosa que formas; una de ellas es el proceso que denuncia esta página.

Buenos Aires, 1950.

---

sadas y futuras encarnaciones de cada ser; los últimos, redactados siglos después, razonan que nada es real y que todo conocimiento es ficticio y que si hubiera tantos Ganges como hay granos de arena en el Ganges y otra vez tantos Ganges como granos de arena en los nuevos Ganges, el número de granos de arena sería menor que el número de cosas que *ignora* el Buddha.

FORMAS DE UNA LEYENDA

A la gente le repugna ver un anciano, un enfermo o un muerto, y sin embargo está sometida a la muerte, a las enfermedades y a la vejez; el Buddha declaró que esta reflexión lo indujo a abandonar su casa y sus padres y a vestir la ropa amarilla de los ascetas. El testimonio consta en uno de los libros del canon; otro registra la parábola de los cinco mensajeros secretos que envían los dioses; son un párvulo, un anciano encorvado, un tullido, un criminal en los tormentos y un muerto, y avisan que nuestro destino es nacer, caducar, enfermar, sufrir justo castigo y morir. El Juez de las Sombras (en las mitologías del Indostán, Yama desempeña ese cargo, porque fué el primer hombre que murió) pregunta al pecador si no ha visto a los mensajeros; éste admite que sí, pero no ha descifrado su aviso; los esbirros lo encierran en una casa que está llena de fuego. Acaso el Buddha no inventó esta amenazadora parábola; bástenos saber que la dijo (*Majjhima nikaya*, 130) y que no la vinculó nunca, tal vez, a su propia vida.

La realidad puede ser demasiado compleja para la transmisión oral; la leyenda la recrea de una manera que sólo accidentalmente es falsa y que le permite andar por el mundo, de boca en boca. En la parábola y en la declaración figuran un hombre viejo, un hombre enfermo y un hombre muerto; el tiempo hizo de los dos textos uno y forjó, confudiéndolos, otra historia.

Siddhartha, el Bodhisattva, el pre-Buddha, es hijo de un gran rey, Suddhodana, de la estirpe del sol. La noche de su concepción, la madre sueña que en su lado derecho entra un elefante, del color de la nieve y con seis colmillos.[1] Los adivinos interpretan que su hijo reinará sobre el mundo o hará girar la rueda de la doctrina[2] y enseñará a los hombres cómo librarse de la vida y la muerte. El rey prefiere que Siddhartha logre grandeza temporal y no eterna, y lo recluye en un palacio, del que han sido apartadas todas las cosas que pueden revelarle que es corruptible. Veintinueve años de ilusoria felicidad transcurren así, dedicados al goce de los sentidos, pero Siddhartha, una mañana, sale en su coche y ve con estupor a un hombre encorvado, "cuyo pelo no es como el de los otros, cuyo cuerpo no es como el de los otros", que se apoya en un bastón para caminar y cuya carne tiembla. Pregunta qué hombre es ése; el cochero explica que es un

[1] Este sueño es, para nosotros, una mera fealdad. No así para los hindúes; el elefante, animal doméstico, es símbolo de mansedumbre; la multiplicación de colmillos no puede incomodar a los espectadores de un arte que, para sugerir que Dios es el todo, labra figuras de múltiples brazos y caras; el seis es número habitual (seis vías de la transmigración; seis Budhas anteriores al Budha; seis puntos cardinales, contando el cenit y el nadir; seis divinidades que el Yajurveda llama las seis puertas de Brahma).

[2] Esta metáfora puede haber sugerido a los tibetanos la invención de las máquinas de rezar, ruedas o cilindros que giran alrededor de un eje, llenas de tiras de papel enrolladas en las que se repiten palabras mágicas. Algunas son manuales: otras son como grandes molinos y las mueve el agua o el viento.

anciano y que todos los hombres de la tierra serán como él. Siddhartha, inquieto, da orden de volver inmediatamente pero en otra salida ve a un hombre que devora la fiebre, lleno de lepra y de úlceras; el cochero explica que es un enfermo y que nadie está exento de ese peligro. En otra salida veo a un hombre que llevan en un féretro; ese hombre inmóvil es un muerto, le explican, y morir es la ley de todo el que nace. En otra salida, la última, ve a un monje de las órdenes mendicantes que no desea ni morir ni vivir. La paz está en su cara; Siddhartha ha encontrado el camino.

Hardy (*Der Buddhismus nach älteren Pali-Werken*) alabó el colorido de esta leyenda; un indólogo contemporáneo, A. Foucher, cuyo tono de burla no siempre es inteligente, o urbano, escribe que, admitida la ignorancia previa del Bodhisattva, la historia no carece de gradación dramática ni de valor filosófico. A principios del siglo V de nuestra era, el monje Fa-Hien peregrinó a los reinos del Indostán en busca de libros sagrados y vió las ruinas de la ciudad de Kapilavastu y cuatro imágenes que Asoka erigió, al norte, al sur, al este y al oeste de las murallas, para conmemorar los encuentros. A principios del siglo VII un monje cristiano redactó la novela que se titula *Barlaam y Josafat*; Josafat (Josafat, Bodhisattva) es hijo de un rey de la India; los astrólogos predicen que reinará sobre un reino mayor, que es el de la Gloria; el rey lo encierra en un palacio, pero Josafat descubre la infortunada condición de los hombres bajo las especies de un ciego, de un leproso y de un moribundo y es convertido, finalmente, a la fe por el ermitaño Barlaam. Esta versión cristiana de la leyenda fué traducida a muchos idiomas, incluso el holandés y el latín;

a instancia del Hákon Hákonarson, se produjo en Islandia, a mediados del siglo XIII, una *Barlaams saga.* El cardenal César Baronio incluyó a Josafat en su revisión (1585-1590) del Martirologio romano; en 1615, Diego de Couto denunció, en su continuación de las *Décadas,* las analogías de la fingida fábula indiana con la verdadera y piadosa historia de San Josafat. Todo esto y mucho más hallará el lector en el primer volumen de *Orígenes de la novela* de Menéndez y Pelayo.

La leyenda que en tierras occidentales determinó que el Buddha fuera canonizado por Roma tenía, sin embargo, un defecto: los encuentros que postula son eficaces pero también son increíbles. Cuatro salidas de Siddhartha y cuatro figuras didácticas no condicen con los hábitos del azar. Menos atentos a lo estético que a la conversión de la gente, los doctores quisieron justificar esta anomalía; Koeppen (*Die Religion des Buddha*, I, 82) anota que en la última forma de la leyenda, el leproso, el muerto y el monje son simulacros que las divinidades producen para instruir a Siddhartha. Así, en el tercer libro de la epopeya sánscrita *Buddhacarita,* se dice que los dioses crearon a un muerto y que ningún hombre lo vió mientras lo llevaban, fuera del cochero y del príncipe. En una biografía legendaria del siglo XVI, las cuatro apariciones son cuatro metamorfosis de un dios (Wieger: *Vies chinoises du Bouddha*, 37-41).

Más lejos había ido el *Lalitavistara.* De esa compilación de prosa y de verso, escrita en un sánscrito impuro, es costumbre hablar con alguna sorna; en sus páginas la historia del Redentor se infla hasta la opresión y hasta el vértigo. El Buddha, a quien rodean doce mil monjes y treinta y dos mil Bodhisattvas, revela el texto de la obra a los dioses; desde el cuarto cielo fijó el período, el continente, el reino y la casta en que renacería para morir por última vez; ochenta mil timbales acompañan las palabras de su discurso y en el cuerpo de su madre hay la fuerza de diez mil elefantes. El Buddha, en el extraño poema, dirige cada etapa de su destino; hace que las divinidades proyecten las cuatro figuras simbólicas y, cuando interroga al cochero, ya sabe quiénes son y qué significan. Foucher ve en este rasgo un mero servilismo de los autores, que no pueden tolerar que el Buddha no sepa lo que sabe un sirviente; el enigma merece, a mi entender, otra solución. El Buddha crea las imágenes y luego inquiere de un tercero el sentido que encierran. Teológicamente cabría tal vez contestar: el libro es de la escuela del Mahayana, que enseña que el Buddha temporal es emanación o reflejo de un Buddha eterno; el del cielo ordena las cosas, el de la tierra las padece o las ejecuta. (Nuestro siglo, con otra mitología o vocabulario, habla de lo inconsciente.) La humanidad del Hijo, segunda persona de Dios, pudo gritar desde la cruz: *Dios mío, Dios mío, ¿por qué me has desamparado.*; la del Buddha, análogamente, pudo espantarse de las formas que había creado su propia divinidad... Para desatar el problema, no son indispensables, por lo demás, tales sutilezas dogmáticas; basta recordar que todas las religiones del Indostán y en particular el budismo enseñan qu el mundo es ilusorio. *Minuciosa relación del juego* (de un Buddha) quiere decir Lalitavistara, según Winternitz; un juego o un sueño es, para el Mahayana, la vida del Buddha sobre la tierra, que es otro sueño. Siddhartha elige su nación y sus padres. Siddhartha labra cuatro formas que lo colmarán de estupor, Siddhartha ordena que otra forma declare el sentido de las primeras; todo ello es razonable si lo pensamos un sueño de Siddharta. Mejor aun si lo pensamos un sueño en el que figura Siddhartha (como figuran el leproso y el monje) y que nadie sueña, porque a los ojos del budismo del Norte [1] el mundo y los prosélitos y el Nirvana y la rueda de las transmigraciones y el Buddha son igualmente irreales. Nadie se apaga en el Nirvana, leemos en un tratado famoso, porque la extinción de innumerables seres en el Nirvana es como la desaparición de una fantasmagoría que un hechicero en una encrucijada crea por artes mágicas, y en otro lugar está escrito que todo es mera vacuidad, mero nombre, y también el libro que lo declara y el hombre que lo lee. Paradójicamente, los excesos numéricos del poema quitan, no agregan, realidad; doce mil monjes y treinta y dos mil Bodhisattvas son menos concretos que *un* monje y que *un* Bodhisattva. Las vastas formas y los vastos guarismo (el capítulo XII incluye una serie de veintitrés palabras que indican la unidad seguida de un número creciente de ceros, desde 9 a 49, 51 y 53) son vastas y monstruosas burbujas, énfasis de la Nada. Lo irreal, así, ha ido agrietando la historia; primero hizo fantásticas las figuras, después al príncipe y, con el príncipe, a todas las generaciones y al universo.

A fines del siglo XIX, Oscar Wilde propuso una variante; el príncipe feliz muere en la reclusión del palacio, sin haber descubierto el dolor, pero su efigie póstuma lo divisa desde lo alto del pedestal.

[1] Rhys Davids proscribe esta locución que introdujo Burnouf, pero su empleo en esta frase es menos incómodo que el de Gran Travesía o Gran Vehículo, que hubieran detenido al lector.

La cronología del Indostán es incierta; mi erudición lo es mucho más; Koeppen y Hermann Beckh son quizá tan falibles como el compilador que arriesga esta nota; no me sorprendería que mi historia de la leyenda fuera legendaria, hecha de verdad substancial y de errores accidentales.

DE LAS ALEGORÍAS A LAS NOVELAS

Para todos nosotros, la alegoría es un error estético. (Mi primer propósito fué escribir "no es otra cosa que un error de la estética", pero luego noté que mi sentencia comportaba una alegoría.) Que yo sepa, el género alegórico ha sido analizado por Schopenhauer (*Welt als Wille und Vorstellung*, I, 50), por De Quincey (*Writings*, XI, 198), por Francesco De Sanctis (*Storia della letteratura italiana*, VII), por Croce (*Estetica*, 39) y por Chesterton (*G. F. Watts*, 83); en este ensayo me limitaré a los dos últimos. Croce niega el arte alegórico, Chesterton lo vindica; opino que la razón está con aquél, pero me gustaría saber cómo pudo gozar de tanto favor una forma que nos parece injustificable.

Las palabras de Croce son cristalinas; básteme repetirlas en español: "Si el símbolo es concebido como inseparable de la intuición artística, es sinónimo de la intuición misma, que siempre tiene carácter ideal. Si el símbolo es concebido separable, si por un lado puede expresarse el símbolo y por otro la cosa simbolizada, se recae en el error intelectualista; el supuesto símbolo es la exposición de un concepto abstracto, es una alegoría, es ciencia, o arte que remeda la ciencia. Pero también debemos ser justos con lo alegórico y advertir que en algunos casos éste es innocuo. De la *Jerusalén libertada* puede extraerese cualquier moralidad; del *Adonis*, de Marino, poeta de la lascivia, la reflexión de que el placer desmesurado termina en el dolor; ante una estatua, el escultor puede colocar un cartel diciendo que ésta es la Clemencia o la Bondad. Tales alegorías agregadas a una obra conclusa, no la perjudican. Son expresiones que extrínsecamente se añaden a otras expresiones. A la *Jerusalén* se añade una página en prosa que expresa otro pensamiento del poeta; al *Adonis*, un verso o una estrofa que expresa lo que el poeta quiere dar a entender; a la estatua, la palabra *clemencia* o la palabra *bondad*". En la página 222 del libro *La poesía* (Bari, 1946), el tono es más hostil: "La alegoría no es un modo directo de manifestación espiritual, sino una suerte de escritura o de criptografía".

Croce no admite diferencia entre el contenido y la forma. Ésta es aquél y aquél es ésta. La alegoría le parece monstruosa porque aspira a cifrar en una forma dos contenidos: el inmediato o literal (Dante, guiado por Virgilio, llega a Beatriz, y el figurativo (el hombre finalmente llega a la fe, guiado por la razón). Juzga que esa manera de escribir comporta laboriosos enigmas.

Chesterton, para vindicar lo alegórico, empieza por negar que el lenguaje agote la expresión de la realidad. "El hombre sabe que hay en el alma tintes más desconcertantes, más innumerables y más anónimos que los colores de una selva otoñal... Cree, sin embargo, que esos tintes, en todas sus fusiones y conversiones son representables con precisión por un mecanismo arbitrario de gruñidos y de chillidos. Cree que del interior de un bolsista salen realmente ruidos que significan todos los misterios de la memoria y todas las agonías del anhelo".

Declarado insuficiente el lenguaje, hay lugar para otros; la alegoría puede ser uno de ellos, como la arquitectura o la música. Está formada de palabras, pero no es un lenguaje del lenguaje, un signo de otros signos de la virtud valerosa y de las iluminaciones secretas que indica esa palabra. Un signo más preciso que el monosílabo, más rico y más feliz.

No sé muy bien cuál de los eminentes contradictores tiene razón; sé que el arte alegórico pareció alguna vez encantador (el laberíntico *Roman de la Rosa*, que perdura en doscientos manuscritos, consta de veinticuatro mil versos) y ahora es intolerable. Sentimos que, además de intolerable, es estúpido y frívolo. Ni Dante, que figuró la historia de su pasión en la *Vita nuova*; ni el romano Boecio, redactando en la torre de Pavía, a la sombra de la espada de su verdugo, el *De consolatione*, hubieran entendido ese sentimiento. ¿Cómo explicar esta discordia sin recurrir a una petición de principio sobre gustos que cambian?

Observa Coleridge que todos los hombres nacen aristotélicos o platónicos. Los últimos intuyen que las ideas son realidades; los primeros, que son generalizaciones; para éstos, el lenguaje no es otra cosa que un sistema de símbolos arbitrarios; para aquéllos, es el mapa del universo. El platónico sabe que el universo es de algún modo un cosmos, un orden; ese orden, para el aristotélico, puede ser un error o una ficción de nuestro conocimiento parcial. A través de las latitudes y de las épocas, los dos antagonistas inmortales cambian de dialecto y de nombre: uno es Parménides, Platón, Spinoza, Kant, Francis Bradley; el otro, Heráclito, Aristóteles, Locke, Hume, William James. En las arduas escuelas de la Edad Media todos invocan y Aristóteles, maestro de la humana razón (*Convivio*, IV, 2), pero los nominalistas son Aristóteles; los realistas, Platón. George Henry Lewes ha opinado que el único debate medieval que tiene algún valor filosófico es el de nominalismo y realismo; el juicio es temerario, pero destaca la importancia de esa controversia tenaz que una sentencia de Porfirio, vertida y comentada por Boecio, provocó a principios del siglo IX, que Anselmo y Roscelino mantuvieron a fines del siglo XI y que Guillermo de Occam reanimó en el siglo XIV.

Como es de suponer, tantos años multiplicaron hacia lo infinito las posiciones intermedias y los distingos; cabe, sin embargo, afirmar que para el realismo lo primordial eran los universales (Platón diría las ideas, las formas; nosotros, los conceptos abstractos), y para el nominalismo, los individuos. La historia de la filosofía, no es un vano museo de distracciones y de juegos verbales; verosímilmente, las dos tesis corresponden a dos maneras de intuir la realidad. Maurice de Wulf escribe: "El ultrarrealismo recogió las primeras adhesiones. El cronista Heriman (siglo XI) denomina *antiqui doctores* a los que enseñan la dialéctica *in re*; Abelardo habla de ella como de una *antigua doctrina*, y hasta el fin del siglo XII se aplica a sus adversarios el nombre de *moderni*". Una tesis ahora inconcebible pareció evidente en el siglo IX, y de algún modo perduró hasta el siglo XIV. El nominalismo, antes la novedad de unos pocos, hoy abarca a toda la gente; su victoria es tan vasta y fundamental que su nombre es inútil. Nadie se declara nominalista porque no hay quien sea otra cosa. Tratemos de entender, sin embargo, que para los hombres de la Edad Media lo sustantivo no eran los hombres sino la humanidad, no los individuos sino la especie, no las especies sino el género, no los géneros sino Dios. De tales conceptos (cuya más clara manifestación es quizá el cuádruple sistema de Erígena) ha procedido, a mi entender, la literatura alegórica. Ésta es fábula de abstracciones, como la novela lo es de individuos. Las abstracciones están personificadas; por eso, en toda alegoría hay algo novelístico. Los individuos que los novelistas proponen aspiran a genéricos(Dupin es la Razón, Don Segundo Sombra es el Gaucho); en las novelas hay un elemento alegórico.

El pasaje de alegoría a novela, de especies a individuos, de realismo a nominalismo, requirió algunos siglos, pero me atrevo a sugerir una fecha ideal. Aquel día de 1382 en que Geoffrey Chaucer, que tal vez no se creía nominalista, quiso traducir al inglés el verso de Boccaccio *E con gli occulti ferri i Tradimenti* ("Y con hierros ocultos las Traiciones"), y lo repitió de este modo: *The smyler with the knyf under the cloke* ("El que sonríe, con el cuchillo bajo la capa"). El original está en el séptimo libro de la *Teseida*; la versión inglesa, en el *Knightes Tale.*

Buenos Aires, 1949.

NOTA SOBRE (HACIA) BERNARD SHAW

A fines del siglo XIII, Raimundo Lulio (Ramón Lull) se aprestó a resolver todos los arcanos mediante una armazón de discos concéntricos, desiguales y giratorios, subdivididos en sectores con palabras latinas; John Stuart Mill, a principios del XIX, temió que se agotara algún día el número de combinaciones musicales y no hubiera lugar en el porvenir para indefinidos Webers y Mozarts; Kurd Lasswitz, a fines del XIX, jugó con la abrumadora fantasía de una biblioteca universal, que registrara todas las variaciones de los veintitantos símbolos ortográficos, o sea cuanto es dable expresar, en todas las lenguas. La máquina de Lulio, el temor de Mill y la caótica biblioteca de Lasswitz pueden ser materia de burlas, pero exageran una propensión que es común: hacer de la metafísica, y de las artes, una suerte de juego combinatorio. Quienes practican ese juego olvidan que un libro es más que una estructura verbal, o que una serie de estructuras verbales; es el diálogo que entabla con su lector y la entonación que impone a su voz y las cambiantes y durables imágenes que deja en su memoria. Ese diálogo es infinito; las palabras *amica silentia lunae* significan ahora la luna íntima, silenciosa y luciente, y en la Eneida significaron el interlunio, la oscuridad que permitió a los griegos entrar en la ciudadela de Troya...[1] La literatura no es agotable, por la suficiente y simple razón de que un solo libro no lo es. El libro no es un ente incomunicado: es una relación, es un eje de innumerables relaciones. Una literatura difiere de otra, ulterior o anterior, menos por el texto que por la manera de ser leída: si me fuera otorgado leer cualquir página actual —ésta, por ejemplo— como la leerán el año dos mil, yo sabría cómo será la literatura el año dos mil. La concepción de la literatura como juego formal conduce, en el mejor de los casos, al buen trabajo del período y de la estrofa, a un decoro artesano (Johnson, Renan, Flaubert), y en el peor a las incomodidades de una obra hecha de sorpresas dictadas por la vanidad y el azar (Gracián, Herrera Reissig).

Si la literatura no fuera más que un álgebra verbal, cualquiera podría producir cualquier libro, a fuerza de ensayar variaciones. La lapidaria fórmula *Todo fluye* abrevia en dos palabras la filosofía de Heráclito: Raimundo Lulio nos diría que, dada la primera, basta ensayar los verbos intransitivos para descubrir la segunda y obtener, gracias al metódico azar, esa filosofía, y otras muchísimas. Cabría responder que la fórmula obtenida por eliminación, carecería de valor y hasta de sentido; para que tenga alguna virtud

[1] Así las interpretaron Milton y Dante, a juzgar por ciertos pasajes que parecen imitativos. En la *Comedia* (*Infierno*, I, 60; V,28) tenemos: *d'ogni luce muto* y *dove il sol tace* para significar lugares oscuros; en el *Samson Agonistes* (86-89):

> *The Suns to me is dark*
> *And silent as the Moon,*
> *When she deserts the night*
> *Hid in her vacant interlunar cave.*

Cf. E. M. W. Tillyard: *The Miltonic Setting*, 101.

debemos concebirla en función de Heráclito, en función de una experiencia de Heráclito, aunque "Heráclito" no sea otra cosa que el presumible sujeto de esa experiencia. He dicho que un libro es un diálogo, una forma de relación; en el diálogo, un interlocutor no es la suma o promedio de lo que dice: puede no hablar y traslucir que es inteligente, puede emitir observaciones inteligentes y traslucir estupidez. Con la literatura ocurre lo mismo; d'Artagnan ejecuta hazañas innúmeras y Don Quijote es apaleado y escarnecido, pero el valor de Don Quijote se siente más. Lo anterior nos conduce a un problema estético no planteado hasta ahora: ¿Puede un autor crear personajes superiores a él. Yo respondería que no y en esa negación abarcaría lo intelectual y lo moral. Pienso que de nosotros no saldrán criaturas más lúcidas o más nobles que nuestros mejores momentos. En ese parecer fundo mi convicción de la preeminencia de Shaw. Los problemas gremiales y municipales de las primeras obras perderán su interés, o ya lo perdieron; las bromas de los *Pleasant Plays* corren el albur de ser, algún día, no menos incómodas que las de Shakespeare (el humorismo es, lo sospecho, un género oral, un súbito favor de la conversación, no una cosa escrita); las ideas que declaran los prólogos y las elocuentes tiradas su buscarán en Schopenhauer y en Samuel Butler; [1] pero Lavinia, Blanco Posnet, Keegan, Shotover Richard Dudgeon, y, sobre todo, Julio César, exceden a cualquier

[1] También en Swedenborg. En *Man and superman* se lee que el Infierno no es un establecimiento penal sino un estado que los pecadores muertos eligen, por razones de íntima afinidad, como los bienaventurados el Cielo; el tratado *De Coelo et Inferno*, de Swedenborg, publicado en 1758, expone la misma doctrina.

personaje imaginado por el arte de nuestro tiempo. Pensar a Monsieur Teste junto a ellos o al histriónico Zarathustra de Nietzsche es intuir con asombro y aun con escándalo la primacía de Shaw. En 1911, Albert Soergel pudo escribir, repitiendo un lugar común de la época, "Bernard Shaw es un aniquilador del concepto heroico, un matador de héroes" (*Dichtung und Dichter der Zeit*, 214); no comprendía que lo heroico prescindiera de lo romántico y se encarnara en el capitán Bluntschli de *Arms and the man*, no en Sergio Saránoff.

La biografía de Bernard Shaw por Frank Harris encierra una admirable carta de aquél, de la que copio estas palabras: "Yo comprendo todo y a todos y soy nada y soy nadie." De esa nada (tan comparable a la de Dios antes de crear el mundo, tan comparable a la divinidad primordial que otro irlandés, Juan Escoto Erígena, llamó *Nihil*), Bernard Shaw edujo casi innumerables personas, o *dramatis personae*: la más efímera será, lo sospecho, aquel G. B. S. que lo representó ante la gente y que prodigó en las columnas de los periódicos tantas fáciles agudezas.

Los temas fundamentales de Shaw son la filosofía y la ética: es natural e inevitable que no sea valorado en este país, o que lo sea únicamente en función de algunos epigramas. El argentino siente que el universo no es otra cosa que una manifestación del azar, que el fortuito concurso de átomos de Demócrito; la filosofía no le interesa. La ética tampoco: lo social se reduce, para él, a un conflicto de individuos o de clases o de naciones, en el que todo es lícito, salvo ser escarnecido o vencido.

El carácter del hombre y sus variaciones son el tema esencial de la novela de nuestro tiempo; la lírica es la complaciente magnificación de venturas o desventuras amorosas; las filosofías de Heidegger y de Jaspers hacen de cada uno de nosotros el interesante interlocutor de un diálogo secreto y continuo con la nada o con la divinidad; estas disciplinas, que formalmente pueden ser admirables, fomentan esa ilusión del yo que el Vedanta reprueba como error capital. Suelen jugar a la desesperación y a la angustia, pero en el fondo halagan la vanidad; son, en tal sentido, inmorales. La obra de Shaw, en cambio, deja un sabor de liberación. El sabor de las doctrinas del Pórtico y el sabor de las sagas.

Buenos Aires, 1951.

HISTORIA DE LOS ECOS DE UN NOMBRE

Aislados en el tiempo y en el espacio, un dios, un sueño y un hombre que está loco, y que no lo ignora, repiten una oscura declaración; referir y pesar esas palabras, y sus dos ecos, es el fin de esta página.

La lección original es famosa. La registra el capítulo tercero del segundo libro de Moisés, llamado Éxodo. Leemos ahí que el pastor de ovejas, Moisés, autor y protagonista del libro, preguntó a Dios Su Nombre y Aquel le dijo: *Soy El Que Soy.* Antes de examinar estas misteriosas palabras quizá no huelgue recordar que para el pensamiento mágico, o primitivo, los nombres no son símbolos arbitrarios sino parte vital de lo que definen.[1] Así, los aborígenes de Australia reciben nombres secretos que no deben oír los individuos de la tribu vecina. Entre los antiguos egipcios prevaleció una costumbre análoga; cada persona recibía dos nombres: el nombre pequeño que era de todos conocido, y el nombre verdadero o gran nombre, que se tenía oculto. Según la literatura funeraria, son muchos los peligros que corre el alma después de la muerte del cuerpo; olvidar su nombre (perder su identidad personal) es acaso el mayor. También im-

[1] Uno de los diálogos platónicos, el *Cratilo*, discute y parece negar una conexión necesaria de las palabras y las cosas.

porta conocer los verdaderos nombres de los dioses, de los demonios y de las puertas del otro mundo.[2] Escribe Jacques Vandier: "Basta saber el nombre de una divinidad o de una criatura divinizada para tenerla en su poder." (*La religion égyptienne*, 1949). Parejamente, De Quincey nos recuerda que era secreto el verdadero nombre de Roma; en los últimos días de la República, Quinto Valerio Sorano cometió el sacrilegio de revelarlo, y murió ejecutado...

El salvaje oculta su nombre para que a éste no lo sometan a operaciones mágicas, que podrían matar, enloquecer o esclavizar a su poseedor. En los conceptos de calumnia y de injuria perdura esta superstición, o su sombra; no toleramos que al sonido de nuestro nombre se vinculen ciertas palabras. Mauthner ha analizado y ha fustigado este hábito mental.

Moisés preguntó al Señor cuál era Su nombre: no se trataba, lo hemos visto, de una curiosidad de orden filológico, sino de averiguar quién era Dios, o más precisamente, qué era. (En el siglo IX Erígena escribiría que Dios no sabe quien es ni que es, porque no es un qué ni es un quién.)

¿Qué interpretaciones ha suscitado la tremenda contestación que escuchó Moisés? Según la teología cristiana, *Soy El Que Soy* declara que sólo Dios existe realmente o, como enseñó el Maggid de Mesritch, que la palabra *yo* sólo puede ser pronunciada por Dios. La doctrina de Spinoza, que hace de la extensión y del pensamiento

[2] Los gnósticos heredaron o redescubrieron esta singular opinión. Se formó así un vasto vocabulario de hombres propios, que Basílides (según Ireneo) redujo a la palabra cacofónica o cíclica Kaulakau, suerte de llave universal de todos los cielos.

meros atributos de una sustancia eterna, que es Dios, bien puede ser una magnificación de esta idea. "Dios sí existe; nosotros somos los que no existimos", escribió un mejicano, análogamente.

Según esta primera interpretación, *Soy El Que Soy*, es una afirmación ontológica. Otros han entendido que la respuesta elude la pregunta; Dios no dice quién es, porque ello excedería la comprensión de su interlocutor humano Martín Buber indica que *Ehych asher ehych* puede traducirse también por *Soy el que seré* o por *Yo estaré dónde yo estaré*. Moisés, a manera de los hechiceros egipcios, habría preguntado a Dios cómo se llamaba para tenero en su poder; Dios le habría contestado, de hecho: *Hoy converso contigo, pero mañana puedo revestir cualquier forma, y también las formas de la presión, de la injusticia y de la adversidad*. Eso leemos en el *Gog und Mogog*.[3]

Multiplicado por las lenguas humanas —*Ich bin der ich bin, Ego sum qui sum, I am that I am*—, el sentencioso nombre de Dios, el nombre que a despecho de constar de muchas palabras, es más impenetrable y más firme que los que constan de una sola, creció y reverberó por los siglos, hasta que en 1602 William Shakespeare escribió una comedia. En esta comedia entrevemos, asaz lateralmente, a un soldado fanfarrón y cobarde, a un *miles gloriosus*, que ha logrado, a favor de una estratagema, ser ascendido a capitán. La trampa se descubre, el hombre es degradado públicamente y entonces Shakespeare inter-

[3] Buber (*Was ist der Mensch?*, 1938) escribe que vivir es penetrar en una extraña habitación del espíritu, cuyo piso es el tablero en el que jugamos un juego inevitable y desconocido contra un adversario cambiante y a veces espantoso.

viene y le pone en la boca palabras que reflejan, como en un espejo caído, aquellas otras que la divinidad dijo en la montaña: *Ya no seré capitán, pero he de comer y beber y dormir como un capitán; esta cosa que soy me hará vivir.* Así habla Parolles y bruscamente deja de ser un personaje convencional de la farsa cómica y es un hombre y todos los hombres.

La última versión se produjo hacia mil setecientos cuarenta y tantos, en uno de los años que duró la larga agonía de Swift y que acaso fueron para él un solo instante insoportable, una forma de la eternidad del infierno. De inteligencia glacial y de odio glacial había vivido Swift, pero siempre lo fascinó la idiotez (como fascinaría a Flaubert), tal vez porque sabía que en el confín la locura estaba esperándolo. En la tercera parte de *Gulliver* imaginó con minucioso aborrecimiento una estirpe de hombres decrépitos e inmortales, entregados a débiles apetitos que no pueden satisfacer, incapaces de conversar con sus semejantes, porque el curso del tiempo ha modificado el lenguaje, y de leer, porque la memoria no les alcanza de un renglón a otro. Cabe sospechar que Swift imaginó este horror porque lo temía, o acaso para conjurarlo mágicamente. En 1717 había dicho a Young, el de los *Night Thoughts*: "Soy como ese árbol; empezaré a morir por la copa". Más que en la sucesión de sus días, Swift perdura para nosotros en unas pocas frases terribles. Este carácter sentencioso y sombrío se extiende a veces a lo dicho sobre él, como si quienes lo juzgaran no quisieran ser menos. "Pensar en él es como pensar en la ruina de un gran imperio" ha escrito Thackeray. Nada tan patético, sin embargo, como su aplicación de las misteriosas palabras de Dios.

La sordera, el vértigo, el temor de la locura y finalmente la idiotez, agravaron y fueron profundizando la melancolía de Swift. Empezó a perder la memoria. No quería usar anteojos, no podía leer y ya era incapaz de escribir. Suplicaba todos los días a Dios que le enviara la muerte. Y una tarde, viejo y loco y ya moribundo, le oyeron repetir, no sabemos si con resignación, con desesperación, o como quien se afirma y se ancla en su íntima esencia invulnerable; *Soy lo que soy, soy lo que soy.*

Seré una desventura, pero soy, habrá sentido Swift, y también *Soy una parte del universo, tan inevitable y necesaria como las otras*, y también *Soy lo que Dios quiere que sea, soy lo que me han hecho las leyes universales*, y acaso *Ser es ser todo.*

Aquí se acaba la historia de la sentencia; bástame agregar, a modo de epílogo, las palabras que Schopenhauer dijo, ya cerca de la muerte, a Eduard Grisebach: "Si a veces me he creído desdichado, ello se debe a una confusión, a un error. Me he tomado por otro, verbigracia, por un suplente que no puede llegar a titular, o por el acusado en un proceso por difamación, o por el enamorado a quien esa muchacha desdeña, o por el enfermo que no puede salir de su casa, o por otras personas que adolecen de análogas miserias. No he sido esas personas; ello, a lo sumo, ha sido la tela de trajes que he vestido y que he desechado. ¿Quién soy realmente? Soy el autor de *El mundo como voluntad y como representación* soy el que ha dado una respuesta al enigma del Ser, que ocupará a los pensadores de los siglos futuros. Ese soy yo, ¿y quién podría discutirlo en los años que aún me quedan de vida? Precisamente por haber escrito *El mundo como voluntad y como representación*,

Schopenhauer sabía muy bien que ser un pensador es tan ilusorio como ser un enfermo o un desdeñado y que él era otra cosa, profundamente. Otra cosa: la voluntad, la oscura raíz de Parolles, la cosa que era Swift.

EL PUDOR DE LA HISTORIA

El 20 de setiembre de 1792, Johann Wolfgang von Goethe (que había acompañado al Duque de Weimar en un paseo militar a París) vió al primer ejército de Europa inexplicablemente rechazado en Valmy por unas milicias francesas y dijo a sus desconcertados amigos: *En este lugar y el día de hoy, se abre una época en la historia del mundo y podemos decir que hemos asistido a su origen.* Desde aquel día han abundado las jornadas históricas y una de las tareas de los gobiernos (singularmente en Italia, Alemania y Rusia) ha sido fabricarlas o simularlas, con acopio de previa propaganda y de persistente publicidad. Tales jornadas, en las que se advierte el influjo de Cecil B. de Mille, tienen menos relación con la historia que con el periodismo: yo he sospechado que la historia, la verdadera historia, es más pudorosa y que sus fechas esenciales pueden ser, asimismo, durante largo tiempo, secretas. Un prosista chino ha observado que el unicornio, en razón misma de lo anómalo que es, ha de pasar inadvertido. Los ojos ven lo que están habituados a ver. Tácito no percibió la Crucifixión, aunque la registra su libro.

A esta reflexión me condujo una frase casual que entreví al hojear una historia de la literatura griega y que me interesó, por ser ligeramente enigmática. He aquí la frase: *He brought in a second actor.* (Trajo a un segundo actor.) Me detuve, comprobé que el sujeto de esa misteriosa acción era Esquilo y que éste, según se lee en el cuarto capítulo de la *Poética* de Aristóteles,, "elevó de uno a dos el número de los actores". Es sabido que el drama nació de la religión de Dionisos; originariamente, un solo actor, el *hipócrita*, elevado por el coturno, trajeado de negro o de púrpura y agrandada la cara por una máscara, compartía la escena con los doce individuos del coro. El drama era una de las ceremonias del culto y, como todo lo ritual, corrió alguna vez el albur de ser invariable. Esto pudo ocurrir pero un día, quinientos años antes de la era cristiana, los atenienses vieron con maravilla y tal vez con escándalo (Víctor Hugo ha conjeturado lo último) la no anunciada aparición de un segundo actor. En aquel día de una primavera remota, en aquel teatro del color de la miel ¿qué pensaron, qué sintieron exactamente? Acaso ni estupor ni escándalo; acaso, apenas, un principio de asombro. En las *Tusculanas* consta que Esquilo ingresó en la orden pitagórica, pero nunca sabremos si presintió, siquiera de un modo imperfecto, lo significativo de aquel pasaje del uno al dos, de la unidad a la pluralidad y así a lo infinito. Con el segundo actor entraron el diálogo y las indefinidas posibilidades de la reacción de unos caracteres sobre otros. Un espectador profético hubiera visto que multitudes de apariencias futuras lo acompañaban: Hamlet y Fausto y Segismundo y Macbeth y Peer Gynt, y otros que, todavía, no pueden discernir nuestros ojos.

Otra jornada histórica he descubierto en el curso de mis lecturas. Ocurrió en Islandia, en el siglo XIII de nues-

:ra era; digamos, en 1225. Para enseñanza de futuras generaciones, el historiador y polígrafo Snorri Sturlason, en su finca de Borgarfjord, escribía la última empresa del famoso rey Harald Sigurdarson, llamado el Implacable (Hardrada), que antes había militado en Bizancio, en Italia y en África. Tostig, hermano del rey sajón de Inglaterra, Harold Hijo de Godwin, codiciaba el poder y había conseguido el apoyo de Harold Sigurdarson. Con un ejército noruego desembarcaron en la costa oriental y rindieron el castillo de Jorvik (York). Al sur de Jorvik los enfrentó el ejército sajón. Declarados los hechos anteriores, el texto de Snorri prosigue: "Veinte jinetes se allegaron a las filas del invasor; los hombres, y también los caballos, estaban revestidos de hirro. Uno de los jinetes gritó:

—¿Está aquí el conde Tostig?

—No niego estar aquí —dijo el conde.

—Si verdaderamente eres Tostig —dijo el jinete— vengo a decirte que tu hermano te ofrece su perdón y una tercera parte del reino.

—Si acepto —dijo Tostig— ¿qué dará el rey Harold Sigurdarson?

—No se ha olvidado de él —contestó el jinete—. Le dará seis pies de tierra inglesa y, ya que es tan alto, uno más.

—Entonces —dijo Tostig— dile a tu rey que pelearemos hasta morir.

Los jinetes se fueron. Harold Sigurdarson preguntó, pensativo:

—¿Quién era ese caballero que habló tan bien?

—Harold Hijo de Godwin."

Otros capítulos refieren que antes que declinara el sol

de ese día el ejército noruego fué derrotado. Harold Sigurdarson pereció en la batalla y también el conde (*Heimskringla*, X, 92).

Hay un sabor que nuestro tiempo (hastiado, acaso, por las torpes imitaciones de los profesionales del patriotismo) no suele percibir sin algún recelo: el elemental sabor de lo heroico. Me aseguran que el *Poema del Cid* encierra ese sabor; yo lo he sentido, inconfundible, en versos de la *Eneida* ("Hijo, aprende de mí, valor y verdadera firmeza; de otros, el éxito"), en la balada anglosajona de Maldon ("Mi pueblo pagará el tributo con lanzas y con viejas espadas"), en la *Canción de Rolando*, en Víctor Hugo, en Whitman y en Faulkner ("la alhucema, más fuerte que el olor de los caballos y del coraje"), en el *Epitafio para un ejército de mercenarios* de Housman, y en los "seis pies de tierra inglesa" de la *Heimskringla*. Detrás de la aparente simplicidad del historiador hay un delicado juego psicológico. Harold finge no reconocer a su hermano, para que éste, a su vez, advierta que no debe reconocerlo; Tostig no lo traiciona, pero no traicionará tampoco a su aliado; Harold, listo a perdonar a su hermano, pero no a tolerar la intromisión del rey de Noruega, obra de una manera muy comprensible. Nada diré de la destreza verbal de su contestación: dar una tercera parte del reino, dar seis pies de tierra.[1]

Una sola cosa hay más admirable que la admirable respuesta del rey sajón: la circunstancia de que sea un irlandés, un hombre de la sangre de los vencidos, quien la haya perpetuado. Es como si un cartaginés nos hubiera

[1] Carlyle (*Early Kings of Norway*, XI) desbarata, con una desdichada adición, esta economía. A los seis pies de tierra inglesa, agrega *for a grave* ("para sepultura").

legado la memoria de la hazaña de Régulo. Con razón escribió Saxo Gramático en sus *Gesta Danorum*: "A los hombres de Thule (Islandia) les deleita aprender y registrar la historia de todos los pueblos y no tienen por menos glorioso publicar las excelencias ajenas que las propias."

No el día en que el sajón dijo sus palabras, sino aquel en que un enemigo las perpetuó marca una fecha histórica. Una fecha profética de algo que aún está en el futuro: el olvido de sangres y de naciones, la solidaridad del género humano. La oferta debe su virtud al concepto de patria; Snorri, por el hecho de referirla, lo supera y trasciende.

Otro tributo a un enemigo recuerdo en los capítulos últimos de los *Seven pillars of Wisdom* de Lawrence; éste alaba el valor de un destacamento alemán y escribe estas palabras: "Entonces, por primera vez en esa campaña, me enorgullecí de los hombres que habían matado a mis hermanos." Y agrega después: "*They were glorious.*"

Buenos Aires, 1952.

NUEVA REFUTACIÓN DEL TIEMPO

Vor mir war keine Zeit, nach mir wird keine seyn,
Mit mir gebiert sie sich, mit mir geht sie auch ein.
Daniel von Czepko: *Sexcenta monodisticha sapientum*, III, II (1655).

PRÓLOGO

Publicada al promediar el siglo XVIII, esta refutación (o su nombre) perduraría en las bibliografías de Hume y acaso hubiera merecido una línea de Huxley o de Kemp Smith. Publicada en 1947 —después de Bergson—, es la anacrónica reductio ad absurdum *de un sistema pretérito o, lo que es peor, el débil artificio de un argentino extraviado en la metafísica. Ambas conjeturas son verosímiles y quizá verdaderas; para corregirlas, no puedo prometer, a trueque de mi dialéctica rudimentaria, una conclusión inaudita. La tesis que propalaré es tan antigua como la flecha de Zenón o como el carro del rey griego, en el* Milinda Pañha*; la novedad, si la hay, consiste en aplicar a ese fin el clásico instrumento de Berkeley. Éste y su continuador David Hume abundan en párrafos que contradicen o que excluyen mi tesis; creo haber deducido, no obstante, la consecuencia inevitable de su doctrina.*

El primer artículo (A) es de 1944 y apareció en el número 115 de la revista Sur; *el segundo, de 1946, es una revisión del primero. Deliberadamente, no hice de los dos uno solo, por entender que la lectura de dos textos análogos puede facilitar la comprensión de una materia indócil.*

Una palabra sobre el título. No se me oculta que éste es un ejemplo del monstruo que los lógicos han denominado contradictio in adjecto, *porque decir que es nueva (o antigua) una refutación del tiempo es atribuirle un predicado de índole temporal, que instaura la noción que el sujeto quiere destruir. Lo dejo, sin embargo, para que su ligerísima burla pruebe que no exagero la importancia de estos juegos verbales. Por lo demás, tan saturado y animado de tiempo está nuestro lenguaje que es muy posible que no haya en estas hojas una sentencia que de algún modo no lo exija o lo invoque.*

Dedico estos ejercicios a mi ascendiente Juan Crisóstomo Lafinur (1797-1824), que ha dejado a las letras argentinas algún endecasílabo memorable y que trató de reformar la enseñanza de la filosofía, purificándola de sombras teológicas y exponiendo en la cátedra los principios de Locke y de Condilac. Murió en el destierro; le tocaron, como a todos los hombres, malos tiempos en que vivir.

J. L. B.

Buenos Aires, 23 de diciembre de 1946.

NUEVA REFUTACIÓN DEL TIEMPO

A

I

En el decurso de una vida consagrada a las letras y (alguna vez) a la perplejidad metafísica, he divisado o presentido una refutación del tiempo, de la que yo mismo descreo, pero que suele visitarme en las noches y en el fatigado crepúsculo, con ilusoria fuerza de axioma. Esa refutación está de algún modo en todos mis libros: la prefiguran los poemas *Inscripción en cualquier sepulcro* y *El truco*, de mi *Fervor de Buenos Aires* (1923); la declaran dos artículos de *Inquisiciones* (1925), la página 46 de *Evaristo Carriego* (1930), el relato *Sentirse en muerte* de mi *Historia de la eternidad* (1936), la nota de la página 24 de *El jardín de senderos que se bifurcan* (1942). Ninguno de los textos que he enumerado me satisface, ni siquiera el penúltimo de la serie, menos demostrativo y razonado que adivinatorio y patético. A todos ellos procuraré fundamentarlos con este escrito.

Dos argumentos me abocaron a esa refutación: el idealismo de Berkeley, el principio de los indiscernibles, de Leibniz.

Berkeley (*Principles of human knowledge*, 3) observó: "Todos admitirán que ni nuestros pensamientos ni nuestras pasiones ni las ideas formadas por nuestra imaginación existen sin la mente. No menos claro es para mí que las diversas sensaciones, o ideas impresas en los sentidos, de cualquier modo que se combinen (*id est*, cualquiera sea el objeto que formen), no pueden existir más que en una mente que las perciba... Afirmo que esta mesa existe; es decir, la veo y la toco. Si al estar fuera de mi escritorio, afirmo lo mismo, sólo quiero decir que si estuviera aquí la percibiría, o que la percibe algún otro espíritu... Hablar de la existencia absoluta de cosas inanimadas, sin relación al hecho de si las perciben o no, es para mí insensato. Su *esse* es *percipi*; no es posible que existan fuera de las mentes que las perciben." En el párrafo 23 agregó, previniendo objeciones: "Pero, se dirá, nada es más fácil que imaginar árboles en un prado o libros en una biblioteca, y nadie cerca de ellos que los percibe. En efecto, nada es más fácil. Pero, os pregunto, ¿qué habéis hecho sino formar en la mente algunas ideas que llamáis *libros* o *árboles* y omitir al mismo tiempo la idea de alguien que los percibe? Vosotros, mientras tanto, ¿no los pensabais? No niego que la mente sea capaz de imaginar ideas; niego que los objetos puedan existir fuera de la mente." En otro párrafo, el número 6, ya había declarado: "Hay verdades tan claras que para verlas nos basta abrir los ojos. Una de ellas es la importante verdad: Todo el coro del cielo y los aditamentos de la tierra —todos los cuerpos que componen la poderosa fábrica del universo— no existen fuera de una mente; no tienen otro ser que ser percibidos; no existen cuando no los pensamos, o sólo existen en la mente de un Espíritu Eterno".

Tal es, en las palabras de su invento, la doctrina idealista. Comprenderla es fácil; lo difícil es pensar dentro de su límite. El mismo Schopenhauer, al exponerla, comete negligencias culpables. En las primeras líneas del primer libro de su Welt als Wille und Vorstellung —año de 1819— formula esta declaración que lo hace acreedor a la imperecedera perplejidad de todos los hombres: "El mundo es mi representación. El hombre que confiesa esta verdad sabe claramente que no conoce un sol ni una tierra, sino tan sólo unos ojos que ven un sol y una mano que siente el contacto de una tierra." Es decir, para el idealista Schopenhauer los ojos y la mano del hombre son menos ilusorios o aparenciales que la tierra y el sol. En 1844, publica un tomo complementario. En su primer capítulo redescubre y agrava el antiguo error: define el universo como un fenómeno cerebral y distingue "el mundo en la cabeza" del "mundo fuera de la cabeza". Berkeley, sin embargo, le habrá hecho decir a Philonous en 1713: "El cerebro de que hablas, siendo una cosa sensible, sólo puede existir en la mente. Yo querría saber si te parece razonable la conjetura de que una idea o cosa en la mente ocasiona todas las otras. Si contestas que sí, ¿cómo explicarás el origen de esa idea primaria o cerebro?" Al dualismo o cerebrismo de Schopenhauer, también es justo contraponer el monismo de Spiller. Éste (*The mind of man*, capítulo VIII, 1902) arguye que la retina y la superficie cutánea invocadas para explicar lo visual y lo táctil son, a su vez, dos sistemas táctiles y visuales y que el aposento que vemos (el "objetivo") no es mayor que el imaginado (el "cerebral") y no lo contiene, ya que se trata de dos sistemas visuales independientes. Berkeley (*Principles of human knowledge*, 10 y 116) negó asimismo las cualidades primarias —la solidez y la extensión de las cosas— y el espacio absoluto.

Berkeley afirmó la existencia continua de los objetos, ya que cuando algún individuo no los percibe, Dios los percibe; Hume, con más lógica, la niega (*Treatise of human nature*, I, 4, 2,) Berkeley afirmó la identidad personal, "pues yo no meramente soy mis ideas, sino otra cosa: un principio activo y pensante" (*Dialogues*, 3);

Hume, el escéptico, la refuta y hace de cada hombre "una colección o atadura de percepciones, que se suceden unas a otras con inconcebible rapidez" (obra citada, I, 4, 6). Ambos afirman el tiempo: para Berkeley, es "la sucesión de ideas que fluye uniformemente y de la que todos los seres participan" (*Principles of human knowledge*, 98); para Hume, "una sucesión de momentos indivisibles" (obra citada, I, 2, 2).

He acumulado transcripciones de los apologistas del idealismo, he prodigado sus pasajes canónicos, he sido iterativo y explícito, he censurado a Schopenhauer (no sin ingratitud), para que mi lector vaya penetrando en ese inestable mundo mental. Un mundo de impresiones evanescentes; un mundo sin materia ni espíritu, ni objetivo ni subjetivo; un mundo sin la arquitectura ideal del espacio; un mundo hecho de tiempo, del absoluto tiempo uniforme de los *Principia*; un laberinto infatigable, un caos, un sueño. A esa casi perfecta disgregación llegó David Hume.

Admitido el argumento idealista, entiendo que es posible —tal vez, inevitable— ir más lejos. Para Hume no es lícito hablar de la forma de la luna o de su color; la forma y el color *son* la luna; tampoco puede hablarse de las percepciones de la mente, ya que la mente no es otra cosa que una serie de percepciones. El *pienso, luego soy* cartesiano queda invalidado; decir *pienso es postular* el yo, es una petición de principio; Lichtenberg, en el siglo XVIII, propuso que en lugar de *pienso*, dijéramos impersonalmente *piensa*, como quien dice *truena* o *relampaguea*. Lo repito: no hay detrás de las caras un yo secreto, que gobierna los actos y que recibe las impresiones; somos únicamente, la serie de esos actos imaginarios y de esas impresiones errantes. ¿La serie? Negados el espíritu y la materia, que son continuidades, negado también el espacio, no sé qué derecho tenemos a esa continuidad que es el tiempo. Imaginemos un presente cualquiera. En una de las noches del Misisipí, Huckleberry Finn se despierta; la balsa, perdida en la tiniebla parcial, prosigue río abajo; hace tal vez un poco de frío. Huckleberry Finn reconoce el manso ruido infatigable del agua; abre con negligencia los ojos; ve un vago número de estrellas, ve una raya indistinta que son los árboles; luego, se hunde en el sueño inmemorable como en un agua oscura.[1] La metafísica idealista declara que añadir a esas percepciones una substancia material (el objeto) y una substancia espiritual (el sujeto) es aventurado e inútil; yo afirmo que no menos ilógico es pensar que son términos de una serie cuyo principio es tan inconcebible como su fin. Agregar al río y a la ribera percibidos por Huck la noción de otro río substantivo de otra ribera, agregar otra percepción a esa red inmediata de percepciones, es, para el idealismo, injustificable; para mí, no es menos injustificable agregar una precisión cronológica: el hecho, por ejemplo, de que lo anterior ocurrió la noche del 7 de junio de 1849, entre las cuatro y diez y las cuatro y once. Dicho sea con otras palabras: niego, con argumentos del idealismo, la vasta serie temporal que el idealismo admite. Hume ha negado la existencia de un espacio absoluto, en el que tiene su lugar cada cosa; yo, la de un solo tiempo, en el que se eslabonan todos los hechos. Negar la coexistencia no es menos arduo que negar la sucesión.

[1] Para facilidad del lector he elegido un instante entre dos sueños, un instante literario, no histórico. Si alguien sospecha una falacia, puede intercalar otro ejemplo; de su vida, si quiere.

Niego, en un número elevado de casos, lo sucesivo; niego, en un número elevado de casos, lo contemporáneo también. El amante que piensa *Mientras yo estaba tan feliz, pensando en la fidelidad de mi amor, ella me engañaba*, se engaña: si cada estado que vivimos es absoluto, esa felicidad no fué contemporánea de esa traición; el descubrimiento de esa traición es un estado más, inapto para modificar a los "anteriores", aunque no a su recuerdo. La desventura de hoy no es más real que la dicha pretérita. Busco un ejemplo más concreto. A principios de agosto de 1824, el capitán Isidoro Suárez, a la cabeza de un escuadrón de Húsares del Perú, decidió la victoria de Junín; a principios de agosto de 1824, De Quincey publicó una diatriba contra *Wilhelm Meisters Lehrjahre*; tales hechos no fueron contemporáneos (ahora lo son), ya que los dos hombres murieron, aquél en la ciudad de Montevideo, éste en Edimburgo, sin saber nada el uno del otro... Cada instante es autónomo. Ni la venganza ni el perdón ni las cárceles ni siquiera el olvido pueden modificar el invulnerable pasado. No menos vanos me parecen la esperanza y el miedo, que siempre se refieren a hechos futuros; es decir, a hechos que no nos ocurrirán a nosotros, que somos el minucioso presente. Me dicen que el presente, el *specious present* de los psicólogos, dura entre unos segundos y una minúscula fracción de segundo; eso dura la historia del universo. Mejor dicho, no hay esa historia, como no hay la vida de un hombre, ni siquiera una de sus noches; cada momento que vivimos existe, no su imaginario conjunto. El universo. la suma de todos los hechos, es una colección no menos ideal que la de todos los caballos con que Shakespeare soñó —¿uno, muchos, ninguno?— entre 1592 y 1594.

Agrego: si el tiempo es un proceso mental ¿cómo pueden compartirlo millares de hombres, o aun dos hombres distintos?

El argumento de los párrafos anteriores, interrumpido y como entorpecido de ejemplos, puede parecer intrincado. Busco un método más directo. Consideremos una vida en cuyo decurso las repeticiones abundan: la mía, verbigracia. No paso ante la Recoleta sin recordar que están sepultados ahí mi padre, mis abuelos y trasabuelos, como yo lo estaré; luego recuerdo ya haber recordado lo mismo, ya innumerables veces; no puedo caminar por los arrabales en la soledad de la noche, sin pensar que ésta nos agrada porque suprime los ociosos detalles, como el recuerdo; no puedo lamentar la perdición de un amor o de una amistad sin meditar que sólo se pierde lo que realmente no se ha tenido; cada vez que atravieso una de las esquinas del sur, pienso en usted. Helena; cada vez que el aire me trae un olor de eucaliptos, pienso en Adrogué, en mi niñez; cada vez que recuerdo el fragmento 91 de Heráclito. *No bajarás dos veces al mismo río*, admiro su destreza dialéctica, pues la facilidad con que aceptamos el primer sentido ("El río es otro") nos impone clandestinamente el segundo ("Soy otro") y nos concede la ilusión de haberlo inventado; cada vez que oigo a un germanófilo vituperar el *yiddish*, reflexiono que el *yiddish* es, ante todo, un dialecto alemán, apenas maculado por el idioma del Espíritu Santo. Esas tautologías (y otras que callo) son mi vida entera. Naturalmente, se repiten sin precisión; hay diferencias de énfasis, de temperatura, de luz, de estado fisiológico general. Sospecho, sin embargo, que el número de variaciones circunstanciales no es infinito: podemos postular, en la mente de un individuo (o de dos individuos que se ignoran, pero en quienes se opera el mismo proceso), dos momentos iguales. Postulada esa igualdad, cabe preguntar: Esos idénticos momentos ¿no son el mismo? ¿No basta *un solo término repetido* para desbaratar y confundir la serie del tiempo? ¿Los fervorosos que se entregan a una línea de Shakespeare no son, literalmente, Shakespeare?

Ignoro, aún, la ética del sistema que he bosquejado. No sé si existe. El quinto párrafo del cuarto capítulo del tratado *Sanhedrín* de la Mishnah declara que, para la Justicia de Dios, el que mata a un solo hombre, destruye el mundo; si no hay pluralidad, el que aniquilara a todos los hombres no sería más culpable que el primitivo y solitario Caín, lo cual es ortodoxo, ni más universal en la destrucción, lo que puede ser mágico. Yo entiendo que así es. Las ruidosas catástrofes generales —incendios, guerras, epidemias— son un solo dolor, ilusoriamente multiplicado en muchos espejos. Así lo juzga Bernard Shaw (*Guide to socialism*, 86): "Lo que tú puedes padecer es lo máximo que pueda padecerse en la tierra. Si mueres de inanición sufrirás toda la inanición que ha habido o que habrá. Si diez mil personas mueren contigo, su participación en tu suerte no hará que tengas diez mil veces más hambre ni multiplicará por diez mil al tiempo en que agonices. No te dejes abrumar por la horrenda suma de los padecimientos humanos; la tal suma no existe. Ni la pobreza ni el dolor son acumulables". *Cf.* también *The problem of pain*, VII, de C. S. Lewis.

Lucrecio (*De rerun natura*, I, 830) atribuye a Anaxágoras la doctrina de que el oro consta de partículas de oro, el fuego, de chispas, el hueso, de huesitos imperceptibles; Josiah Royce, tal vez influído por San Agustín, juzga que el tiempo está hecho de tiempo y que "todo presente en el que algo ocurre es también una sucesión" (*The world and the individual*, II, 139). Esa proposición es compatible con la de este trabajo.

II

Todo lenguaje es de índole sucesiva; no es hábil para razonar lo eterno, lo intemporal. Quienes hayan seguido con desagrado la argumentación anterior, preferirían tal vez esta página de 1928. La he mencionado ya; se trata del relato que se titula *Sentirse en muerte*:

"Deseo registrar aquí una experiencia que tuve hace unas noches: fruslería demasiado evanescente y extática para que la llame aventura; demasiado irrazonable y sentimental para pensamiento. Se trata de una escena y de su palabra: palabra ya antedicha por mí, pero no vivida hasta entonces con entera dedicación. Paso a historiarla, con los accidentes de tiempo y de lugar que la declararon.

Lo rememoro así. La tarde que precedió a esa noche, estuve en Barracas: localidad no visitada por mi costumbre, y cuya distancia de las que después recorrí, ya dió un sabor extraño a ese día. Su noche no tenía destino alguno; como era serena, salí a caminar y recordar, después de comer. No quise determinarle rumbo a esa caminata; procuré una máxima latitud de probabilidades para no cansar la expectativa con la obligatoria antevisión de una sola de ellas. Realicé en la mala medida de lo posible, eso que llaman caminar al azar; acepté, sin otro consciente prejuicio que el de soslayar las avenidas o calles anchas, las más oscuras invitaciones de la casualidad. Con todo, una suerte de gravitación familiar me alejó hacia unos barrios, de cuyo nombre quiero siempre acordarme y que dictan reverencia a mi pecho. No quiero significar así el barrio mío, el preciso ámbito de la infancia, sino sus todavía misteriosas inmediaciones: confín que he poseído entero en palabras y poco en realidad, vecino y mitológico a un tiempo. El revés de lo conocido, su espalda, son para mí esas calles penúltimas, casi tan efectivamente ignoradas como el soterrado cimiento de nuestra casa o nuestro invisible esqueleto. La marcha me dejó en una esquina. Aspiré noche, en asueto serenísimo de pensar. La visión, nada complicada por cierto, parecía simplificada por mi cansancio. La irrealizaba su misma tipicidad. La calle era de casas bajas y aunque su primera significación fuera de pobreza, la segunda era ciertamente de dicha. Era de lo más pobre y de lo más lindo. Ninguna casa se animaba a la calle; la higuera obscurecía sobre la ochava; los portoncitos —más altos que las líneas estiradas de las paredes— parecían obrados en la misma substancia infinita de la noche. La vereda era escarpada sobre la calle, la calle era de barro elemental, barro de América no conquistado aún. Al fondo, el callejón, ya pampeano, se desmoronaba hacia el Maldonado. Sobre la tierra turbia y caótica, una tapia rosada parecía no hospedar luz de luna, sino efundir luz íntima. No habrá manera de nombrar la ternura mejor que ese rosado.

Me quedé mirando esa sencillez. Pensé, con seguridad en voz alta: Esto es lo mismo de hace treinta años...

Conjeturé esa fecha: época reciente en otros países, pero ya remota en este cambiadizo lado del mundo. Tal vez cantaba un pájaro y sentí por él un cariño chico, de tamaño de pájaro; pero lo más seguro es que en ese ya vertiginoso silencio no hubo más ruido que el también intemporal de los grillos. El fácil pensamiento *Estoy en mil ochocientos y tantos* dejó de ser unas cuantas aproximativas palabras y se profundizó a realidad. Me sentí muerto, me sentí percibidor abstracto del mundo; indefinido temor imbuído de ciencia que es la mejor claridad de la metafísica. No creí, no, haber remontado las presuntivas aguas del Tiempo; más bien me sospeché poseedor del sentido reticente o ausente de la inconcebible palabra *eternidad*. Sólo después alcancé a definir esa imaginación.

La escribo, ahora, así: Esa pura representación de hechos homogéneos —noche en serenidad, parecita límpida, olor provinciano de la madreselva, barro fundamental— no es meramente idéntica a la que hubo en esa esquina hace tantos años; es, sin parecidos ni repeticiones, la misma. El tiempo, si podemos intuir esa identidad, es una delusión: la indiferencia e inseparabilidad de un momento de su aparente ayer y otro de su aparente hoy, basta para desintegrarlo.

Es evidente que el número de tales momentos humanos no es infinito. Los elementales —los de sufrimiento físico y goce físico, los de acercamiento del sueño, los de la audición de una sola música, los de mucha intensidad o mucho desgano— son más impersonales aún. Derivo de antemano esta conclusión: la vida es demasiado pobre para no ser también inmortal. Pero ni siquiera tenemos la seguridad de nuestra pobreza, puesto que el tiempo, fácilmente refutable en lo sensitivo, no lo es también en lo intelectual, de cuya esencia parece inseparable el concepto de sucesión. Quede pues en anécdota emocional la vislumbrada idea y en la confesa irresolución de esta hoja el momento verdadero de éxtasis y la insinuación posible de eternidad de que esa noche no me fué avara".

B

De las muchas doctrinas que la historia de la filosofía registra, tal vez el idealismo es la más antigua y la más divulgada. La observación es de Carlyle (*Novalis*, 1829); a los filósofos que alega cabe añadir, sin esperanza de integrar el infinito censo, los platónicos, para quienes lo único real son los prototipos (Norris, Judas Abrabanel, Gemisto, Plotino), los teólogos, para quienes es contingente todo lo que no es la divinidad (Malebranche, Johannes Eckhart), los monistas, que hacen del universo un ocioso adjetivo de lo Absoluto (Bradley, Hegel, Parménides)... El idealismo es tan antiguo como la inquietud metafísica: su apologista más agudo. George Berkeley, floreció en el siglo XVIII: contrariamente a lo que Schopenhauer declara (*Welt als Wille und Vorstellung*, II, 1), su mérito no pudo consistir en la intuición de esa doctrina sino en los argumentos que ideó para razonarla. Berkeley usó de esos argumentos contra la noción de materia; Hume los aplicó a la conciencia; mi propósito es aplicarlos al tiempo. Antes recapitularé brevemente las diversas etapas de esa dialéctica.

Berkeley negó la materia. Ello no significa, entiéndase

bien, que negó los colores, los olores, los sabores, los sonidos y los contactos; lo que negó fué que, además de esas percepciones, que componen el mundo externo, hubiera algo invisible, intangible, llamado la materia. Negó que hubiera dolores que nadie siente, colores que nadie ve, formas que nadie toca. Razonó que agregar una materia a las percepciones es agregar al mundo un inconcebible mundo superfluo. Creyó en el mundo aparencial que urden los sentidos, pero entendió que el mundo material (digamos, el de Toland) es una duplicación ilusoria. Observó (*Principles of human knowiedge*, 3): "Todos admitirán que ni nuestros pensamientos ni nuestras pasiones ni las ideas formadas por nuestra imaginación existen sin la mente. No menos claro es para mí que las diversas sensaciones o ideas impresas en los sentidos, de cualquier modo que se combinen (*id, est,* cualquiera sea el objeto que formen), no pueden existir sino en alguna mente que las perciba... Afirmo que esta mesa existe; es decir, la veo y la toco. Si, al haber dejado esta habitación, afirmo lo mismo, sólo quiero manifestar que si yo estuviera aquí la percibiría, o que la percibe algún otro espíritu... Hablar de la existencia absoluta de cosas inanimadas, sin relación al hecho de si las perciben o no, es para mí insensato. Su *esse es percipi*; no es posible que existan fuera de las mentes que las perciben". En el párrafo 23 agregó, previniendo objeciones: "Pero, se dirá, nada es más fácil que imaginar árboles en un parque o libros en una biblioteca, y nadie cerca de ellos que los percibe. En efecto, nada es más fácil. Pero, os pregunto, ¿qué habéis hecho sino formar en la mente algunas ideas que llamáis *libros* o *árboles* y omitir al mismo tiempo la idea de alguien que las percibe? Vosotros, mientras tanto, ¿no las pensabais? No niego que la mente sea capaz de imaginar ideas; niego que las ideas pueden existir fuera de la mente". En el párrafo 6 ya había declarado: "Hay verdades tan claras que para verlas nos basta abrir los ojos. Tal es la importante verdad: Todo el coro del cielo y los aditamentos de la tierra —todos los cuerpos que componen la enorme fábrica del universo— no existen fuera de una mente; no tienen otro ser que ser percibidos; no existen cuando no los pensamos, o sólo existen en la mente de un Espíritu Eterno". (El Dios de Berkeley es un ubicuo espectador cuyo fin es dar coherencia al mundo.)

La doctrina que acabo de exponer ha sido interpretada perversamente. Herbert Spencer cree refutarla (*Principles of psychology*, VIII, 6), razonando que si nada hay fuera de la conciencia, ésta debe ser infinita en el tiempo y en el espacio. Lo primero es cierto si comprendemos que todo tiempo es tiempo percibido por alguien, erróneo si inferimos que ese tiempo debe, necesariamente, abarcar un número infinito de siglos; lo segundo es ilícito, ya que Berkeley (*Principles of human knowledge*, 116; *Siris*, 266) repetidamente negó el espacio absoluto. Aun más indescifrable es el error en que Schopenhauer incurre (*Welt als Wille und Vorstellung*, II, 1), al enseñar que para los idealistas el mundo es un fenómeno cerebral; Berkeley, sin embargo, había escrito (*Dialogues between Hylas and Philonous*, II): "El cerebro, como cosa sensible, sólo puede existir en la mente. Yo querría saber si juzgas razonable la conjetura de que una idea o cosa en la mente ocasione todas las otras. Si contestas que sí, ¿cómo explicarás el origen de esa idea primaria o cerebro?" El cerebro, efectivamente, no es menos una parte del mundo externo que la constelación del Centauro.

Berbeley negó que hubiera un objeto detrás de las impresiones de los sentidos; David Hume, que hubiera un sujeto detrás de la percepción de los cambios. Aquel había negado la materia, éste negó el espíritu; aquél no había querido que agregáramos a la sucesión de impresiones la noción metafísica de materia, éste no quiso que agregáramos a la sucesión de estados mentales la noción metafísica de un yo. Tan lógica es esa ampliación de los argumentos de Berkeley que éste ya la había previsto, como Alexander Campbell Fraser hace notar, y hasta procuró recusarla mediante el *ergo sum* cartesiano. "Si tus principios son valederos, tú mismo no eres más que un sistema de ideas fluctuantes, no sostenidas por ninguna substancia, ya que tan absurdo es hablar de substancia espiritual como de substancia material", razona Hylas, anticipándose a David Hume, en el tercero y último de los *Dialogues*. Corrobora Hume (*Treatise of human nature*, I, 4, 6): "Somos una colección o conjunto de percepciones, que se suceden unas a otras con inconcebible rapidez... La mente es una especie de teatro, donde las percepciones aparecen, desaparecen, vuelven y se combinan de infinitas maneras. La metáfora no debe engañarnos. Las percepciones constituyen la mente y no podemos vislumbrar en qué sitio ocurren las escenas ni de qué materiales está hecho el teatro".

Admitido el argumento idealista, entiendo que es posible —tal vez, inevitable— ir más lejos. Para Berkeley, el tiempo es "la sucesión de ideas que fluye uniformemente y de la que todos los seres participan" (*Principles of human knowledge*, 98); para Hume, "una sucesión de momentos indivisibles" (*Treatise of human nature*, I, 2, 3). Sin embargo, negadas la materia y el espíritu, que son continuidades, negado también el espacio, no sé con qué derecho retendremos esa continuidad que es el tiempo. Fuera de cada percepción (actual o conjetural) no existe la materia; fuera de cada estado mental no existe el espíritu; tampoco el tiempo existirá fuera de cada instante presente. Elijamos un momento de máxima simplicidad: verbigracia, el del sueño del Chuang Tzu (Herbert Allen Giles: *Chuang Tzu*, 1889). Éste, hará unos veinticuatro siglos, soñó que era una mariposa y no sabía al despertar si era un hombre que había soñado ser una mariposa o una mariposa que ahora soñaba ser un hombre. No consideremos el despertar, consideremos el momento del sueño; o uno de los momentos. "Soñé que era una mariposa que andaba por el aire y que nada sabía de Chuang Tzu", dice el antiguo texto. Nunca sabremos si Chuang Tzu vió un jardín sobre el que le parecía volar o un móvil triángulo amarillo, que sin duda era él, pero nos consta que la imagen fué subjetiva, aunque la suministró la memoria. La doctrina del paralelismo psicofísico juzgará que a esa imagen debió de corresponder algún cambio en el sistema nervioso del soñador; según Berkeley, no existía en aquel momento el cuerpo de Chuang Tzu, ni el negro dormitorio en que soñaba, salvo como una percepción en la mente divina. Hume simplifica aun más lo ocurrido. Según él, no existía en aquel momento el espíritu de Chuang Tzu; sólo existían los colores del sueño y la certidumbre de ser una mariposa. Existía como término momentáneo de la "colección o conjunto de percepciones" que fué, unos cuatro siglos antes de Cristo, la mente de Chuang Tzu; existían como término n de una infinita serie temporal, entre $n - 1$ y $n + 1$. No hay otra realidad, para el idealismo, que la de los procesos mentales; agregar a la mariposa que se percibe una mariposa objetiva le parece una vana duplicación; agregar a los procesos un yo le parece no menos exorbitante. Juzga que hubo un soñar, un percibir, pero no un soñador ni siquiera un sueño; juzga que hablar de objetos y de sujetos es incurrir en una impura mitología. Ahora bien, si cada estado psíquico es suficiente, si vincularlo a una circunstancia o a un yo es una ilícita y ociosa adición, ¿con qué derecho le impondremos después, un lugar en el tiempo? Chuang Tzu soñó que era una mariposa y durante aquel sueño no era Chuang Tzu, era una mariposa. ¿Cómo, abolidos el espacio y el yo, vincularemos esos instantes a los del despertar y a la época feudal de la historia china? Ello no quiere decir que nunca sabremos, siquiera de manera aproximativa, la fecha de aquel sueño; quiere decir que la fijación cronológica de un suceso, de cualquier suceso del orbe, es ajena a él, y exterior. En la China, el sueño de Chuang Tzu es proverbial; imaginemos que de sus casi infinitos lectores, uno sueña que es una mariposa y luego que es Chuang Tzu. Imaginemos que, por un azar no imposible, este sueño repite puntualmente el que soñó el maestro. Postulada esa igualdad, cabe preguntar: Esos instantes que coinciden ¿no son el mismo? ¿No basta *un sólo término repetido* para desbaratar y confundir la historia del mundo, para denunciar que no hay tal historia?

Negar el tiempo es dos negaciones: negar la sucesión de los términos de una serie, negar el sincronismo de los términos de dos series. En efecto, si cada término es absoluto, sus relaciones se reducen a la conciencia de que esas relaciones existen. Un estado precede a otro si se sabe anterior; un estado de G es contemporáneo de un estado de H si se sabe contemporáneo. Contrariamente a lo declarado por Schopenhauer [1] en su tabla de verdades fundamentales (*Welt als Wille und Vorstellung*, II, 4), cada fracción de tiempo no llena simultáneamente el espacio entero, el tiempo no es ubicuo. (Claro está que, a esta altura del argumento, ya no existe el espacio.)

Meinong, en su teoría de la aprehensión, admite la de objetos imaginarios: la cuarta dimensión, digamos, o la estatua sensible de Condillac o el animal hipotético de Lotze o la raíz cuadrada de — 1. Si las razones que he indicado son válidas, a ese orbe nebuloso pertenecen también la materia, el yo, el mundo externo, la historia universal, nuestras vidas.

Por lo demás, la frase *negación del tiempo* es ambigua. Puede significar la eternidad de Platón o de Boecio y también los dilemas de Sexto Empírico. Éste (*Adversus mathematicos*, XI, 197) niega el pasado, que ya fué, y el futuro, que no es aún, y arguye que el presente es divisible o indivisible. No es indivisible, pues en tal caso no tendría principio que lo vinculara al pasado ni fin que lo vinculara al futuro, ni siquiera medio, porque no tiene medio lo que carece de principio y de fin; tampoco es divisible, pues en tal caso constaría de una parte que fué y de otra que no es. *Ergo*, no existe, pero como tampoco existen el pasado y el porvenir, el tiempo no existe. F. H. Bradley redescubre y mejora esa per-

[1] Antes, por Newton, que afirmó: "Cada partícula de espacio es eterna, cada indivisible momento de duración está en todas partes" (*Principia*, III, 42).

plejidad. Observa (*Appearance and reality*, IV) que si el ahora es divisible en otros ahoras, no es menos complicado que el tiempo, y si es indivisible, el tiempo es una mera relación entre cosas intemporales. Tales razonamientos, como se ve, niegan las partes para luego negar el todo; yo rechazo el todo para exaltar cada una de las partes. Por la dialéctica de Berkeley y de Hume he arribado al dictamen de Schopenhauer: "La forma de la aparición de la voluntad es sólo el presente, no el pasado ni el porvenir; éstos no existen más que para el concepto y por el encadenamiento de la conciencia, sometida al principio de razón. Nadie ha vivido en el pasado, nadie vivirá en el futuro: el presente es la forma de toda vida, es una posesión que ningún mal puede arrebatarle... El tiempo es como un círculo que girara infinitamente: el arco que desciende es el pasado, el que asciende es el porvenir; arriba, hay un punto indivisible que toca la tangente y es el ahora. Inmóvil como la tangente, ese inextenso punto marca el contacto del objeto, cuya forma es el tiempo, con el sujeto, que carece de forma, porque no pertenece a lo conocible y es previa condición del conocimiento" (*Welr als Wille und Vorstellung*, I, 54). Un tratado budista del siglo V, el *Visuddhimagga* (*Camino de la Pureza*), ilustra la misma doctrina con la misma figura: "En rigor, la vida de un ser dura lo que una idea. Como una rueda de carruaje, al rodar, toca la tierra en un solo punto, dura la vida lo que dura una sola idea" (Radhakrishman: *Indian philosophy*, I, 373). Otros textos budistas dicen que el mundo se aniquila y resurge seis mil quinientos millones de veces por día y que todo hombre es una ilusión, vertiginosamente obrada por una serie de hombres momentáneos y solos. "El hombre de un momento pretérito —nos advierte el *Camino de la pureza*— ha vivido. pero no vive ni vivirá; el hombre de un momento futuro vivirá, pero no ha vivido ni vive; el hombre del momento presente vive, pero no ha vivido ni vivirá" (obra citada, I, 407), dictamen que podemos comparar con éste de Plutarco (*De E apud Delphos*, 18): "El hombre de ayer ha muerto en el de hoy, el de hoy muere en el de mañana".

And yet, and yet... Negar la sucesión temporal, negar el yo, negar el universo astronómico, son desesperaciones aparentes y consuelos secretos. Nuestro destino (a diferencia del infierno de Swedenborg y del infierno de la mitología tibetana) no es espantoso por irreal; es espantoso porque es irreversible y de hierro. El tiempo es la substancia de que estoy hecho. El tiempo es un río que me arrebata, pero yo soy el río; es un tigre que me destroza, pero yo soy el tigre; es un fuego que me consume, pero yo soy el fuego. El mundo, desgraciadamente, es real; yo, desgraciadamente, soy Borges.

NOTA AL PRÓLOGO

No hay exposición del budismo que no mencione el *Milinda Pañha*, obra apologética del siglo II, que refiere un debate cuyos interlocutores son el rey de la Bactriana, Menandro, y el monje Nagasena. Éste razona que así como el carro del rey no es las ruedas ni la caja ni el eje ni la lanza ni el yugo, tampoco el hombre es la materia, la forma, las impresiones, las ideas, los instintos o la conciencia. No es la combinación de esas partes ni existe fuera de ellas... Al cabo de una controversia de muchos días, Menandro (Milinda) se convierte a la fe del Buddha.

El *Milindra Pañha* ha sido vertido al inglés por Rhys Davids (Oxford, 1890-1894).

Freund, es ist auch genug. Im Fall du mehr willst lesen,
So geh und werde selbst die Schrift und selbst das Wesen.
Angelus Silesius: *Cherubinischer Wandersmann*, VI, 263 (1675).

SOBRE LOS CLÁSICOS

Escasas disciplinas habrá de mayor interés que la etimología; ello se debe a las imprevisibles transformaciones del sentido primitivo de las palabras, a lo largo del tiempo. Dadas tales transformaciones, que pueden lindar con lo paradógico, de nada o de muy poco nos servirá para la aclaración de un concepto el origen de una palabra. Saber que cálculo, en latín, quiere decir piedrita y que los pitagóricos las usaron antes de la invención de los números, no nos permite dominar los arcanos del álgebra; saber que hipócrita era actor, y persona, máscara, no es un instrumento valioso para el estudio de la ética. Parejamente, para fijar lo que hoy entendemos por clásico, es inútil que este adjetivo descienda del latín *classis*, flota, que luego tomaría el sentido de orden. (Recordemos de paso, la formación análoga de *ship-shape*.)

¿Qué es, ahora, un libro clásico? Tengo al alcance de la mano las definiciones de Eliot, de Arnold y de Sainte-Beuve, sin duda razonables y luminosas, y me sería grato estar de acuerdo con esos ilustres autores, pero no los consultaré. He cumplido sesenta y tantos años; a mi edad, las coincidencias o novedades importan menos que lo que uno cree verdadero. Me limitaré, pues, a declarar lo que sobre este punto he pensado.

Mi primer estímulo fué una *Historia de la literatura china* (1901) de Herbert Allen Giles. En su capítulo segundo leí que uno de los cinco textos canónicos que Confucio editó es el Libro de los Cambios o *I King*, hecho de 64 hexagramas, que agotan las posibles combinaciones de seis líneas partidas o enteras. Uno de los esquemas, por ejemplo, consta de dos líneas enteras, de una partida y de tres enteras, verticalmente dispuestas. Un emperador prehistórico los habría descubierto en la caparazón de una de las tortugas sagradas. Leibniz creyó ver en los hexagramas un sistema binario de numeración; otros, una filosofía enigmática; otros, como Wilhelm, un instrumento para la adivinación del futuro, ya que las 64 figuras corresponden a las 64 fases de cualquier empresa o proceso; otros, un vocabulario de cierta tribu; otros, un calendario. Recuerdo que Xul-Solar solía reconstruir ese texto con palillos o fósforos. Para los extranjeros, el Libro de los Cambios corre el albur de parecer una mera *chinoiserie;* pero generaciones milenarias de hombres muy cultos lo han leído y releído con devoción y seguirán leyéndolo. Confucio declaró a sus discípulos que si el destino le otorgara cien años más de vida, consagraría la mitad a su estudio y al de los comentarios o *alas*.

Deliberadamente he elegido un ejemplo extremo, una lectura que reclama un acto de fé. Llego, ahora, a mi tesis. Clásico es aquel libro que una nación o un grupo de naciones o el largo tiempo han decidido leer como si en sus páginas todo fuera deliberado, fatal, profundo como el cosmos y capaz de interpretaciones sin término. Previsiblemente, esas decisiones varían. Para los alemanes y austríacos el Fausto es una obra genial; para otros, una de las más famosas formas del tedio, como el segundo Paraíso de Milton o la obra de Rabelais. Libros como el de Job, la Divina Comedia, Macbeth (y, para mí, algunas de las sagas del Norte) prometen una larga inmortalidad, pero nada sabemos del porvenir, salvo que diferirá del presente. Una preferencia bien puede ser una superstición.

No tengo vocación de iconoclasta. Hacia el año treinta creía, bajo el influjo de Macedonio Fernández, que la belleza es privilegio de unos pocos autores; ahora sé que es común y que está acechándonos en las casuales páginas del mediocre o en un diálogo callejero. Así, mi desconocimiento de las letras malayas o húngaras es total, pero estoy seguro de que si el tiempo me deparara la ocasión de su estudio, encontraría en ellas todos los alimentos que requiere el espíritu. Además de las barreras lingüísticas intervienen las políticas o geográficas. Burns es un clásico en Escocia; al sur del Tweed interesa menos que Dunbar o que Stevenson. La gloria de un poeta depende, en suma, de la excitación o de la apatía de las generaciones de hombres anónimos que la ponen a prueba, en la soledad de sus bibliotecas.

Las emociones que la literatura suscita son quizá eternas, pero los medios deben constantemente variar, siquiera de un modo levísimo, para no perder su virtud. Se gastan a medida que los reconoce el lector. De ahí el peligro de afirmar que existen obras clásicas y que lo serán para siempre.

Cada cuál descree de su arte y de sus artificios. Yo, que me he resignado a poner en duda la indefinida perduración de Voltaire o de Shakespeare, creo (esta tarde de uno de los últimos días de 1965) en la de Schopenhauer y en la de Berkeley.

Clásico no es un libro (lo repito) que necesariamente posee tales o cuales méritos; es un libro que las generaciones de los hombres, urgidas por diversas razones, leen con previo fervor y con una misteriosa lealtad.

EPÍLOGO

Dos tendencias he descubierto, al corregir las pruebas, en los misceláneos trabajos de este volumen.

Una, a estimar las ideas religiosas o filosóficas por su valor estético y aun por lo que encierran de singular y de maravilloso. Esto es, quizá, indicio de un escepticismo esencial. Otra, a presuponer (y a verificar) que el número de fábulas o de metáforas de que es capaz la imaginación de los hombres es limitado, pero que esas contadas invenciones pueden ser todo para todos, como el Apóstol.

Quiero asimismo aprovechar esta hoja para corregir un error. En un ensayo he atribuído a Bacon el pensamiento de que Dios compuso dos libros: el mundo y la Sagrada Escritura. Bacon se limitó a repetir un lugar común escolástico; en el Breviloquium *de San Buenaventura —obra del siglo* XIII*— se lee:* creatura mundi est quasi quidam liber in quo legitur Trinitas. *Véase Etienne Gilson:* La philosophie au moyen âge, *págs.* 442, 464.

J. L. B.

Buenos Aires, 25 de junio de 1952.

INDICE

Otras inquisiciones

La edición de este octavo volumen de las *Obras Completas* de Jorge Luis Borges ha estado al cuidado de José Edmundo Clemente

EMECÉ EDITORES, S. A.
LUZURIAGA 38 — BUENOS AIRES

ESTA CUARTA
IMPRESIÓN DE
"OTRAS INQUISICIONES"
SE ACABÓ DE IMPRIMIR
EN OFFSET
EL 12 DE SETIEMBRE DE 1968,
EN LOS TALLERES DE LA
COMPAÑÍA IMPRESORA
ARGENTINA, S. A.,
ALSINA 2049.

OBRAS COMPLETAS

de Jorge Luis Borges

JORGE LUIS BORGES

OBRAS COMPLETAS

EL HACEDOR

EMECÉ EDITORES

PRIMERA EDICIÓN
Diciembre de 1960

SEGUNDA IMPRESIÓN
Octubre de 1961

TERCERA IMPRESIÓN
Febrero de 1965

CUARTA IMPRESIÓN
Marzo de 1967

Queda hecho el depósito que previene la ley número 11.723.

A LEOPOLDO LUGONES

Los rumores de la plaza quedan atrás y entro en la Biblioteca. De una manera casi física siento la gravitación de los libros, el ámbito sereno de un orden, el tiempo disecado y conservado mágicamente. A izquierda y a derecha, absortos en su lúcido sueño, se perfilan los rostros momentáneos de los lectores, a la luz de las lámparas estudiosas, como en la hipálage de Milton. Recuerdo haber recordado ya esa figura, en este lugar, y después aquel otro epíteto que también define el contorno, el árido camello *del Lunario, y después aquel hexámetro de la Eneida, que maneja y supera el mismo artificio:*

Ibant obscuri sola sub nocte per umbras.

Estas reflexiones me dejan en la puerta de su despacho. Entro; cambiamos unas cuantas convencionales y cordiales palabras y le doy este libro. Si no me engaño, usted no me malquería, Lugones, y le hubiera gustado que le gustara algún trabajo mío. Ello no ocurrió nunca, pero esta vez usted vuelve las páginas y lee con aprobación algún verso, acaso porque en él ha reconocido su propia voz, acaso porque la práctica deficiente le importa menos que la sana teoría.

En este punto se deshace mi sueño, como el agua en el agua. La vasta biblioteca que me rodea está en la calle México, no en la calle Rodríguez Peña, y usted, Lugones, se mató a principios del treinta y ocho. Mi vanidad y mi nostalgia han armado una escena imposible. Así será (me digo) pero mañana yo también habré muerto y se confundirán nuestros tiempos y la cronología se perderá en un orbe de símbolos y de algún modo será justo afirmar que yo le he traído este libro y que usted lo ha aceptado.

J. L. B.

Buenos Aires, 9 de agosto de 1960.

EL HACEDOR

Nunca se había demorado en los goces de la memoria. Las impresiones resbalaban sobre él, momentáneas y vívidas; el bermellón de un alfarero, la bóveda cargada de estrellas que también eran dioses, la luna, de la que había caído un león, la lisura del mármol bajo las lentas yemas sensibles, el sabor de la carne de jabalí, que le gustaba desgarrar con dentelladas blancas y bruscas, una palabra fenicia, la sombra negra que una lanza proyecta en la arena amarilla, la cercanía del mar o de las mujeres, el pesado vino cuya aspereza mitigaba la miel, podían abarcar por entero el ámbito de su alma. Conocía el terror pero también la cólera y el coraje, y una vez fue el primero en escalar un muro enemigo. Ávido, curioso, casual, sin otra ley que la fruición y la indiferencia inmediata, anduvo por la variada tierra y miró, en una u otra margen del mar, las ciudades de los hombres y sus palacios. En los mercados populosos o al pie de una montaña de cumbre incierta, en la que bien podía haber sátiros, había escuchado complicadas historias, que recibió como recibía la realidad, sin indagar si eran verdaderas o falsas.

Gradualmente, el hermoso universo fue abandonándolo; una terca neblina le borró las líneas de la mano, la noche se despobló de estrellas, la tierra era insegura bajo sus pies. Todo se alejaba y se confundía. Cuando supo que se estaba quedando ciego, gritó; el pudor estoico no había sido aún inventado y Héctor podía huir sin desmedro. *Ya no veré* (sintió) *ni el cielo lleno de pavor mitológico, ni esta cara que los años transformarán.* Días y noches pasaron sobre esa desesperación de su carne, pero una mañana se despertó, miró (ya sin asombro) las borrosas cosas que lo rodeaban e inexplicablemente sintió, como quien reconoce una música o una voz, que ya le había ocurrido todo eso y que lo había encarado con temor, pero también con júbilo, esperanza y curiosidad. Entonces descendió a su memoria, que le pareció interminable, y logró sacar de aquel vértigo el recuerdo perdido que relució como una moneda bajo la lluvia, acaso porque nunca lo había mirado, salvo, quizá, en un sueño.

El recuerdo era así. Lo había injuriado otro muchacho y él había acudido a su padre y le había contado la historia. Éste lo dejó hablar como si no escuchara o no comprendiera y descolgó de la pared un puñal de bronce, bello y cargado de poder, que el chico había codiciado furtivamente. Ahora lo tenía en las manos y la sorpresa de la posesión anuló la injuria padecida, pero la voz del padre estaba diciendo: *Que alguien sepa que eres un hombre*, y había una orden en la voz. La noche cegaba los caminos; abrazado al puñal, en el que presentía una fuerza mágica, descendió la brusca ladera que rodeaba la casa y corrió a la orilla del mar, soñándose Ayax y Perseo y poblando de heridas y de batallas la oscuridad salobre. El sabor preciso de aquel momento era lo que ahora buscaba; no le importaba lo demás: las afrentas del desafío, el torpe combate, el regreso con la hoja sangrienta.

Otro recuerdo, en el que también había una noche y una inminencia de aventura, brotó de aquél. Una mujer, la primera que le depararon los dioses, lo había esperado en la sombra de un hipogeo, y él la buscó por galerías que eran como redes de piedra y por declives que se hundían en la sombra. ¿Por qué le llegaban esas memorias y por qué le llegaban sin amargura, como una mera prefiguración del presente?

Con grave asombro comprendió. En esta noche de sus ojos mortales, a la que ahora descendía, lo aguardaban también el amor y el riesgo. Ares y Afrodita, porque ya adivinaba (porque ya lo cercaba) un rumor de gloria y de hexámetros, un rumor de hombres que defienden un templo que los dioses no salvarán y de bajeles negros que buscan por el mar una isla querida, el rumor de las Odiseas e Ilíadas que era su destino cantar y dejar resonando cóncavamente en la memoria humana. Sabemos estas cosas, pero no las que sintió al descender a la última sombra.

DREAMTIGERS

En la infancia yo ejercí con fervor la adoración del tigre: no el tigre overo de los camalotes del Paraná y de la confusión amazónica, sino el tigre rayado, asiático, real, que sólo pueden afrontar los hombres de guerra, sobre un castillo encima de un elefante. Yo solía demorarme sin fin ante una de las jaulas en el Zoológico; yo apreciaba las vastas enciclopedias y los libros de historia natural, por el esplendor de sus tigres. (Todavía me acuerdo de esas figuras: yo que no puedo recordar sin error la frente o la sonrisa de una mujer.) Pasó la infancia, caducaron los tigres y su pasión, pero todavía están en mis sueños. En esa napa sumergida o caótica siguen prevaleciendo y así: Dormido, me distrae un sueño cualquiera y de pronto sé que es un sueño. Suelo pensar entonces: Éste es un sueño, una pura diversión de mi voluntad, y ya que tengo un ilimitado poder, voy a causar un tigre.

¡Oh, incompetencia! Nunca mis sueños saben engendrar la apetecida fiera. Aparece el tigre, eso sí, pero disecado o endeble, o con impuras variaciones de forma, o de un tamaño inadmisible, o harto fugaz, o tirando a perro o a pájaro.

DIÁLOGO SOBRE UN DIÁLOGO

A. — Distraídos en razonar la inmortalidad, habíamos dejado que anocheciera sin encender la lámpara. No nos veíamos las caras. Con una indiferencia y una dulzura más convincentes que el fervor, la voz de Macedonio Fernández repetía que el alma es inmortal. Me aseguraba que la muerte del cuerpo es del todo insignificante y que morirse tiene que ser el hecho más nulo que puede sucederle a un hombre. Yo jugaba con la navaja de Macedonio; la abría y la cerraba. Un acordeón vecino despachaba infinitamente la Cumparsita, esa pamplina consternada que les gusta a muchas personas, porque les mintieron que es vieja... Yo le propuse a Macedonio que nos suicidáramos, para discutir sin estorbo.

Z (burlón). — Pero sospecho que al final no se resolvieron.

A (ya en plena mística). — Francamente no recuerdo si esa noche nos suicidamos.

LAS UÑAS

Dóciles medias los halagan de día y zapatos de cuero claveteados los fortifican, pero los dedos de mi pie no quieren saberlo. No les interesa otra cosa que emitir uñas: láminas córneas, semitransparentes y elásticas, para defenderse ¿de quién? Brutos y desconfiados como ellos solos, no dejan un segundo de preparar ese tenue armamento. Rehusan el universo y el éxtasis para seguir elaborando sin fin unas vanas puntas, que cercenan y vuelven a cercenar los bruscos tijerazos de Solingen. A los noventa días crepusculares de encierro prenatal establecieron esa única industria. Cuando yo esté guardado en la Recoleta, en una casa de color ceniciento provista de flores secas y de talismanes, continuarán su terco trabajo, hasta que los modere la corrupción. Ellos, y la barba en mi cara.

LOS ESPEJOS VELADOS

El Islam asevera que el día inapelable del Juicio, todo perpetrador de la imagen de una cosa viviente resucitará con sus obras, y le será ordenado que las anime, y fracasará, y será entregado con ella al fuego del castigo. Yo conocí de chico ese horror de una duplicación o multiplicación espectral de la realidad, pero ante los grandes espejos. Su infalible y continuo funcionamiento, su persecución de mis actos, su pantomima cósmica, eran sobrenaturales entonces, desde que anochecía. Uno de mis insistidos ruegos a Dios y al ángel de mi guarda era el de no soñar con espejos. Yo sé que los vigilaba con inquietud. Temí, unas veces, que empezaran a divergir de la realidad; otras, ver desfigurado en ellos mi rostro por adversidades extrañas. He sabido que ese temor está, otra vez, prodigiosamente en el mundo. La historia es harto simple, y desagradable.

Hacia mil novecientos veintisiete, conocí una chica sombría: primero por teléfono (porque Julia empezó siendo una voz sin nombre y sin cara); después, en una esquina al atardecer. Tenía los ojos alarmantes de grandes, el pelo renegrido y lacio, el cuerpo estricto. Era nieta y bisnieta de federales, como yo de unitarios, y esa antigua discordia de nuestras sangres era para nosotros un vínculo, una posesión mejor de la patria. Vivía con los suyos en un desmantelado caserón de cielo raso altísimo, en el resentimiento y la insipidez de la decencia pobre. De tarde —algunas contadas veces de noche— salíamos a caminar por su barrio, que era el de Balvanera. Orillábamos el paredón del ferrocarril; por Sarmiento llegamos una vez hasta los desmontes del Parque Centenario. Entre nosotros no hubo amor ni ficción de amor: yo adivinaba en ella una intensidad que era del todo extraña a la erótica, y la temía. Es común referir a las mujeres, para intimar con ellas, rasgos verdaderos o apócrifos del pasado pueril; yo debí contarle una vez el de los espejos y dicté así, el 1928, una alucinación que iba a florecer el 1931. Ahora, acabo de saber que se ha enloquecido y que en su dormitorio los espejos están velados pues en ellos ve mi reflejo, usurpando el suyo, y tiembla y calla y dice que yo la persigo mágicamente.

Aciaga servidumbre la de mi cara, la de una de mis caras antiguas. Ese odioso destino de mis facciones tiene que hacerme odioso también, pero ya no me importa.

ARGUMENTUM ORNITHOLOGICUM

Cierro los ojos y veo una bandada de pájaros. La visión dura un segundo o acaso menos; no sé cuántos pájaros vi. ¿Era definido o indefinido su número? El problema involucra el de la existencia de Dios. Si Dios existe, el número es definido, porque Dios sabe cuántos pájaros vi. Si Dios no existe, el número es indefinido, porque nadie pudo llevar la cuenta. En tal caso, vi menos de diez pájaros (digamos) y más de uno, pero no vi nueve, ocho, siete, seis, cinco, cuatro, tres o dos pájaros. Vi un número entre diez y uno, que no es nueve, ocho, siete, seis, cinco, etcétera. Ese número entero es inconcebible; *ergo*, Dios existe.

EL CAUTIVO

En Junín o en Tapalqué refieren la historia. Un chico desapareció después de un malón; se dijo que lo habían robado los indios. Sus padres lo buscaron inútilmente; al cabo de los años, un soldado que venía de tierra adentro les habló de un indio de ojos celestes que bien podía ser su hijo. Dieron al fin con él (la crónica ha perdido las circunstancias y no quiero inventar lo que no sé) y creyeron reconocerlo. El hombre, trabajado por el desierto y por la vida bárbara, ya no sabía oír las palabras de la lengua natal, pero se dejó conducir, indiferente y dócil, hasta la casa. Ahí se detuvo, tal vez porque los otros se detuvieron. Miró la puerta, como sin entenderla. De pronto bajó la cabeza, gritó, atravesó corriendo el zaguán y los dos largos patios y se metió en la cocina. Sin vacilar, hundió el brazo en la ennegrecida campana y sacó el cuchillito de mango de asta que había escondido ahí, cuando chico. Los ojos le brillaron de alegría y los padres lloraron porque habían encontrado al hijo.

Acaso a este recuerdo siguieron otros, pero el indio no podía vivir entre paredes y un día fue a buscar su desierto. Yo querría saber qué sintió en aquel instante de vértigo en que el pasado y el presente se confundieron; yo querría saber si el hijo perdido renació y murió en aquel éxtasis o si alcanzó a reconocer, siquiera como una criatura o un perro, los padres y la casa.

EL SIMULACRO

En uno de los días de julio de 1952, el enlutado apareció en aquel pueblito del Chaco. Era alto, flaco, aindiado, con una cara inexpresiva de opa o de máscara; la gente lo trataba con deferencia, no por él sino por el que representaba o ya era. Eligió un rancho cerca del río; con la ayuda de unas vecinas, armó una tabla sobre dos caballetes y encima una caja de cartón con una muñeca de pelo rubio. Además, encendieron cuatro velas en candeleros altos y pusieron flores alrededor. La gente no tardó en acudir. Viejas desesperadas, chicos atónitos, peones que se quitaban con respeto el casco de corcho, desfilaban ante la caja y repetían: *Mi sentido pésame, General.* Éste, muy compungido, los recibía junto a la cabecera, las manos cruzadas sobre el vientre, como mujer encinta. Alargaba la derecha para estrechar la mano que le tendían y contestaba con entereza y resignación: *Era el destino. Se ha hecho todo lo humanamente posible.* Una alcancía de lata recibía la cuota de dos pesos y a muchos no les bastó venir una sola vez.

¿Qué suerte de hombre (me pregunto) ideó y ejecutó esa fúnebre farsa? ¿Un fanático, un triste, un alucinado o un impostor y un cínico? ¿Creía ser Perón al representar su doliente papel de viudo macabro? La historia es increíble pero ocurrió y acaso no una vez sino muchas, con distintos actores y con diferencias locales. En ella está la cifra perfecta de una época irreal y es como el reflejo de un sueño o como aquel drama en el drama, que se ve en Hamlet. El enlutado no era Perón y la muñeca rubia no era la mujer Eva Duarte, pero tampoco Perón era Perón ni Eva era Eva sino desconocidos o anónimos (cuyo nombre secreto y cuyo rostro verdadero ignoramos) que figuraron, para el crédulo amor de los arrabales, una crasa mitología.

DELIA ELENA SAN MARCO

Nos despedimos en una de las esquinas del Once.

Desde la otra vereda volví a mirar; usted se había dado vuelta y me dijo adiós con la mano.

Un río de vehículos y de gente corría entre nosotros; eran las cinco de una tarde cualquiera; cómo iba yo a saber que aquel río era el triste Aqueronte, el insuperable.

Ya no nos vimos y un año después usted había muerto.

Y ahora yo busco esa memoria y la miro y pienso que era falsa y que detrás de la despedida trivial estaba la infinita separación.

Anoche no salí después de comer y releí, para comprender estas cosas, la última enseñanza que Platón pone en boca de su maestro. Leí que el alma puede huir cuando muere la carne.

Y ahora no sé si la verdad está en la aciaga interpretación ulterior o en la despedida inocente.

Porque si no mueren las almas, está muy bien que en sus despedidas no haya énfasis.

Decirse adiós es negar la separación, es decir: *Hoy jugamos a separarnos pero nos veremos mañana.* Los hombres inventaron el adiós porque se saben de algún modo inmortales, aunque se juzguen contingentes y efímeros.

Delia: alguna vez anudaremos ¿junto a qué río? este diálogo incierto y nos preguntaremos si alguna vez, en una ciudad que se perdía en una llanura, fuimos Borges y Delia.

DIÁLOGO DE MUERTOS

El hombre llegó del sur de Inglaterra en un amanecer del invierno de 1877. Rojizo, atlético y obeso, resultó inevitable que casi todos lo creyeran inglés y lo cierto es que se parecía notablemente al arquetípico John Bull. Usaba sombrero de copa y una curiosa manta de lana con una abertura en el medio. Un grupo de hombres, de mujeres y de criaturas lo esperaba con ansiedad; a muchos les rayaba la garganta una línea roja, otros no tenían cabeza y andaban con recelo y vacilación, como quien camina en la sombra. Fueron cercando al forastero y, desde el fondo, alguno vociferó una mala palabra, pero un terror antiguo los detenía y no se atrevieron a más. A todos se adelantó un militar de piel cetrina y ojos como tizones; la melena revuelta y la barba lóbrega parecían comerle la cara. Diez o doce heridas mortales le surcaban el cuerpo como las rayas en la piel de los tigres. El forastero, al verlo, se demudó, pero luego avanzó y le tendió la mano.

—¡Qué aflicción ver a un guerrero tan espectable derribado por las armas de la perfidia! —dijo en tono rotundo—. ¡Pero también qué íntima satisfacción haber ordenado que los victimarios purgaran sus fechorías en el patíbulo, en la plaza de la Victoria!

—Si habla de Santos Pérez y de los Reinafé, sepa que ya les he agradecido —dijo con lenta gravedad el ensangrentado.

El otro lo miró como recelando una burla o una amenaza, pero Quiroga prosiguió:

—Rosas, usted no me entendió nunca. ¿Y cómo iba a entenderme, si fueron tan diversos nuestros destinos? A usted le tocó mandar en una ciudad, que mira a Europa y que será de las más famosas del mundo; a mí, guerrear por las soledades de América, en una tierra pobre, de gauchos pobres. Mi imperio fue de lanzas y de gritos y de arenales y de victorias casi secretas en lugares perdidos. ¿Qué títulos son esos para el recuerdo? Yo vivo y seguiré viviendo por muchos años en la memoria de la gente porque morí asesinado en una galera, en el sitio llamado Barranca Yaco, por hombres con caballos y espadas. A usted le debo este regalo de una muerte bizarra, que no supe apreciar en aquella hora, pero que las siguientes generaciones no han querido olvidar. No le serán desconocidas a usted unas litografías muy primorosas y la obra interesante que ha redactado un sanjuanino de valía.

Rosas, que había recobrado su aplomo, lo miró con desdén.

—Usted es un romántico —sentenció—. El halago de la posteridad no vale mucho más que el contemporáneo, que no vale nada y que se logra con unas cuantas divisas.

—Conozco su manera de pensar —contestó Quiroga—. En 1852, el destino, que es generoso o que quería sondearlo hasta el fondo, le ofreció una muerte de hombre, en una batalla. Usted se mostró indigno de ese regalo, porque la pelea y la sangre le dieron miedo.

¿Miedo? —repitió Rosas—. ¿Yo, que he domado potros en el Sur y después a todo un país?

Por primera vez, Quiroga sonrió.

—Ya sé —dijo con lentitud— que usted ha ejecutado más de una lindeza a caballo, según el testimonio imparcial de sus capataces y peones; pero en aquellos días, en América y también a caballo, se ejecutaron otras lindezas que se llaman Chacabuco y Junín y Palma Redonda y Caseros.

Rosas lo oyó sin inmutarse y replicó así:

—Yo no necesité ser valiente. Una lindeza mía, como usted dice, fue lograr que hombres más valientes que yo pelearan y murieran por mí. Santos Pérez, pongo por caso, que acabó con usted. El valor, es cuestión de aguante; unos aguantan más y otros menos, pero tarde o temprano todos aflojan.

—Así será —dijo Quiroga—, pero yo he vivido y he muerto y hasta el día de hoy no sé lo que es miedo. Y ahora voy a que me borren, a que me den otra cara y otro destino, porque la historia se harta de los violentos. No sé quién será el otro, qué harán conmigo, pero sé que no tendrá miedo.

—A mí me basta ser el que soy —dijo Rosas— y no quiero ser otro.

—También las piedras quieren ser piedras para siempre —dijo Quiroga— y durante siglos lo son, hasta que se deshacen en polvo. Yo pensaba como usted cuando entré en la muerte, pero aquí aprendí muchas cosas. Fíjese bien, ya estamos cambiando los dos.

Pero Rosas no le hizo caso y dijo como si pensara en voz alta:

—Será que no estoy hecho a estar muerto, pero estos

lugares y esta discusión me parecen un sueño, y no un sueño soñado por mí sino por otro, que está por nacer todavía.

No hablaron más, porque en ese momento Alguien los llamó.

LA TRAMA

Para que su horror sea perfecto, César, acosado al pie de una estatua por los impacientes puñales de sus amigos, descubre entre las caras y los aceros la de Marco Junio Bruto, su protegido, acaso su hijo, y ya no se defiende y exclama: *¡Tú también, hijo mío!* Shakespeare y Quevedo recogen el patético grito.

Al destino le agradan las repeticiones, las variantes, las simetrías; diecinueve siglos después, en el sur de la provincia de Buenos Aires, un gaucho es agredido por otros gauchos y, al caer, reconoce a un ahijado suyo y le dice con mansa reconvención y lenta sorpresa (estas palabras hay que oírlas, no leerlas): *Pero, che!* Lo matan y no sabe que muere para que se repita una escena.

UN PROBLEMA

Imaginemos que en Toledo se descubre un papel con un texto arábigo y que los paleógrafos lo declaran de puño y letra de aquel Cide Hamete Benengeli de quien Cervantes derivó el Don Quijote. En el texto leemos que el héroe (que, como es fama, recorría los caminos de España, armado de espada y de lanza, y desafiaba por cualquier motivo a cualquiera) descubre, al cabo de uno de sus muchos combates, que ha dado muerte a un hombre. En este punto cesa el fragmento; el problema es adivinar, o conjeturar, cómo reacciona Don Quijote.

Que yo sepa, hay tres contestaciones posibles. La primera es de índole negativa; nada especial ocurre, porque en el mundo alucinatorio de Don Quijote la muerte no es menos común que la magia y haber matado a un hombre no tiene por qué perturbar a quien se bate, o cree batirse, con endriagos y encantadores. La segunda es patética. Don Quijote no logró jamás olvidar que era una proyección de Alonso Quijano, lector de historias fabulosas; ver la muerte, comprender que un sueño lo ha llevado a la culpa de Caín, lo despierta de su consentida locura acaso para siempre. La tercera es quizá la más verosímil. Muerto aquel hombre, Don Quijote no puede admitir que el acto tremendo es obra de un delirio;

la realidad del efecto le hace presuponer una pareja realidad de la causa y Don Quijote no saldrá nunca de su locura.

Queda otra conjetura, que es ajena al orbe español y aun al orbe del Occidente y requiere un ámbito más antiguo, más complejo y más fatigado. Don Quijote —que ya no es Don Quijote sino un rey de los ciclos del Indostán— intuye ante el cadáver del enemigo que matar y engendrar son actos divinos o mágicos que notoriamente trascienden la condición humana. Sabe que el muerto es ilusorio como lo son la espada sangrienta que le pesa en la mano y él mismo y toda su vida pretérita y los vastos dioses y el universo.

UNA ROSA AMARILLA

Ni aquella tarde ni la otra murió el ilustre Giambattista Marino, que las bocas unánimes de la Fama (para usar una imagen que le fue cara) proclamaron el nuevo Homero y el nuevo Dante, pero el hecho inmóvil y silencioso que entonces ocurrió fue en verdad el último de su vida. Colmado de años y de gloria, el hombre se moría en un vasto lecho español de columnas labradas. Nada cuesta imaginar a unos pasos un sereno balcón que mira al poniente y, más abajo, mármoles y laureles y un jardín que duplica sus graderías en un agua rectangular. Una mujer ha puesto en una copa una rosa amarilla; el hombre murmura los versos inevitables que a él mismo, para hablar con sinceridad, ya lo hastían un poco:

> *Púrpura del jardín, pompa del prado,*
> *gema de primavera, ojo de abril...*

Entonces ocurrió la revelación. Marino *vio* la rosa, como Adán pudo verla en el Paraíso, y sintió que ella estaba en su eternidad y no en sus palabras y que podemos mencionar o aludir pero no expresar y que los altos y soberbios volúmenes que formaban en un ángulo de la sala una penumbra de oro no eran (como su vanidad soñó) un espejo del mundo, sino una cosa más agregada al mundo.

Esta iluminación alcanzó Marino en la víspera de su muerte, y Homero y Dante acaso la alcanzaron también.

EL TESTIGO

En un establo que está casi a la sombra de la nueva iglesia de piedra, un hombre de ojos grises y barba gris, tendido entre el olor de los animales, humildemente busca la muerte como quien busca el sueño. El día, fiel a vastas leyes secretas, va desplazando y confundiendo las sombras en el pobre recinto; afuera están las tierras aradas y un zanjón cegado por hojas muertas y algún rastro de lobo en el barro negro donde empiezan los bosques. El hombre duerme y sueña, olvidado. El toque de oración lo despierta. En los reinos de Inglaterra el son de campanas ya es uno de los hábitos de la tarde, pero el hombre, de niño, ha visto la cara de Woden, el horror divino y la exultación, el torpe ídolo de madera recargado de monedas romanas y de vestiduras pesadas, el sacrificio de caballos, perros y prisioneros. Antes del alba morirá y con él morirán, y no volverán, las últimas imágenes inmediatas de los ritos paganos; el mundo será un poco más pobre cuando este sajón haya muerto.

Hechos que pueblan el espacio y que tocan a su fin cuando alguien se muere pueden maravillarnos, pero una cosa, o un número infinito de cosas, muere en cada agonía, salvo que exista una memoria del universo, como han conjeturado los teósofos. En el tiempo hubo un día que apagó los últimos ojos que vieron a Cristo; la batalla de Junín y el amor de Helena murieron con la muerte de un hombre. ¿Qué morirá conmigo cuando yo muera, qué forma patética o deleznable perderá el mundo? ¿La voz de Macedonio Fernández, la imagen de un caballo colorado en el baldío de Serrano y de Charcas, una barra de azufre en el cajón de un escritorio de caoba?

MARTÍN FIERRO

De esta ciudad salieron ejércitos que parecían grandes y que después lo fueron por la magnificación de la gloria. Al cabo de los años, alguno de los soldados volvió y, con un dejo forastero, refirió historias que le habían ocurrido en lugares llamados Ituzaingó o Ayacucho. Estas cosas, ahora, son como si no hubieran sido.

Dos tiranías hubo aquí. Durante la primera, unos hombres, desde el pescante de un carro que salía del mercado del Plata, pregonaron duraznos blancos y amarillos; un chico levantó una punta de la lona que los cubría y vio cabezas unitarias con la barba sangrienta. La segunda fue para muchos cárcel y muerte; para todos un malestar, un sabor de oprobio en los actos de cada día, una humillación incesante. Estas cosas, ahora, son como si no hubieran sido.

Un hombre que sabía todas las palabras miró con minucioso amor las plantas y los pájaros de esta tierra y los definió, tal vez para siempre, y escribió con metáforas de metales la vasta crónica de los tumultuosos ponientes y de las formas de la luna. Estas cosas, ahora, son como si no hubieran sido.

También aquí las generaciones han conocido esas vicisitudes comunes y de algún modo eternas que son la materia del arte. Estas cosas, ahora, son como si no hubieran sido, pero en una pieza de hotel, hacia mil ochocientos sesenta y tantos, un hombre soñó una pelea. Un gaucho alza a un moreno con el cuchillo, lo tira como un saco de huesos, lo ve agonizar y morir, se agacha para limpiar el acero, desata su caballo y monta despacio, para que no piensen que huye. Esto que fue una vez vuelve a ser, infinitamente; los visibles ejércitos se fueron y queda un pobre duelo a cuchillo; el sueño de uno es parte de la memoria de todos.

MUTACIONES

En un corredor vi una flecha que indicaba una dirección y pensé que aquel símbolo inofensivo había sido alguna vez una cosa de hierro, un proyectil inevitable y mortal, que entró en la carne de los hombres y de los leones y nubló el sol en las Termópilas y dio a Harald Sigurdarson, para siempre, seis pies de tierra inglesa.

Días después, alguien me mostró una fotografía de un jinete magyar; un lazo dado vueltas rodeaba el pecho de su cabalgadura. Supe que el lazo, que antes anduvo por el aire y sujetó a los toros del pastizal, no era sino una gala insolente del apero de los domingos.

En el cementerio del Oeste vi una cruz rúnica, labrada en mármol rojo; los brazos eran curvos y se ensanchaban y los rodeaba un círculo. Esa cruz apretada y limitada figuraba la otra, de brazos libres, que a su vez figura el patíbulo en que un dios padeció, la "máquina vil" insultada por Luciano de Samosata.

Cruz, lazo y flecha, viejos utensilios del hombre, hoy rebajados o elevados a símbolos; no sé por qué me maravillan, cuando no hay en la tierra una sola cosa que el olvido no borre o que la memoria no altere y cuando nadie sabe en qué imágenes lo traducirá el porvenir.

PARÁBOLA DE CERVANTES Y DE QUIJOTE

Harto de su tierra de España, un viejo soldado del rey buscó solaz en las vastas geografías de Ariosto, en aquel valle de la luna donde está el tiempo que malgastan los sueños y en el ídolo de oro de Mahoma que robó Montalbán.

En mansa burla de sí mismo, ideó un hombre crédulo que, perturbado por la lectura de maravillas, dio en buscar proezas y encantamientos en lugares prosaicos que se llamaban El Toboso o Montiel.

Vencido por la realidad, por España, Don Quijote murió en su aldea natal hacia 1614. Poco tiempo lo sobrevivió Miguel de Cervantes.

Para los dos, para el soñador y el soñado, toda esa trama fue la oposición de dos mundos: el mundo irreal de los libros de caballerías, el mundo cotidiano y común del siglo XVII.

No sospecharon que los años acabarían por limar la discordia, no sospecharon que la Mancha y Montiel y la magra figura del caballero serían, para el porvenir, no menos poéticas que las etapas de Simbad o que las vastas geografías de Ariosto.

Porque en el principio de la literatura está el mito, y asimismo en el fin.

Clínica Devoto, enero de 1955.

PARADISO, XXXI, 108

Diodoro Sículo refiere la historia de un dios despedazado y disperso; quién, al andar por el crepúsculo o al trazar una fecha de su pasado, no sintió alguna vez que se había perdido una cosa infinita.

Los hombres han perdido una cara, una cara irrecuperable, y todos querían ser aquel peregrino (soñado en el empíreo, bajo la Rosa) que en Roma ve el sudario de la Verónica y murmura con fe: Jesucristo, Dios mío, Dios verdadero ¿así era, pues, tu cara?

Una cara de piedra hay en un camino y una inscripción que dice *El verdadero Retrato de la Santa Cara del Dios de Jaén*; si realmente supiéramos cómo fue, sería nuestra la clave de las parábolas y sabríamos si el hijo del carpintero fue también el Hijo de Dios.

Pablo la vio como una luz que lo derribó; Juan, como el sol cuando resplandece en su fuerza; Teresa de Jesús, muchas veces, bañada en luz tranquila, y no pudo jamás precisar el color de los ojos.

Perdimos esos rasgos, como puede perderse un número mágico, hecho de cifras habituales; como se pierde para siempre una imagen en el calidoscopio. Podemos verlos e ignorarlos. El perfil de un judío en el subterráneo es tal vez el de Cristo; las manos que nos dan unas monedas en una ventanilla tal vez repiten las que unos soldados, un día, clavaron en la cruz.

Tal vez un rasgo de la cara crucificada acecha en cada espejo; tal vez la cara se murió, se borró, para que Dios sea todos.

Quién sabe si esta noche no la veremos en los laberintos del sueño y no lo sabremos mañana.

PARABOLA DEL PALACIO

Aquel día, el Emperador Amarillo mostró su palacio al poeta. Fueron dejando atrás, en largo desfile, las primeras terrazas occidentales que, como gradas de un casi inabarcable anfiteatro, declinan hacia un paraíso o jardín cuyos espejos de metal y cuyos intrincados cercos de enebro prefiguraban ya el laberinto. Alegremente se perdieron en él, al principio como si condescendieran a un juego y después no sin inquietud, porque sus rectas avenidas adolecían de una curvatura muy suave pero continua y secretamente eran círculos. Hacia la medianoche, la observación de los planetas y el oportuno sacrificio de una tortuga les permitieron desligarse de esa región que parecía hechizada, pero no del sentimiento de estar perdido, que los acompañó hasta el fin. Antecámaras y patios y bibliotecas recorrieron después y una sala exagonal con una clepsidra, y una mañana divisaron desde una torre un hombre de piedra, que luego se les perdió para siempre. Muchos resplandecientes ríos atravesaron en canoas de sándalo, o un solo río muchas veces. Pasaba el séquito imperial y la gente se prosternaba, pero un día arribaron a una isla en que alguno no lo hizo, por no haber visto nunca al Hijo del Cielo, y el verdugo tuvo que decapitarlo. Negras cabelleras y negras danzas y complicadas máscaras de oro vieron con indiferencia sus ojos;

lo real se confundía con lo soñado o, mejor dicho, lo real era una de las configuraciones del sueño. Parecía imposible que la tierra fuera otra cosa que jardines, aguas, arquitecturas y formas de esplendor. Cada cien pasos una torre cortaba el aire; para los ojos el color era idéntico, pero la primera de todas era amarilla y la última escarlata, tan delicadas eran las gradaciones y tan larga la serie.

Al pie de la penúltima torre fue que el poeta (que estaba como ajeno a los espectáculos que eran maravilla de todos) recitó la breve composición que hoy vinculamos indisolublemente a su nombre y que, según repiten los historiadores más elegantes, le deparó la inmortalidad y la muerte. El texto se ha perdido; hay quien entiende que constaba de un verso; otros, de una sola palabra. Lo cierto, lo increíble, es que en el poema estaba entero y minucioso el palacio enorme, con cada ilustre porcelana y cada dibujo en cada porcelana y las penumbras y las luces de los crepúsculos y cada instante desdichado o feliz de las gloriosas dinastías de mortales, de dioses y de dragones que habitaron en él desde el interminable pasado. Todos callaron, pero el Emperador exclamó: *¡Me has arrebatado el palacio!* y la espada de hierro del verdugo segó la vida del poeta.

Otros refieren de otro modo la historia. En el mundo no puede haber dos cosas iguales; bastó (nos dicen) que el poeta pronunciara el poema para que desapareciera el palacio, como abolido y fulminado por la última sílaba. Tales leyendas, claro está, no pasan de ser ficciones literarias. El poeta era esclavo del emperador y murió como tal; su composición cayó en el olvido porque merecía el olvido y sus descendientes buscan aún, y no encontrarán, la palabra del universo.

EVERYTHING AND NOTHING

Nadie hubo en él; detrás de su rostro (que aun a través de las malas pinturas de la época no se parece a ningún otro) y de sus palabras, que eran copiosas, fantásticas y agitadas, no había más que un poco de frío, un sueño no soñado por alguien. Al principio creyó que todas las personas eran como él, pero la extrañeza de un compañero con el que había empezado a comentar esa vacuidad, le reveló su error y le dejó sentir para siempre, que un individuo no debe diferir de especie. Alguna vez pensó que en los libros hallaría remedio para su mal y así aprendió el poco latín y menos griego de que hablaría un contemporáneo; después consideró que en el ejercicio de un rito elemental de la humanidad, bien podía estar lo que buscaba y se dejó iniciar por Anne Hathaway, durante una larga siesta de junio. A los veintitantos años fue a Londres. Instintivamente, ya se había adiestrado en el hábito de simular que era alguien, para que no se descubriera su condición de nadie; en Londres encontró la profesión a la que estaba predestinado, la del actor, que en un escenario, juega a ser otro, ante un concurso de personas que juegan a tomarlo por aquel otro. Las tareas histriónicas le enseñaron una felicidad singular, acaso la primera que conoció; pero aclamado el último verso y retirado de la escena el último muerto, el odiado sabor de la irrealidad recaía sobre él. Dejaba de ser Ferrex o Tamerlán y volvía a ser nadie. Acosado, dio en imaginar otros héroes y otras fábulas trágicas. Así, mientras el cuerpo cumplía su destino de cuerpo, en lupanares y tabernas de Londres, el alma que lo habitaba era César, que desoye la admonición del augur, y Julieta, que aborrece a la alondra, y Macbeth, que conversa en el páramo con las brujas que también son las parcas. Nadie fue tantos hombres como aquel hombre, que a semejanza del egipcio Proteo pudo agotar todas las apariencias del ser. A veces, dejó en algún recodo de la obra una confesión, seguro de que no la descifrarían; Ricardo afirma que en su sola persona, hace el papel de muchos, y Yago dice con curiosas palabras *no soy lo que soy*. La identidad fundamental de existir, soñar y representar le inspiró pasajes famosos.

Veinte años persistió en esa alucinación dirigida, pero una mañana lo sobrecogieron el hastío y el horror de ser tantos reyes que mueren por la espada y tantos desdichados amantes que convergen, divergen y melodiosamente agonizan. Aquel mismo día resolvió la venta de su teatro. Antes de una semana había regresado al pueblo natal, donde recuperó los árboles y el río de la niñez y no los vinculó a aquellos otros que había celebrado su musa, ilustres de alusión mitológica y de voces latinas. Tenía que ser alguien; fue un empresario retirado que ha hecho fortuna y a quien le interesan los préstamos, los litigios y la pequeña usura. En ese carácter dictó el árido testamento que conocemos, del que deliberadamente excluyó todo rasgo patético o literario. Solían visitar su retiro amigos de Londres, y él retomaba para ellos el papel de poeta.

La historia agrega que, antes o después de morir, se supo frente a Dios y le dijo: *Yo, que tantos hombres he sido en vano, quiero ser uno y yo*. La voz de Dios le contestó desde un torbellino: *Yo tampoco soy; yo soñé el mundo como tú soñaste tu obra, mi Shakespeare, y entre las formas de mi sueño estás tú, que como yo eres muchos y nadie.*

RAGNARÖK

En los sueños (escribe Coleridge) las imágenes figuran las impresiones que pensamos que causan; no sentimos horror porque nos oprime una esfinge, soñamos una esfinge para explicar el horror que sentimos. Si esto es así ¿cómo podría una mera crónica de sus formas trasmitir el estupor, la exaltación, las alarmas, la amenaza y el júbilo que tejieron el sueño de esa noche? Ensayaré esa crónica, sin embargo; acaso el hecho de que una sola escena integró aquel sueño borre o mitigue la dificultad esencial.

El lugar era la Facultad de Filosofía y Letras; la hora, el atardecer. Todo (como suele ocurrir en los sueños) era un poco distinto; una ligera magnificación alteraba las cosas. Elegíamos autoridades; yo hablaba con Pedro Henríquez Ureña, que en la vigilia ha muerto hace muchos años. Bruscamente nos aturdió un clamor de manifestación o de murga. Alaridos humanos y animales llegaban desde el Bajo. Una voz gritó: *¡Ahí vienen!* y después *¡Los Dioses! ¡Los Dioses!* Cuatro a cinco sujetos salieron de la turba y ocuparon la tarima del Aula Magna. Todos aplaudimos, llorando; eran los Dioses que volvían al cabo de un destierro de siglos. Agrandados por la tarima, la cabeza echada hacia atrás y el pecho hacia adelante, recibieron con soberbia nuestro homenaje. Uno sostenía una rama, que se conformaba, sin duda, a la sencilla botánica de los sueños; otro, en amplio ademán, extendía una mano que era una garra; una de las caras de Jano miraba con recelo el encorvado pico de Thoth. Tal vez excitado por nuestros aplausos, uno, ya no sé cual, prorrumpió en un cloqueo victorioso, increiblemente agrio, con algo de gárgara y de silbido. Las cosas, desde aquel momento, cambiaron.

Todo empezó por la sospecha (tal vez exagerada) de que los Dioses no sabían hablar. Siglos de vida fugitiva y feral habían atrofiado en ellos lo humano; la luna del Islam y la cruz de Roma habían sido implacables con esos prófugos. Frentes muy bajas, dentaduras amarillas, bigotes ralos de mulato o de chino y belfos bestiales publicaban la degeneración de la estirpe olímpica. Sus prendas no correspondían a una pobreza decorosa y decente sino al lujo malevo de los garitos y de los lupanares del Bajo. En un ojal sangraba un clavel; en un saco ajustado se adivinaba el bulto de una daga. Bruscamente sentimos que jugaban su última carta, que eran taimados, ignorantes y crueles como viejos animales de presa y que, si nos dejábamos ganar por el miedo o la lástima, acabarían por destruirnos.

Sacamos los pesados revólveres (de pronto hubo revólveres en el sueño) y alegremente dimos muerte a los Dioses.

INFERNO, I, 32

Desde el crepúsculo del día hasta el crepúsculo de la noche, un leopardo, en los años finales del siglo XII, veía unas tablas de madera, unos barrotes verticales de hierro, hombres y mujeres cambiantes, un paredón y tal vez una canaleta de piedra con hojas secas. No sabía, no podía saber, que anhelaba amor y crueldad y el caliente placer de despedazar y el viento con olor a venado, pero algo en él se ahogaba y se rebelaba y Dios le habló en un sueño: *Vives y morirás en esta prisión, para que un hombre que yo sé te mire un número determinado de veces y no te olvide y ponga tu figura y tu símbolo en un poema, que tiene su preciso lugar en la trama del universo. Padeces cautiverio, pero habrás dado una palabra al poema.* Dios, en el sueño, iluminó la rudeza del animal y éste comprendió las razones y aceptó ese destino, pero sólo hubo en él, cuando despertó, una oscura resignación, una valerosa ignorancia, porque la máquina del mundo es harto compleja para la simplicidad de una fiera.

Años después, Dante se moría en Ravena, tan injustificado y tan solo como cualquier otro hombre. En un sueño, Dios le declaró el secreto propósito de su vida y de su labor; Dante, maravillado, supo al fin quién era y qué era y bendijo sus amarguras. La tradición refiere que, al despertar, sintió que había recibido y perdido una cosa infinita, algo que no podría recuperar, ni vislumbrar siquiera, porque la máquina del mundo es harto compleja para la simplicidad de los hombres.

BORGES Y YO

Al otro, a Borges, es a quien le ocurren las cosas. Yo camino por Buenos Aires y me demoro, acaso ya mecánicamente, para mirar el arco de un zaguán y la puerta cancel; de Borges tengo noticias por el correo y veo su nombre en una terna de profesores o en un diccionario biográfico. Me gustan los relojes de arena, los mapas, la tipografía del siglo XVIII, el sabor del café y la prosa de Stevenson; el otro comparte esas preferencias, pero de un modo vanidoso que las convierte en atributos de un actor. Sería exagerado afirmar que nuestra relación es hostil; yo vivo, yo me dejo vivir, para que Borges pueda tramar su literatura y esa literatura me justifica. Nada me cuesta confesar que ha logrado ciertas páginas válidas, pero esas páginas no me pueden salvar, quizá porque lo bueno ya no es de nadie, ni siquiera del otro, sino del lenguaje o la tradición. Por lo demás, yo estoy destinado a perderme, definitivamente, y sólo algún instante de mí podrá sobrevivir en el otro. Poco a poco voy cediéndole todo, aunque me consta su perversa costumbre de falsear y magnificar. Spinoza entendió que todas las cosas quieren perseverar en su ser; la piedra eternamente quiere ser piedra y el tigre un tigre. Yo he de quedar en Borges, no en mí (si es que alguien soy), pero me reconozco menos en sus libros que en muchos otros o que en el laborioso rasgueo de una guitarra. Hace años yo traté de librarme de él y pasé de las mitologías del arrabal a los juegos con el tiempo y con lo infinito, pero esos juegos son de Borges ahora y tendré que idear otras cosas. Así mi vida es una fuga y todo lo pierdo y todo es del olvido, o del otro.

No sé cuál de los dos escribe esta página.

JORGE BORGES

POEMA DE LOS DONES

Nadie rebaje a lágrima o reproche
Esta declaración de la maestría
De Dios, que con magnífica ironía
Me dio a la vez los libros y la noche.

De esta ciudad de libros hizo dueños
A unos ojos sin luz, que sólo pueden
Leer en las bibliotecas de los sueños
Los insensatos párrafos que ceden

Las albas a su afán. En vano el día
Les prodiga sus libros infinitos,
Arduos como los arduos manuscritos
Que perecieron en Alejandría.

De hambre y de sed (narra una historia griega)
Muere un rey entre fuentes y jardines;
Yo fatigo sin rumbo los confines
De esta alta y honda biblioteca ciega.

Enciclopedias, atlas, el Oriente
Y el Occidente, siglos, dinastías,
Símbolos, cosmos y cosmogonías
Brindan los muros, pero inútilmente.

Lento en mi sombra, la penumbra hueca
Exploro con el báculo indeciso,
Yo, que me figuraba el Paraíso
Bajo la especie de una biblioteca.

Algo, que ciertamente no se nombra
Con la palabra *azar*, rige estas cosas;
Otro ya recibió en otras borrosas
Tardes los muchos libros y la sombra.

Al errar por las lentas galerías
Suelo sentir con vago horror sagrado
Que soy el otro, el muerto, que habrá dado
Los mismos pasos en los mismos días.

¿Cuál de los dos escribe este poema
De un yo plural y de una sola sombra?
¿Qué importa la palabra que me nombra
Si es indiviso y uno el anatema?

Groussac o Borges, miro este querido
Mundo que se deforma y que se apaga
En una pálida ceniza vaga
Que se parece al sueño y al olvido.

EL RELOJ DE ARENA

Está bien que se mida con la dura
Sombra que una columna en el estío
Arroja o con el agua de aquel río
En que Heráclito vio nuestra locura

El tiempo, ya que al tiempo y al destino
Se parecen los dos: la imponderable
Sombra diurna y el curso irrevocable
Del agua que prosigue su camino.

Está bien, pero el tiempo en los desiertos
Otra substancia halló, suave y pesada,
Que parece haber sido imaginada
Para medir el tiempo de los muertos.

Surge así el alegórico instrumento
De los grabados de los diccionarios,
La pieza que los grises anticuarios
Relegarán al mundo ceniciento

Del alfil desparejo, de la espada
Inerme, del borroso telescopio,
Del sándalo mordido por el opio,
Del polvo, del azar y de la nada.

¿Quién no se ha demorado ante el severo
Y tétrico instrumento que acompaña
En la diestra del dios a la guadaña
Y cuyas líneas repitió Durero?

Por el ápice abierto el cono inverso
Deja caer la minuciosa arena,
Oro gradual que se desprende y llena
El cóncavo cristal de su universo.

Hay un agrado en observar la arcana
Arena que resbala y que declina
Y, a punto de caer, se arremolina
Con una prisa que es del todo humana.

La arena de los ciclos es la misma
E infinita es la historia de la arena;
Así, bajo tus dichas o tu pena,
La invulnerable eternidad se abisma.

No se detiene nunca la caída.
Yo me desangro, no el cristal. El rito
De decantar la arena es infinito
Y con la arena se nos va la vida.

En los minutos de la arena creo
Sentir el tiempo cósmico: la historia
Que encierra en sus espejos la memoria
O que ha disuelto el mágico Leteo.

El pilar de humo y el pilar de fuego,
Cartago y Roma y su apretada guerra,

Simón Mago, los siete pies de tierra
Que el rey sajón ofrece al rey noruego,

Todo lo arrastra y pierde este incansable
Hilo sutil de arena numerosa.
No he de salvarme yo, fortuita cosa
De tiempo, que es materia deleznable.

AJEDREZ

I

En su grave rincón, los jugadores
Rigen las lentas piezas. El tablero
Los demora hasta el alba en su severo
Ámbito en que se odian dos colores.

Adentro irradian mágicos rigores
Las formas: torre homérica, ligero
Caballo, armada reina, rey postrero,
Oblicuo alfil y peones agresores.

Cuando los jugadores se hayan ido,
Cuando el tiempo los haya consumido,
Ciertamente no habrá cesado el rito.

En el oriente se encendió está guerra
Cuyo anfiteatro es hoy toda la tierra.
Como el otro, este juego es infinito.

II

Tenue rey, sesgo alfil, encarnizada
Reina, torre directa y peón ladino
Sobre lo negro y blanco del camino
Buscan y libran su batalla armada.

No saben que la mano señalada
Del jugador gobierna su destino,
No saben que un rigor adamantino
Sujeta su albedrío y su jornada.

También el jugador es prisionero
(La sentencia es de Omar) de otro tablero
De negras noches y de blancos días.

Dios mueve al jugador y éste, la pieza.
¿Qué dios detrás de Dios la trama empieza
De polvo y tiempo y sueño y agonía?

LOS ESPEJOS

Yo, que sentí el horror de los espejos
No sólo ante el cristal impenetrable
Donde acaba y empieza, inhabitable,
Un imposible espacio de reflejos

Sino ante el agua especular que imita
El otro azul en su profundo cielo
Que a veces raya el ilusorio vuelo
Del ave inversa o que un temblor agita

Y ante la superficie silenciosa
Del ébano sutil cuya tersura
Repite como un sueño la blancura
De un vago mármol o una vaga rosa,

Hoy, al cabo de tantos y perplejos
Años de errar bajo la varia luna,
Me pregunto qué azar de la fortuna
Hizo que yo temiera los espejos.

Espejos de metal, enmascarado
Espejo de caoba que en la bruma
De su rojo crepúsculo disfuma
Ese rostro que mira y es mirado,

Infinitos los veo, elementales
Ejecutores de un antiguo pacto,
Multiplicar el mundo como el acto
Generativo, insomnes y fatales.

Prolongan este vano mundo incierto
En su vertiginosa telaraña;
A veces en la tarde los empaña
El hálito de un hombre que no ha muerto.

Nos acecha el cristal. Si entre las cuatro
Paredes de la alcoba hay un espejo,
Ya no estoy solo. Hay otro. Hay el reflejo
Que arma en el alba un sigiloso teatro.

Todo acontece y nada se recuerda
En esos gabinetes cristalinos
Donde, como fantásticos rabinos,
Leemos los libros de derecha a izquierda.

Claudio, rey de una tarde, rey soñado,
No sintió que era un sueño hasta aquel día
En que un actor mimó su felonía
Con arte silencioso, en un tablado.

Que haya sueños es raro, que haya espejos,
Que el usual y gastado repertorio
De cada día incluya el ilusorio
Orbe profundo que urden los reflejos.

Dios (he dado en pensar) pone un empeño
En toda esa inasible arquitectura

Que edifica la luz con la tersura
Del cristal y la sombra con el sueño.

Dios ha creado las noches que se arman
De sueños y las formas del espejo
Para que el hombre sienta que es reflejo
Y vanidad. Por eso nos alarman.

ELVIRA DE ALVEAR

Todas las cosas tuvo y lentamente
Todas la abandonaron. La hemos visto
Armada de belleza. La mañana
Y el arduo mediodía le mostraron,
Desde su cumbre, los hermosos reinos
De la tierra. La tarde fue borrándolos.
El favor de los astros (la infinita
Y ubicua red de causas) le había dado
La fortuna, que anula las distancias
Como el tapiz del árabe, y confunde
Deseo y posesión, y el don del verso,
Que transforma las penas verdaderas
En una música, un rumor y un símbolo,
Y el fervor, y en la sangre la batalla
De Ituzaingó y el peso de laureles,
Y el goce de perderse en el errante
Río del tiempo (río y laberinto)
Y en los lentos colores de las tardes.
Todas las cosas la dejaron, menos
Una. La generosa cortesía
La acompañó hasta el fin de su jornada,
Más allá del delirio y del eclipse,
De un modo casi angélico. De Elvira

Lo primero que vi, hace tàntos años,
Fue la sonrisa y es también lo último.

SUSANA SOCA

Con lento amor miraba los dispersos
Colores de la tarde. Le placía
Perderse en la compleja melodía
O en la curiosa vida de los versos.
No el rojo elemental sino los grises
Hilaron su destino delicado,
Hecho a discriminar y ejercitado
En la vacilación y en los matices.
Sin atreverse a hollar este perplejo
Laberinto, miraba desde afuera
Las formas, el tumulto y la carrera,
Como aquella otra dama del espejo.
Dioses que moran más allá del ruego
La abandonaron a ese tigre, el Fuego.

LA LUNA

Cuenta la historia que en aquel pasado
Tiempo en que sucedieron tantas cosas
Reales, imaginarias y dudosas,
Un hombre concibió el desmesurado

Proyecto de cifrar el universo
En un libro y con ímpetu infinito
Erigió el alto y arduo manuscrito
Y limó y declamó el último verso.

Gracias iba a rendir a la fortuna
Cuando al alzar los ojos vio un bruñido
Disco en el aire y comprendió, aturdido,
Que se había olvidado de la luna.

La historia que he narrado aunque fingida,
Bien puede figurar el maleficio
De cuantos ejercemos el oficio
De cambiar en palabras nuestra vida.

Siempre se pierde lo esencial. Es una
Ley de toda palabra sobre el numen.
No lo sabrá eludir este resumen
De mi largo comercio con la luna.

No sé dónde la vi por vez primera,
Si en el cielo anterior de la doctrina
Del griego o en la tarde que declina
Sobre el patio del pozo y de la higuera.

Según se sabe, esta mudable vida
Puede, entre tantas cosas, ser muy bella
Y hubo así alguna tarde en que con ella
Te miramos, oh luna compartida.

Más que las lunas de las noches puedo
Recordar las del verso: la hechizada
Dragon moon que da horror a la balada
Y la luna sangrienta de Quevedo.

De otra luna de sangre y de escarlata
Habló Juan en su libro de feroces
Prodigios y de júbilos atroces;
Otras más claras lunas hay de plata.

Pitágoras con sangre (narra una
Tradición) escribía en un espejo
Y los hombres leían el reflejo
En aquel otro espejo que es la luna.

De hierro hay una selva donde mora
El alto lobo cuya extraña suerte
Es derribar la luna y darle muerte
Cuando enrojezca el mar la última aurora.

(Esto el Norte profético lo sabe
Y también que ese día los abiertos

Mares del mundo infestará la nave
Que se hace con las uñas de los muertos.)

Cuando, en Ginebra o Zürich, la fortuna
Quiso que yo también fuera poeta,
Me impuse, como todos, la secreta
Obligación de definir la luna.

Con una suerte de estudiosa pena
Agotaba modestas variaciones,
Bajo el vivo temor de que Lugones
Ya hubiera usado el ámbar o la arena.

De lejano marfil, de humo, de fría
Nieve fueron las lunas que alumbraron
Versos que ciertamente no lograron
El arduo honor de la tipografía.

Pensaba que el poeta es aquel hombre
Que, como el rojo Adán del Paraíso,
Impone a cada cosa su preciso
Y verdadero y no sabido nombre.

Ariosto me enseñó que en la dudosa
Luna moran los sueños, lo inasible,
El tiempo que se pierde, lo posible
O lo imposible, que es la misma cosa.

De la Diana triforme Apolodoro
Me dejó divisar la sombra mágica;
Hugo me dio una hoz que era de oro,
Y un irlandés, su oscura luna trágica.

Y, mientras yo sondeaba aquella mina
De las lunas de la mitología,
Ahí estaba, a la vuelta de una esquina,
La luna celestial de cada día.

Sé que entre todas las palabras, una
Hay para recordarla o figurarla.
El secreto, a mi ver, está en usarla
Con humildad. Es la palabra *luna*.

Ya no me atrevo a macular su pura
Aparición con una imagen vana;
La veo indescifrable y cotidiana
Y más allá de mi literatura.

Sé que la luna o la palabra *luna*
Es una letra que fue creada para
La compleja escritura de esa rara
Cosa que somos, numerosa y una.

Es uno de los símbolos que al hombre
Da el hado o el azar para que un día
De exaltación gloriosa o agonía
Pueda escribir su verdadero nombre.

LA LLUVIA

Bruscamente la tarde se ha aclarado
Porque ya cae la lluvia minuciosa.
Cae o cayó. La lluvia es una cosa
Que sin duda sucede en el pasado.

Quien la oye caer ha recobrado
El tiempo en que la suerte venturosa
Le reveló una flor llamada *rosa*
Y el curioso color del colorado.

Esta lluvia que ciega los cristales
Alegrará en perdidos arrabales
Las negras uvas de una parra en cierto

Patio que ya no existe. La mojada
Tarde me trae la voz, la voz deseada,
De mi padre que vuelve y que no ha muerto.

A LA EFIGIE DE UN CAPITÁN DE LOS EJÉRCITOS DE CROMWELL

No rendirán de Marte las murallas
A éste, que salmos del Señor inspiran;
Desde otra luz (desde otro siglo) miran
Los ojos, que miraron las batallas.
La mano está en los hierros de la espada.
Por la verde región anda la guerra;
Detrás de la penumbra está Inglaterra,
Y el caballo y la gloria y tu jornada.
Capitán, los afanes son engaños,
Vano el arnés y vana la porfía
Del hombre, cuyo término es un día;
Todo ha concluido hace ya muchos años.
El hierro que ha de herirte se ha herrumbrado;
Estás (como nosotros) condenado.

A UN VIEJO POETA

Caminas por el campo de Castilla
Y casi no lo ves. Un intrincado
Versículo de Juan es tu cuidado
Y apenas reparaste en la amarilla

Puesta del sol. La vaga luz delira
Y en el confín del Este se dilata
Esa luna de escarnio y de escarlata
Que es acaso el espejo de la Ira.

Alzas los ojos y la miras. Una
Memoria de algo que fue tuyo empieza
Y se apaga. La pálida cabeza

Bajas y sigues caminando triste,
Sin recordar el verso que escribiste:
Y su epitafio la sangrienta luna.

EL OTRO TIGRE

And the craft that createth a semblance
MORRIS: SIGURD THE VOLSUNG *(1876)*

Pienso en un tigre. La penumbra exalta
La vasta Biblioteca laboriosa
Y parece alejar los anaqueles;
Fuerte, inocente, ensangrentado y nuevo,
Él irá por su selva y su mañana
Y marcará su rastro en la limosa
Margen de un río cuyo nombre ignora
(En su mundo no hay nombres ni pasado
Ni porvenir, sólo un instante cierto)
Y salvará las bárbaras distancias
Y husmeará en el trenzado laberinto
De los olores el olor del alba
Y el olor deleitable del venado.
Entre las rayas de bambú descifro
Sus rayas y presiento la osatura
Bajo la piel espléndida que vibra.
En vano se interponen los convexos
Mares y los desiertos del planeta;
Desde esta casa de un remoto puerto
De América del Sur, te sigo y sueño,
Oh tigre de las márgenes del Ganges.

Cunde la tarde en mi alma y reflexiono
Que el tigre vocativo de mi verso
Es un tigre de símbolos y sombras,
Una serie de tropos literarios
Y de memorias de la enciclopedia
Y no el tigre fatal, la aciaga joya
Que, bajo el sol o la diversa luna,
Va cumpliendo en Sumatra o en Bengala
Su rutina de amor, de ocio y de muerte.
Al tigre de los símbolos he opuesto
El verdadero, el de caliente sangre,
El que diezma la tribu de los búfalos
Y hoy, 3 de agosto del 59,
Alarga en la pradera una pausada
Sombra, pero ya el hecho de nombrarlo
Y de conjeturar su circunstancia
Lo hace ficción del arte y no criatura
Viviente de las que andan por la tierra.

Un tercer tigre buscaremos. Este
Será como los otros una forma
De mi sueño, un sistema de palabras
Humanas y no el tigre vertebrado
Que, más allá de las mitologías,
Pisa la tierra. Bien lo sé, pero algo
Me impone esta aventura indefinida
Insensata y antigua, y persevero
En buscar por el tiempo de la tarde
El otro tigre, el que no está en el verso.

BLIND PEW

Lejos del mar y de la hermosa guerra,
Que así el amor lo que ha perdido alaba,
El bucanero ciego fatigaba
Los terrosos caminos de Inglaterra.

Ladrado por los perros de las granjas,
Pifia de los muchachos del poblado,
Dormía un achacoso y agrietado
Sueño en el negro polvo de las zanjas.

Sabía que en remotas playas de oro
Era suyo un recóndito tesoro
Y esto aliviaba su contraria suerte;

También a ti en remotas playas de oro
Te aguarda incorruptible tu tesoro:
La vasta y vaga populosa muerte.

ALUSIÓN A UNA SOMBRA DE MIL OCHOCIENTOS NOVENTA Y TANTOS

Nada. Sólo el cuchillo de Muraña.
Sólo en la tarde gris la historia trunca.
No se por qué en las tardes me acompaña
Este asesino que no he visto nunca.
Palermo era más bajo. El amarillo
Paredón de la cárcel dominaba
Arrabal y barrial. Por esa brava
Región anduvo el sórdido cuchillo.
El cuchillo. La cara se ha borrado
Y de aquel mercenario cuyo austero
Oficio era el coraje, no ha quedado
Más que una sombra y un fulgor de acero.
Que el tiempo, que los mármoles empaña,
Salve este firme nombre: Juan Muraña.

ALUSIÓN A LA MUERTE DEL CORONEL FRANCISCO BORGES (1835-74)

Lo dejo en el caballo, en esa hora
Crepuscular en que buscó la muerte;
Que de todas las horas de su suerte
Ésta perdure, amarga y vencedora.
Avanza por el campo la blancura
Del caballo y del poncho. La paciente
Muerte acecha en los rifles. Tristemente
Francisco Borges va por la llanura.
Esto que lo cercaba, la metralla,
Esto que ve, la pampa desmedida,
Es lo que vio y oyó toda la vida.
Está en lo cotidiano, en la batalla.
Alto lo dejo en su épico universo
Y casi no tocado por el verso.

IN MEMORIAM A. R.

El vago azar o las precisas leyes
Que rigen este sueño, el universo,
Me permitieron compartir un terso
Trecho del curso con Alfonso Reyes.

Supo bien aquel arte que ninguno
Supo del todo, ni Simbad ni Ulises,
Que es pasar de un país a otros países
Y estar íntegramente en cada uno.

Si la memoria le clavó su flecha
Alguna vez, labró con el violento
Metal del arma el numeroso y lento
Alejandrino o la afligida endecha.

En los trabajos lo asistió la humana
Esperanza y fue lumbre de su vida
Dar con el verso que ya no se olvida
Y renovar la prosa castellana.

Más allá del Myo Cid de paso tardo
Y de la grey que aspira a ser oscura,
Rastreaba la fugaz literatura
Hasta los arrabales del lunfardo.

En los cinco jardines del Marino
Se demoró, pero algo en él había
Inmortal y esencial que prefería
El arduo estudio y el deber divino.

Prefirió, mejor dicho, los jardines
De la meditación, donde Porfirio
Erigió ante las sombras y el delirio
El Árbol del Principio y de los Fines.

Reyes, la minuciosa providencia
Que administra lo pródigo y lo parco
Nos dio a los unos el sector o el arco,
Pero a ti la total circunferencia.

Lo dichoso buscabas o lo triste
Que ocultan frontispicios y renombres;
Como el Dios del Erígena, quisiste
Ser nadie para ser todos los hombres.

Vastos y delicados esplendores
Logró tu estilo, esa precisa rosa,
Y a las guerras de Dios tornó gozosa
La sangre militar de tus mayores.

¿Dónde estará (pregunto) el mexicano?
¿Contemplará con el horror de Edipo
Ante la extraña Esfinge, el Arquetipo
Inmóvil de la Cara o de la Mano?

¿O errará, como Swedenborg quería,
Por un orbe más vívido y complejo

Que el terrenal, que apenas es reflejo
De aquella alta y celeste algarabía?

Si (como los imperios de la laca
Y del ébano enseñan) la memoria
Labra su íntimo Edén, ya hay en la gloria
Otro México y otra Cuernavaca.

Sabe Dios los colores que la suerte
Propone al hombre más allá del día;
Yo ando por estas calles. Todavía
Muy poco se me alcanza de la muerte.

Sólo una cosa sé. Que Alfonso Reyes
(Dondequiera que el mar lo haya arrojado)
Se aplicará dichoso y desvelado
Al otro enigma y a las otras leyes.

Al impar tributemos y al diverso
Las palmas y el clamor de una victoria;
No profanen las lágrimas el verso
Que nuestro amor inscribe a su memoria.

LOS BORGES

Nada o muy poco sé de mis mayores
Portugueses, los Borges: vaga gente
Que prosigue en mi carne, oscuramente,
Sus hábitos, rigores y temores.
Tenues como si nunca hubieran sido
Y ajenos a los trámites del arte,
Indescifrablemente forman parte
Del tiempo, de la tierra y del olvido.
Mejor así. Cumplida la faena,
Son Portugal, son la famosa gente
Que forzó las murallas del Oriente
Y se dio al mar y al otro mar de arena.
Son el rey que en el místico desierto
Se perdió y el que jura que no ha muerto.

A LUIS DE CAMOENS

Sin lástima y sin ira el tiempo mella
Las heroicas espadas. Pobre y triste
A tu patria nostálgica volviste,
Oh capitán, para morir en ella
Y con ella. En el mágico desierto
La flor de Portugal se había perdido
Y el áspero español, antes vencido,
Amenazaba su costado abierto.
Quiero saber si aquende la ribera
Última comprendiste humildemente
Que todo lo perdido, el Occidente
Y el Oriente, el acero y la bandera,
Perduraría (ajeno a toda humana
Mutación) en tu Eneida lusitana.

MIL NOVECIENTOS VEINTITANTOS

La rueda de los astros no es infinita
Y el tigre es una de las formas que vuelven,
Pero nosotros, lejos del azar y de la aventura,
Nos creíamos desterrados a un tiempo exhausto,
El tiempo en el que nada puede ocurrir.
El universo, el trágico universo, no estaba aquí
Y fuerza era buscarlo en otros lugares;
Yo tramaba una humilde mitología de tapias y cuchillos
Y Ricardo pensaba en sus reseros.

No sabíamos que el porvenir encerraba el rayo,
No presentimos el oprobio, el incendio y la tremenda
[noche de la Alianza;
Nada nos dijo que la historia argentina echaría a andar
[por las calles,
La historia, la indignación, el amor,
Las muchedumbres como el mar, el nombre de Córdoba,
El sabor de lo real y de lo increíble, el horror y la
[gloria.

ODA COMPUESTA EN 1960

El claro azar o las secretas leyes
Que rigen este sueño, mi destino,
Quieren, oh necesaria y dulce patria
Que no sin gloria y sin oprobio abarcas
Ciento cincuenta laboriosos años,
Que yo, la gota, hable contigo, el río,
Que yo, el instante, hable contigo, el tiempo,
Y que el íntimo diálogo recurra,
Como es de uso, a los ritos y a la sombra
Que aman los dioses y al pudor del verso.

Patria yo te he sentido en los ruinosos
Ocasos de los vastos arrabales
Y en esa flor de cardo que el pampero
Trae al zaguán y en la paciente lluvia
Y en las lentas costumbres de los astros
Y en la mano que templa una guitarra
Y en la gravitación de la llanura
Que desde lejos nuestra sangre siente
Como el britano el mar y en los piadosos
Símbolos y jarrones de una bóveda
Y en el rendido amor de los jazmines
Y en la plata de un marco y en el suave

Roce de la caoba silenciosa
Y en sabores de carnes y de frutas
Y en la bandera casi azul y blanca
De un cuartel y en historias desganadas
De cuchillo y de esquina y en las tardes
Iguales que se apagan y nos dejan
Y en la vaga memoria complacida
De patios con esclavos que llevaban
El nombre de sus amos y en las pobres
Hojas de aquellos libros para ciegos
Que el fuego dispersó y en la caída
De las épicas lluvias de setiembre
Que nadie olvidará, pero estas cosas
Son apenas tus modos y tus símbolos.

Eres más que tu largo territorio
Y que los días de tu largo tiempo,
Eres más que la suma inconcebible
de tus generaciones. No sabemos
Cómo eres para Dios en el viviente
Seno de los eternos arquetipos,
Pero por ese rostro vislumbrado
Vivimos y morimos y anhelamos,
Oh inseparable y misteriosa patria.

ARIOSTO Y LOS ÁRABES

Nadie puede escribir un libro. Para
Que un libro sea verdaderamente,
Se requieren la aurora y el poniente,
Siglos, armas y el mar que une y separa.

Así lo pensó Ariosto, que al agrado
Lento se dio, en el ocio de caminos
De claros mármoles y negros pinos,
De volver a soñar lo ya soñado.

El aire de su Italia estaba henchido
De sueños, que con formas de la guerra
Que en duros siglos fatigó la tierra
Urdieron la memoria y el olvido.

Una legión que se perdió en los valles
De Aquitania cayó en una emboscada;
Así nació aquel sueño de una espada
Y del cuerno que clama en Roncesvalles.

Sus ídolos y ejércitos el duro
Sajón sobre los huertos de Inglaterra
Dilató en apretada y torpe guerra
Y de esas cosas quedó un sueño: Arturo.

De las islas boreales donde un ciego
Sol desdibuja el mar, llegó aquel sueño
De una virgen dormida que a su dueño
Aguarda, tras un círculo de fuego.

Quién sabe si de Persia o del Parnaso
Vino aquel sueño del corcel alado
Que por el aire el hechicero armado
Urge y que se hunde en el desierto ocaso.

Como desde el corcel del hechicero,
Ariosto vio los reinos de la tierra
Surcada por las fiestas de la guerra
Y del joven amor aventurero.

Como a través de tenue bruma de oro
Vio en el mundo un jardín que sus confines
Dilata en otros íntimos jardines
Para el amor de Angélica y Medoro.

Como los ilusorios esplendores
Que al Indostán deja entrever el opio,
Pasan por el Furioso los amores
En un desorden de calidoscopio.

Ni el amor ignoró ni la ironía
Y soñó así, de pudoroso modo,
El singular castillo en el que todo
Es (como en esta vida) una falsía.

Como a todo poeta, la fortuna
O el destino le dio una suerte rara;

Iba por los caminos de Ferrara
Y al mismo tiempo andaba por la luna.

Escoria de los sueños, indistinto
Limo que el Nilo de los sueños deja,
Con ellos fue tejida la madeja
De ese resplandeciente laberinto.

De ese enorme diamante en el que un hombre
Puede perderse venturosamente
Por ámbitos de música indolente,
Más allá de su carne y de su nombre.

Europa entera se perdió. Por obra
De aquel ingenuo y malicioso arte,
Milton pudo llorar de Brandimarte
El fin y de Dalinda la zozobra.

Europa se perdió, pero otros dones
Dio el vasto sueño a la famosa gente
Que habita los desiertos del Oriente
Y la noche cargada de leones.

De un rey que entrega, al despuntar el día,
Su reina de una noche a la implacable
Cimitarra, nos cuenta el deleitable
Libro que al tiempo encanta todavía.

Alas que son la brusca noche, crueles
Garras de las que pende un elefante,
Magnéticas montañas cuyo amante
Abrazo despedaza los bajeles,

La tierra sostenida por un toro
Y el toro por un pez; abracadabras,
Talismanes y místicas palabras
Que en el granito abren cavernas de oro;

Esto soñó la sarracena gente
Que sigue las banderas de Agramante;
Esto, que vagos rostros con turbante
Soñaron, se adueñó del Occidente.

Y el Orlando es ahora una risueña
Región que alarga inhabitadas millas
De inocentes y ociosas maravillas
Que son un sueño que ya nadie sueña.

Por islámicas artes reducido
A simple erudición, a mera historia,
Está solo, soñándose. (La gloria
Es una de las formas del olvido.)

Por el cristal ya pálido la incierta
Luz de una tarde más toca el volumen
Y otra vez arden y otra se consumen
Los oros que envanecen la cubierta.

En la desierta sala el silencioso
Libro viaja en el tiempo. Las auroras
Quedan atrás y las nocturnas horas
Y mi vida, este sueño presuroso.

AL INICIAR EL ESTUDIO DE LA GRAMÁTICA ANGLOSAJONA

Al cabo de cincuenta generaciones
(Tales abismos nos depara a todos el tiempo)
Vuelvo en la margen ulterior de un gran río
Que no alcanzaron los dragones del viking,
A las ásperas y laboriosas palabras
Que, con una boca hecha polvo,
Usé en los días de Nortumbria y de Mercia,
Antes de ser Haslam o Borges.
El sábado leímos que Julio el César
Fue el primero que vino de Romeburg para develar
[Inglaterra;
Antes que vuelvan los racimos habré escuchado
La voz del ruiseñor del enigma
Y la elegía de los doce guerreros
Que rodean el túmulo de su rey.
Símbolos de otros símbolos, variaciones
Del futuro inglés o alemán me parecen estas palabras
Que alguna vez fueron imágenes
Y que un hombre usó para celebrar el mar o una espada;
Mañana volverán a vivir,
Mañana *fyr* no será *fire* sino esa suerte
De dios domesticado y cambiante

Que a nadie le está dado mirar sin un antiguo asombro.

Alabado sea el infinito
Laberinto de los efectos y de las causas
Que antes de mostrarme el espejo
En que no veré a nadie o veré a otro
Me concede esta pura contemplación
De un lenguaje del alba.

LUCAS, XXIII

Gentil o hebreo o simplemente un hombre
Cuya cara en el tiempo se ha perdido;
Ya no rescataremos del olvido
Las silenciosas letras de su nombre.

Supo de la clemencia lo que puede
Saber un bandolero que Judea
Clava a una cruz. Del tiempo que antecede
Nada alcanzamos hoy. En su tarea

Última de morir crucificado,
Oyó, entre los escarnios de la gente,
Que el que estaba muriéndose a su lado
Era un dios y le dijo ciegamente:

Acuérdate de mí cuando vinieres
A tu reino, y la voz inconcebible
Que un día juzgará a todos los seres
Le prometió desde la Cruz terrible

El Paraíso. Nada más dijeron
Hasta que vino el fin, pero la historia

No dejará que muera la memoria
De aquella tarde en que los dos murieron.

Oh amigos, la inocencia de este amigo
De Jesucristo, ese candor que hizo
Que pidiera y ganara el Paraíso
Desde las ignominias del castigo,

Era el que tantas veces al pecado
Lo arrojó y al azar ensangrentado.

ADROGUÉ

Nadie en la noche indescifrable tema
Que yo me pierda entre las negras flores
Del parque, donde tejen su sistema
Propicio a los nostálgicos amores

O al ocio de las tardes, la secreta
Ave que siempre un mismo canto afina,
El agua circular y la glorieta,
La vaga estatua y la dudosa ruina.

Hueca en la hueca sombra, la cochera
Marca (lo sé) los trémulos confines
De este mundo de polvo y de jazmines,
Grato a Verlaine y grato a Julio Herrera.

Su olor medicinal dan a la sombra
Los eucaliptos: ese olor antiguo
Que, más allá del tiempo y del ambiguo
Lenguaje, el tiempo de las quintas nombra.

Mi paso busca y halla el esperado
umbral. Su oscuro borde la azotea
Define y en el patio ajedrezado
La canilla periódica gotea.

Duermen del otro lado de las puertas
Aquellos que por obra de los sueños
Son en la sombra visionaria dueños
Del vasto ayer y de las cosas muertas.

Cada objeto conozco de este viejo
Edificio: las láminas de mica
Sobre esa piedra gris que se duplica
Continuamente en el borroso espejo

Y la cabeza de león que muerde
Una argolla y los vidrios de colores
Que revelan al niño los primores
De un mundo rojo y de otro mundo verde.

Más allá del azar y de la muerte
Duran, y cada cual tiene su historia,
Pero todo esto ocurre en esa suerte
De cuarta dimensión, que es la memoria.

En ella y sólo en ella están ahora
Los patios y jardines. El pasado
Los guarda en ese círculo vedado
Que a un tiempo abarca el véspero y la aurora.

¿Cómo pude perder aquel preciso
Orden de humildes y queridas cosas,
Inaccesibles hoy como las rosas
Que dio al primer Adán el Paraíso?

El antiguo estupor de la elegía
Me abruma cuando pienso en esa casa

Y no comprendo cómo el tiempo pasa,
Yo, que soy tiempo y sangre y agonía.

ARTE POETICA

Mirar el río hecho de tiempo y agua
Y recordar que el tiempo es otro río,
Saber que nos perdemos como el río
Y que los rostros pasan como el agua.

Sentir que la vigilia es otro sueño
Que sueña no soñar y que la muerte
Que teme nuestra carne es esa muerte
De cada noche, que se llama sueño.

Ver en el día o en el año un símbolo
De los días del hombre y de sus años,
Convertir el ultraje de los años
En una música, un rumor y un símbolo,

Ver en la muerte el sueño, en el ocaso
Un triste oro, tal es la poesía
Que es inmortal y pobre. La poesía
Vuelve como la aurora y el ocaso.

A veces en las tardes una cara
Nos mira desde el fondo de un espejo;
El arte debe ser como ese espejo
Que nos revela nuestra propia cara.

Cuentan que Ulises, harto de prodigios,
Lloró de amor al divisar su Itaca
Verde y humilde. El arte es esa Itaca
De verde eternidad, no de prodigios.

También es como el río interminable
Que pasa y queda y es cristal de un mismo
Heráclito inconstante, que es el mismo
Y es otro, como el río interminable.

MUSEO

Del rigor en la ciencia

...En aquel Imperio, el Arte de la Cartografía logró tal Perfección que el mapa de una sola Provincia ocupaba toda una Ciudad, y el mapa del imperio, toda una Provincia. Con el tiempo, esos Mapas Desmesurados no satisfacieron y los Colegios de Cartógrafos levantaron un Mapa del Imperio, que tenía el tamaño del Imperio y coincidía puntualmente con él. Menos Adictas al Estudio de la Cartografía, las Generaciones Siguientes entendieron que ese dilatado Mapa era Inútil y no sin Impiedad lo entregaron a las Inclemencias del Sol y de los Inviernos. En los desiertos del Oeste perduran despedazadas Ruinas del Mapa, habitadas por Animales y por Mendigos; en todo el País no hay otra reliquia de las Disciplinas Geográficas.

Suárez Miranda: VIAJES DE VARONES PRUDENTES, libro cuarto, cap. XLV, Lérida, 1658.

Murieron otros, pero ello aconteció en el pasado,
Que es la estación (nadie lo ignora) más propicia a la
[muerte.
¿Es posible que yo, súbdito de Yaqub Almansur,
Muera como tuvieron que morir las rosas y Aristóteles?

De Diván de Almoqtádir el Magrebí (siglo XII).

Límites

Hay una línea de Verlaine que no volveré a recordar,
Hay una calle próxima que está vedada a mis pasos,
Hay un espejo que me ha visto por última vez,
Hay una puerta que he cerrado hasta el fin del mundo.
Entre los libros de mi biblioteca (estoy viéndolos)
Hay alguno que ya nunca abriré.
Este verano cumpliré cincuenta años;
La muerte me desgasta, incesante.

De INSCRIPCIONES (Montevideo,
1923), de Julio Platero Haedo.

El poeta declara su nombradía

El círculo del cielo mide mi gloria,
Las bibliotecas del Oriente se disputan mis versos,
Los emires me buscan para llenarme de oro la boca,
Los ángeles ya saben de memoria mi último zéjel.
Mis instrumentos de trabajo son la humillación y la
[angustia;
Ojalá yo hubiera nacido muerto.

Del DIVÁN DE ABULCASIM EL HADRAMI (siglo XII).

El enemigo generoso

Magnus Barfod en el año 1102, emprendió la conquista general de los reinos de Irlanda; se dice que la víspera de su muerte, recibió este saludo de Muirchertach, rey en Dublín:

Que en tus ejércitos militen el oro y la tempestad, Magnus [Barfod.
Que mañana, en los campos de mi reino, sea feliz tu [batalla.
Que tus manos de rey tejan terribles la tela de la espada.
Que sean alimento del cisne rojo los que se oponen a tu [espada.
Que te sacien de gloria tus muchos dioses, que te sacien [de sangre.
Que seas victorioso en la aurora, rey que pisas a Irlanda.
Que de tus muchos días ninguno brille como el día de [mañana.
Porque ese día será el último. Te lo juro, rey Magnus.
Porque antes que se borre su luz, te venceré y te borraré, [Magnus Barfod.

Del ANHANG ZUR HEIMSKRINGLA
(1893) de H. Gering.

Le regret d'Heraclite

Yo, que tantos hombres he sido, no he sido nunca
Aquel en cuyo abrazo desfallecía Matilde Urbach.

Gaspar Camerarius, en DELICIAE
POETARUM BORUSSIAE, VII, 16.

In memoriam J. F. K.

Esta bala es antigua.

En 1897 la disparó contra el presidente del Uruguay un muchacho de Montevideo, Arredondo, que había pasado largo tiempo sin ver a nadie, para que lo supieran sin cómplices. Treinta años antes, el mismo proyectil mató a Lincoln, por obra criminal o mágica de un actor, a quien las palabras de Shakespeare habían convertido en Marco Bruto, asesino de César. Al promediar el siglo XVII, la venganza la usó para dar muerte a Gustavo Adolfo de Suecia, en mitad de la pública hecatombe de una batalla.

Antes, la bala fue otras cosas, porque la transmigración pitagórica no sólo es propia de los hombres. Fue el cordón de seda que en el Oriente reciben los vizires, fue la fusilería y las bayonetas que destrozaron a los defensores del Álamo, fue la cuchilla triangular que segó el cuello de una reina, fue los oscuros clavos que atravesaron la carne del Redentor y el leño de la Cruz, fue el veneno que el jefe cartaginés guardaba en una sortija de hierro, fue la serena copa que en un atardecer bebió Sócrates.

En el alba del tiempo fue la piedra que Caín lanzó contra Abel y será muchas cosas que hoy ni siquiera imaginamos y que podrán concluir con los hombres y con su prodigioso y frágil destino.

EPÍLOGO

Quiera Dios que la monotonía esencial de esta miscelánea (que el tiempo ha compilado, no yo, y que admite piezas pretéritas que no me he atrevido a enmendar, porque las escribí con otro concepto de la literatura) sea menos evidente que la diversidad geográfica o histórica de los temas. De cuantos libros he entregado a la imprenta, ninguno, creo, es tan personal como esta colecticia y desordenada silva de varia lección, *precisamente porque abunda en reflejos y en interpolaciones. Pocas cosas me han ocurrido y muchas he leído. Mejor dicho: pocas cosas me han ocurrido más dignas de memoria que el pensamiento de Schopenhauer o la música verbal de Inglaterra.*

Un hombre se propone la tarea de dibujar el mundo. A lo largo de los años puebla un espacio con imágenes de provincias, de reinos, de montañas, de bahías, de naves, de islas, de peces, de habitaciones, de instrumentos, de astros, de caballos y de personas. Poco antes de morir, descubre que ese paciente laberinto de líneas traza la imagen de su cara.

J. L. B.

Buenos Aires, 31 de octubre de 1960.

ÍNDICE

El Hacedor

EL HACEDOR

La edición de este noveno volumen de las *Obras Completas* de Jorge Luis Borges ha estado al cuidado de José Edmundo Clemente.

ESTA CUARTA
IMPRESIÓN DE
"EL HACEDOR"
SE ACABÓ DE IMPRIMIR
EN OFFSET
EN BUENOS AIRES
EL 3 DE MARZO DE 1967,
EN LOS TALLERES DE LA
COMPAÑÍA IMPRESORA
ARGENTINA, S. A.,
ALSINA 2049.

EMECÉ EDITORES, S. A.
LUZURIAGA 38 — BUENOS AIRES